Met open ogen

John Fullerton

# Met open ogen

Karakter Uitgevers B.V.

Oorspronkelijke titel: Give me Death

Vertaling: Saskia Tijsma/MegaTekst, Baarn

Omslag: Studio Jan de Boer

ISBN 90 6112 203 1
NUR 332

*Ik weet niet wat voor zaak anderen wellicht steunen;*
*maar wat mij betreft, geef mij de vrijheid, of anders de dood!*

Patrick Henry, 1775

# Opmerking van de auteur

*Met open ogen* is geïnspireerd op werkelijke gebeurtenissen en dingen die ik zelf heb meegemaakt. Tijdens de Libanese burgeroorlog was ik chef de bureau van Reuters in Beiroet en ik heb echt een fles whisky gedronken met een man die zelfmoordterroristen had opgeleid. Maar dit is een roman; eventuele overeenkomsten met diplomaten, mensen van inlichtingen- en veiligheidsdiensten, medisch personeel, VN-functionarissen, militieleden en verzetsstrijders – of ze nu christen of moslim, westerling of Arabier zijn – berusten op toeval.

*Met open ogen* wordt opgedragen aan de nagedachtenis van Sanaa Mheidly, de eerste vrijwilligster die haar leven gaf bij een aanval op de bezettingsmacht in een plaats die bekendstaat als Baater Jezzine, in Zuid-Libanon, in april 1985.

# Voorwoord

Vergeet het niet.
Je zult het nooit met eigen ogen zien.
Jij, en je hele generatie, zal er nooit over straat lopen, de oranjebloesem ruiken, bij het graf van je voorouders bidden, er in de schaduw van de bomen rondhangen. Je zult je kinderen er nooit over het gras zien rennen, de granaatappels uit de boomgaarden zien eten, uit de putten zien drinken, wijn uit de wijngaarden zien drinken of hun brood in de olie van de dorpspers zien dopen.
Vergeet het nooit.
Dit groene land heeft je gemaakt. Deze aarde heeft je het leven geschonken. Het is je vlees en bloed. Waar je ook woont en hoe lang je daar ook woont, hoe je ook heet en wat voor kleur je paspoort ook heeft of de ogen van je kinderen ook hebben, alleen dit is je ware thuis.
Je grootouders hebben je de verhalen verteld en je hebt de foto's gezien. Je weet hoe ze uit hun huizen zijn verdreven. Hoe ze werden gedwongen om te vluchten. Hoe ze terugkwamen, hoe de wet van hun vijanden zei dat ze konden terugkomen.
Vergeet het nooit, dochter, denk er elke dag van je leven aan.
Hoe ze bij de controlepost van het leger stonden, met de uitspraak van het hooggerechtshof in de hand.
Hoe de vijandelijke vliegtuigen hun huizen bombardeerden, de huizen van hun vaderen en voorvaderen. Hun huizen werden voor hun ogen platgebrand, verwoest door de bommen en raketten. Ons thuis. Jouw thuis.
Het was kerstavond 1950 en je was nog lang niet geboren.
Je vader was nog maar een kind, je moeder een zuigeling.
De soldaten lieten hun geweerkolven op onze hoofden en schouders neerkomen. Ze sloegen ons en bespuwden ons. Een van hen sloeg je grootvader met zijn geweer tegen de grond en schopte hem met zijn hoge legerschoen. Hij heeft de kneuzing maanden meegedragen. Dit waren jongemannen.

Hadden ze zelf geen vaders en moeders? Waren ze het leed en de ballingschap van hun eigen volk vergeten? Ze duwden onze mannen de loop van hun geweer in het gezicht en deden net of ze de trekker overhaalden. Ze lachten om de tranen van onze vrouwen en kinderen met hun handkarren en schoffels, hun manden en bedden, hun versleten kleren, hun schoenen met gaten.
Jouw thuis is vandaag de dag niemandsland.
Het bestaat niet. Zelfs de puinhopen bestaan officieel niet.
Je kunt het dorp van onze mensen herkennen aan de cactus die er staat ondanks de pogingen van onze vijanden om al onze sporen uit te wissen – er zijn tal van dat soort plaatsen.
Ons thuis is verboden terrein voor jou en iedereen van onze soort, wij, volgelingen van Christus.
Wij zijn de misdeelden, de ontheemden, de staatlozen, we hebben geen rechten en zijn door de wind over vreemde landen verspreid.
Draag de pijn in je hart mee.
Leer je kinderen om stiekem van hun land te houden.
Leer ze om hun verdriet niet te laten zien.
Leer ze om de Leugen te haten.
En vergeet het niet.

# 1

Het was een klein foutje, maar het zou haar fataal kunnen worden.
Reem besefte wat er was gebeurd toen ze haar uit de aankomsthal mee naar boven namen en haar lieten wachten voor het kantoor van de veiligheidsdienst.
Zo'n kleinigheid.
Toen ze aan de beurt was, staarde de *moukhabarat*-functionaris haar even aan. En toen de man van de veiligheidsdienst eindelijk iets zei, stelde hij vijf vragen.
'Naam?'
Reem vertelde het hem.
'Waar kom je vandaan?'
'Larnaca.'
'Waar ga je heen?'
'Naar huis.'
'Waar woon je?'
'Beiroet.'
'Adres?'
'Daouk-gebouw, Rue Soixante-huit, Verdun.'
'Je liegt.'
Hij keek verveeld. Hij had er geen emoties bij. Hij was niet vijandig. Dat hoefde ook niet. Hij zei vast tegen iedereen hetzelfde. Specifiekere beschuldigingen en dreigementen kwamen later wel. Hij wierp een blik op haar paspoort, maar het interesseerde hem niet. Het was of hij zijn besluit al had genomen. Het kwam bij Reem op dat het een informant kon zijn geweest, dat ze misschien al op haar hadden staan wachten vanaf het moment dat ze incheckte, maar ze wist dat het kwam door hoe ze eruitzag.
Ze had maar een paar minuten voor de spiegel hoeven staan.
Wat stom van haar.
Ze stopten haar met de anderen in een ongemarkeerde vrachtwagen. Er was

nog een jonge vrouw van dezelfde vlucht, die huilde, en het rare mannetje van wie Reem dacht dat hij een Jemeniet was, die in de toeristenklasse twee rijen achter haar had gezeten. Raar omdat hij aldoor glimlachte.
Het gejammer van de andere vrouw maakte haar zowat gek. Reem sprak haar vriendelijk toe en sloeg een arm om haar heen. Het komt allemaal goed, dat zul je zien. Niet dat Reem dat geloofde. Maar het was belangrijk om naar de motor van de vrachtwagen te luisteren, naar het schakelen, en bij de achterdeur te zitten om te proberen een glimp op te vangen van waar ze heen gingen.
Als ze rechtsaf gingen, van de kust af, en de weg namen die door de bergen naar het oosten liep, zag het er heel slecht uit. Als ze naar het noorden bleven rijden, de stad in, dan had ze nog een kans.
Misschien werd ze in elkaar geslagen.
Als ze geluk had.

...

Er was alleen een vleugje lippenstift voor nodig geweest, een beetje ogenzwart, de goudkleurige oorbellen, een paar halen met de haarborstel en het zwarte jasje. Had ze haar hoge hakken maar aangetrokken en het zwarte tasje meegenomen dat een Gucci leek maar het niet was.
In plaats daarvan had Reem met haar witte blouse, blauwe spijkerbroek en sportschoenen, en met haar haren achterover gehouden door een eenvoudige plastic speld, op een studente geleken.
Of een koerier.
Dat was het. Een koerier, verdomme.
Als ze dat dachten, dat ze een koerier was, zou ze het waarschijnlijk wel redden. Dan zou haar eerste verhaal volstaan.
Haar enige tactiek was nu om het te rekken, om tijd te winnen.
Reem dacht dat de Ustaz wel zou beseffen dat er iets mis was als ze niet met de andere passagiers door de controle kwam. Hij zou het natrekken. Dat zou een paar minuten duren, maar de Leermeester zou er al gauw achter komen dat ze was ondervraagd en in de overvalwagen zat.
Hij zou niet blijven rondhangen. Hij zou naar de stad teruggaan, zijn invloed aanwenden. Hij had heel wat *wasita*, zelfs bij de Syriërs.
Het zou een uurtje duren om een paar gunsten gedaan te krijgen. Misschien een paar uur.
Hij zou rondbellen. Een tiental telefoontjes plegen, misschien zelf bij een of twee mensen in West-Beiroet langs gaan.

Hou je gedeisd, wacht, hield Reem zich voor.
Het alternatief was te vreselijk om aan te denken.
Maar ze moest er toch rekening mee houden. En wel dat ze de hele tijd hadden geweten dat ze onderweg was, dat ze zou worden afgehaald, dat de Ustaz daar in de drukte stond. Misschien hadden ze hem al opgepakt. Dan zou haar eerste verhaal geen stand houden en zou ze moeten terugvallen op haar tweede verweer, en als dat het begaf, was er alleen nog de waarheid. Maar zelfs dan was nog niet alles verloren. Wat was de waarheid? Ze zou de namen en plaatsen zo lang mogelijk voor zich houden. Reem wist weinig wat van nut kon zijn. Daar had de Ustaz wel voor gezorgd, en Reem was er blij om. Ze zou hem zijn achtenveertig uur bezorgen. Terwijl ze in de hete vrachtwagen in het donker op haar hurken naar het snikken van haar medepassagier zat te luisteren, beloofde ze zichzelf dat ze hem twee dagen zou bezorgen. Pas dan zou ze proberen om zichzelf te redden.
Ze had het verknald.
Dat deed nog het meeste pijn – niet wat de Syriërs haar zouden kunnen aandoen.
Het was simpel. Cyprus Airways had gezegd dat het hun laatste vlucht was, dat Beiroet zou worden gesloten en dat niemand wist voor hoe lang. Reem had een week in Larnaca kunnen vastzitten. Misschien langer. Dus had ze zich gehaast – en dit was het resultaat.
De ongemarkeerde vrachtwagen denderde naar het noorden.
Reem kon de zee ruiken.
Dank u, Jezus.

De gevangenen werden een voor een met de lift naar boven gebracht. Reem ging als laatste.
Er waren twee boeven bij haar. De ene kauwde kauwgum en staarde in het niets. Hij keek niet naar de gevangenen. Hij was kort en donker en slordig gekleed en hij zag er niet al te snugger uit. Hij hield vast van zijn werk. Garnaal. Zijn metgezel was jonger, langer en zich zeer van Reem bewust. Hij keek opgelaten. Het gevoelige type. Reem nam zich voor om zo nodig van die zwakte gebruik te maken.
Ze stapten uit op de zesde verdieping.
De deur stond open. De kleine bewaker gaf haar een klap tussen de schouderbladen, een opdoffer waardoor ze naar binnen schoot, de zaal der smarten in.

Reem wist waar ze was. Het heette hier het Witte Strand. Ramleh al-Baidah. Ze herkende het toen ze uit de vrachtwagen stapten. Het zand op het strand was inderdaad wit. Voor de oorlog was ze er wezen zwemmen met haar vriendin Zubaida. Het was een openbaar strand en ze lagen nog niet lang in het water voordat ze erachter waren waarom. Er kwam een riool op uit en het water was smerig. Toen ze thuiskwam, was Reem wel tien keer onder de hete douche gaan staan en had zich geboend tot haar huid bloedde.

De flatgebouwen waren ook van voor de oorlog. Uit de jaren zestig en begin zeventig van de twintigste eeuw. Heel duur. Met een mooi uitzicht op de baai, en met het strand en de kustweg aan hun voeten. Ze lagen vlak bij de restaurants en nachtclubs van Raouche en waren populair bij de Saudiërs en Koeweiti's en hun soort, vakantiewoningen voor de zomermaanden. Nu waren het grijze geraamtes die voor het merendeel leeg stonden. Reem keek omhoog naar het gebouw waar ze op het punt stond binnen te gaan. Het zag er naargeestig uit. De betonnen muren zaten vol vlekken; de meeste ramen waren dicht, met gordijnen of blinden ervoor, zelfs op een warme voorjaarsavond. De balkons waren leeg. Er stonden geen potplanten, er stonden geen parasols, er hingen geen waslijnen.

'Naar binnen.' De schurk gebaarde met zijn Tokarev.

Op dat moment hoorde Reem de roffel artillerievuur.

Gedempt tromgeroffel.

In het noorden. In de buurt van Jounieh.

Ze klommen de stoep op en gingen de smerige lobby in.

Als er al iemand getuige was geweest van hun aankomst, had Reem hem niet gezien.

Het lukte Reem om haar evenwicht te bewaren. Ze maakte een schuiver over de houten vloer en kwam tegen de muur tot stilstand. De andere gevangenen zaten gehurkt op de grond, met handboeien aan de radiatoren geketend. Het waren er vijf of zes, allemaal mannen. Het tweede wat haar opviel, was dat verspreid over de parketvloer kapotte meubels en gescheurde kranten lagen. Het was duidelijk dat de resten van een koffietafel en een aantal stoelen waren gebruikt om de gevangenen mee te bewerken.

Er waren nog drie mannen in het vertrek. Reem nam aan dat zij de ondervragers waren. Twee van hen waren in hemdsmouwen en ze stonden allebei te roken. Eén had een stoelpoot in zijn rechterhand. Hij transpireerde en ademde zwaar, alsof hij was onderbroken toen hij net iemand stond af te tuigen.

Goddank, dacht Reem, de organisatie is typisch Syrisch. Gewelddadig en met losse handjes, geïmproviseerd.
De derde man trok Reems aandacht.
Hij droeg glanzend zwarte loafers met kleine, goudkleurige gespen en een zwarte broek met een scherpe vouw. Hij droeg een driekwart jas waarvan Reem besefte dat het helemaal geen jas was, maar een kamerjas met een rood met groen motief. Hij was in de dertig, zo'n 1,75 m lang, met blond haar, een rossige teint en wat de Fransen noemen *les yeux pers*, grijsgroene ogen.
Het kwam Reem voor dat hij was gewekt om de nieuwkomers te verwelkomen.
De Jemeniet werd met de stoelpoot geslagen. Eén keer. De tweede klap was een onderhandse slag met hetzelfde instrument. Hij bracht zijn handen naar zijn gezicht om het te beschermen en werd voor zijn moeite beloond met een stomp in zijn nieren door ondervrager nummer twee. Hij werd op de knieën gedwongen en bij de anderen aan de radiator geketend.
De slagen gingen vergezeld van vloeken.
*'Ibn kelb!'*
De Jemeniet glimlachte niet meer.
De hoofdondervrager gebaarde met zijn kin.
Hij bedoelt ons, dacht Reem.
De twee bewakers duwden beide vrouwen een aangrenzende kamer in.
En sloegen de deur dicht.
Het meisje zette het op een janken en zakte op het wankele bed.

Ze konden alles horen.
Dat was ook precies de bedoeling. Ze werden murw gemaakt. De Syriërs hielden er traditionele ideeën op na als het op vrouwen aankwam. Vrouwen waren laffhartige, zwakke wezens. Het was duidelijk dat een uurtje luisteren naar mannen die om genade smeekten terwijl ze in elkaar werden geslagen, zou helpen om hun tongen los te maken. Ze zouden van alles bekennen.
'Luister,' zei Reem tegen haar metgezel. 'Hou even op met janken en luister.' Het meisje hief haar betraande gezicht op. 'We moeten net doen of we slapen. We moeten rustig blijven. We moeten ons van de domme houden.'
'Maar we zijn onschuldig.'
Nog meer tranen, een zwak gekerm.
Reem trok het meisje aan de schouders naar zich toe en schudde haar heen en weer.

'Natuurlijk zijn we onschuldig. Luister naar me. Wij weten dat. We moeten hen ervan overtuigen.'
Het leek enigszins te werken.
Door naast elkaar op de spiraal te gaan liggen – er was geen matras – en elkaars hand vast te houden, lukte het bijna. Reems metgezel hield in elk geval op met snotteren. Reem deed haar ogen dicht. Een klein pijnplekje was van de achterkant van haar hoofd naar vlak achter haar linkeroog verschoven. Ze kon de herrie in de woonkamer niet buitensluiten, maar ze kon wel aan iets anders denken. Zoals altijd op momenten van stress dacht ze aan haar vader en moeder, aan haar broer en zusjes.
Ze herinnerde zich.

Ze hoefden niet lang te wachten.
Het was de hoofdman, de gladde jongen, die welhaast een buitenlander leek.
'Wat? Slapen jullie?'
Hij was ontzet, alsof het vreselijk tegen de regels was.
'Hierheen – vooruit.'
Reem nam er de tijd voor. Ze kwam langzaam van het bed, met waardigheid. Ze bracht haar haren zo goed mogelijk in orde, trok haar blouse recht.
'Schiet op, jij.'
Reem negeerde hem. Het viel haar op dat hij zijn kamerjas niet meer aan had, maar een pak droeg. Hij zag eruit of hij onderweg was naar een receptie. Zijn haar zag er nat uit, tegen zijn hoofd geplakt.
Reem keek naar het naburige gebouw. Bij een open raam stond een man met een nethemd aan voor een spiegel. De onderste helft van zijn gezicht was bedekt met scheerschuim. Hij stond zich heel zorgvuldig te scheren met een ouderwets scheermes.
In de woonkamer achter Reem schreeuwde iemand.
De kreet werd afgekapt.
Dat moet die buurman toch hebben gehoord, dacht Reem.
Hij draaide zich niet om. Hij aarzelde niet eens.
Het scheermes gleed gelijkmatig over de wang van de man en maakte een pad door het schuim.
De schurk greep Reem bij de arm en trok haar weg.
Het was ochtend, besefte Reem.
Het was hun beurt.

# 2

Nick voelde geen klap. Alleen een gewicht dat hem neerdrukte.
Tijgeroog danste; duizend lichtpuntjes, het opvlammen van zijn synapsen, een verblindende schittering van verpletterende pijn.
Hij verloor het bewustzijn en kwam weer bij.
De oogbol herkende hij als de patrijspoort die tranen van gifzwart zeewater huilde.
Zijn eigen iris keek hem aan.
Verbijsterd.
Ondersteboven.
Dat was het dus. Zo eindigde het voordat het goed en wel was begonnen.
En allemaal omdat de BA-vlucht naar Larnaca door een staking van Franse verkeersleiders was vertraagd en omdat hij niet wilde wachten.
Het had met zwaartekracht te maken, met drijfvermogen, of het gebrek daaraan, die elkaar tegenwerkten. Hij probeerde te zwemmen, maar werd vastgehouden. Hij flapperde met zijn armen, zwaar tegen het getij, in een nutteloze poging om te drijven.
Nick was eerder nieuwsgierig dan bang, een toeschouwer van zijn eigen verscheiden, nieuwsgierig naar hoe deze dingen gaan, naar hoe we deze wereld verlaten voor wat erna komt.
Maar wat oneerlijk.
Op zijn zevenentwintigste, op zijn eerste opdracht in het buitenland.
Zou hij verdrinken of zou hij verbranden?
Doorboord door zijn eigen gebroken ribben.
Zou hij ze horen breken?
Gespietst, daarna gestikt.
Nick had op de volgende vlucht kunnen wachten.
En de anderen?
Het meisje was nergens te bekennen. Ook George was verdwenen.
Waren ze broer en zus?

Minnaars?
Sylvie was de dochter van een advocaat. Dat had ze Nick verteld toen ze hem bittere koffie had geserveerd in een kartonnen bekertje. Een lange witte jurk, geschikter voor een bruiloft dan voor een zeereis, tot op haar voetjes. Vreemd zwierig gekleed voor een hofmeesteres, zelfs in de eerste klas (Nick was de enige eersteklaspassagier, de enige buitenlander die roekeloos genoeg was om te reizen). Nee, had ze gezegd, ze was geen hofmeesteres. Ze deed haar plicht voor het vaderland. Zo had ze het niet precies gezegd. Haar land dienen waren de feitelijke woorden die het argeloze kind had gebruikt en ze had trots haar kin geheven toen ze het zei. Nick had op zijn tong moeten bijten om niet toe te geven aan de neiging om te vragen: welke helft, schone dame?
Glanzend zwart haar tot op haar middel.
Nick wist het antwoord al.
Toen hij om iets sterkers had gevraagd, had ze bedroefd gekeken.
Alleen koffie. Ze leek het heel persoonlijk op te vatten.
Een smet op het blazoen van haar halve land.
Hij dronk het allemaal op, alleen om haar een plezier te doen. Het was instantkoffie. Het smaakte smerig. Het was niet eens heet.
George was de stuurman. Nick had een vluchtige indruk van een olijfkleurige huid, witte tanden, zwart krulhaar. Een amateur-zeiler, zei hij. Ook hij sprak Frans. De playboy die piraat was geworden, kende elk rif, elke inham, elke getijdenstroom. Een goede man om op een reis als deze bij je te hebben, had Nick geopperd en hij had geprobeerd om het waarderend te laten klinken. Hij zou al na korte tijd op zijn nieuwe post leren dat iedereen zich gedwongen voelde om indruk te maken op buitenstaanders. En omdat er zo weinig buitenstaanders waren, was elke buitenstaander goed.
Mettertijd zou dit verlangen om aardig gevonden te worden, zelfs door mensen die hem wel konden vermoorden, Nick onverschillig laten.
In elk geval waren ze allebei verdwenen.
Nick kronkelde zich in de veiligheidsgordel die naar het plafond van de hut hing; nee, het was de vloer. Tapijt vlakbij, zo dichtbij dat hij alle grijze lusjes in het bouclé kon zien, als afzonderlijke bomen in het bladerdak van een bos. Ondanks het gejammer in de toeristenklasse kon hij dichterbij de basstemmen van de Noorse bemanning horen foeteren, vooraan, in de rossige gloed van de brug. George had gezegd dat ze voor deze trip 2000 dollar de man betaald kregen.
Hij zei dat het Noren waren; groot, breed, blond, met handen als kolen-

schoppen, in witte zomerkleding waar rood haar uit stak en een gelooide huid die was gerookt en gepekeld van het Skagerrak tot Sardinië.
Nick zag hen ook niet meer.
Hij schommelde en hing waar zijn voeten hoorden te zijn.
Vastgebonden alsof hij aan een galg hing.
Nog wel in leven, maar niet springlevend.
Dingen vielen in slowmotion en tolden om zijn hoofd.
Kop, schoen, fles, lepel.
Wat een manier om een carrière te beginnen en te eindigen.
Zo kort.
Weer een ruk, een schuiver opzij, een slingerbeweging.
Het water steeg en daalde.
Nick schommelde. Hij spartelde. Hij kreeg eindelijk weer adem.
Nog meer ontploffingen. Als een gonzen, een geknars van metaal dat door merg en been ging.
Maar ze dreven nog.
Nick tolde rond.
Zijn directe omgeving kwam weer overeind.
Hij zat weer in zijn stoel.
Rechtop.
Levend, tot zijn grote verbazing.
De vergetelheid kon wachten. Zuur, naar koffie ruikend braaksel verwarmde de voorkant van zijn doorweekte overhemd. Hij huiverde. Hij zette zijn kiezen op elkaar om te proberen zijn tanden niet zo te laten klapperen.
Nicks gedachten gingen uit naar de kinderen in de toeristenklasse.
De hele beproeving had nog geen halve minuut geduurd.
Hij had geboft.
Nick had hier niet hoeven zijn. Hij had kunnen wachten tot over een dag of twee de vluchten naar Beiroet werden hervat. Wat er gebeurd was, zou toch wel zijn gebeurd, met of zonder hem. Hij had die avond aan zee kunnen zitten, met een inktvisschotel en een fles retsina, en naar de toeristen kunnen kijken. Hij had uit bezorgdheid de veerboot van Larnaca naar Jounieh genomen. Het was niet zijn schuld dat British Airways de aansluitende vlucht naar Beiroet had gemist. Aan het begin van zijn eerste echte opdracht nadat hij zijn opleiding op het hoofdkantoor van de Verenigde Naties in Parijs, en daarna in Genève, had voltooid, had Nick zijn betrokkenheid willen tonen. Hij wilde niet aarzelend overkomen. Hij wilde niet laten zien hoe ongerust hij was dat hij naar een oorlogsgebied moest reizen. Hij was bang. Bang voor

het bang zijn, zoals de meeste jongemannen die met hun eerste strijd worden geconfronteerd. Dus had hij het initiatief genomen. Hij had er niet eens aan gedacht om naar Genève te bellen en het zijn werkgevers te vragen. Hij had voor drie Cyprische ponden een taxi van het vliegveld naar de haven genomen – een ritje van hooguit tien minuten – waar zich een massa mensen rond het plaatskaartenloket in het havengebied had verdrongen en waar hij met de besten onder hen was voorgedrongen.
Nick had zich voorgehouden dat hij zijn werkgevers de kosten van een paar nachten in een hotel bespaarde. Misschien wel meer. Misschien wel een hele week.
En nu zat hij hier.
Op een falangistische boot.
Voor Nick had alleen al de term falangist een sinistere klank. Hij had de geschiedenisboeken gelezen en wist in algemene termen hoe de paramilitaire organisatie in de jaren dertig van de twintigste eeuw was begonnen als sportclub, naar model van Franco's zwarthemden. Of waren het Mussolini's zwarthemden? Dat wist hij niet meer, maar het deed er ook eigenlijk niet toe. Hij had foto's gezien van de eerste falangisten die als excentriekelingen door Beiroet rondstapten met gepoetste laarzen en flodderige golfbroeken in leren beenkappen, Sam Browne-achtige riemen, zwarte overhemden en een zonnebril op. Hij had gelezen hoe de zogenaamde sportlieden zich hadden getransformeerd tot een militaristische politieke partij die de maronitische overheersing van Libanon voorstond en hoe ze recentelijk hun lot hadden verbonden met dat van de Israëliërs en Amerikanen tegen degenen die zich als Arabier beschouwden, zowel conservatieve moslims als links.
George had hem gecorrigeerd. Geen boot, Nick. Een hovercraft.
Hij zag er snel uit; een dubbele rij V8-motoren in de achtersteven, een trimaran die op het water lag als een enorme libel die de spanning van het wateroppervlak gebruikt en nauwelijks in het water steekt, met hoge snelheid zelfs nog minder. Helemaal wit, met een achterover hellende romp, de bagage van de passagiers onder netten aan de buitenkant, als een patronengordel. George was er apetrots op.
De naam stond in zwart op de afgevlakte achtersteven: *Eulalia.*
Zij met de zoete stem. Een van de namen van Apollo.
De passagiers gingen bij zonsondergang aan boord, de steiger liep naar het westen, naar de ondergaande zon, en hun voorbereidingen werden gadegeslagen door nieuwsgierige zeelieden aan de reling van een bejaard Frans korvet dat ertegenover lag afgemeerd.

Nick en zijn medereizigers draaiden een trage bocht over de gladde zee en de Noren zetten koers naar het oostzuidoosten.
Na de lauwe koffie konden de passagiers naar een James Bond-film kijken: *You Only Live Twice.*
De Noren stopten de video vlak voor het hoogtepunt en gelastten dat het vaartuig moest worden verduisterd. Nick vroeg zich af of ze, toen ze het werk hadden aangenomen, wisten dat ze werden ingehuurd om te zorgen voor een riskant vertoon van falangistische vastberadenheid, een brutale daad van verzet in het zicht van een door Syrië gesteunde blokkade van de Libanese maronitische enclave. Als ze het toen niet hadden geweten, waren ze er inmiddels wel achter.
Ze wiegelden in het pikkedonker op de onzichtbare zee.
George vertelde in het langslopen fluisterend dat ze het juiste moment afwachtten om de laatste paar duizend meter pijlsnel af te leggen.
Vlak na middernacht zag Nick de kanonnen vuren. Hij zag de lichtflitsen voordat hij ze hoorde.
Een oranje en rood flakkeren.
Nick boog zich naar voren. Hij maakte een kommetje van zijn handen tegen de weerspiegeling en drukte zijn neus tegen het plexiglas.
Hij kon niet voorzien wat de implicaties waren van het artillerievuur, de doffe knallen waarvan hij later hoorde dat het de D-60's waren die van achter de berg vuurden, een van achteren verlicht rekwisiet van Libanons langzame doodsstrijd.
De granaten maakten een schorre schuifelgang als een doodsgereutel aan de nachtelijke hemel.
Opeens werd het heel erg persoonlijk.
Hoe konden ze missen?
Ze misten niet.
Een onzichtbare hand greep het schip.
Smeet het op zijn kant en duwde het omlaag, met de boeg vooruit.
Net zo gemakkelijk als een kitten in een badkuip verdrinken.
Verdomme.
Zouden ze een tweede salvo afvuren?
Ja dus.
Ze zouden wel radar hebben. Misschien ook wel observatieposten, boven op de toppen, met nachtkijkers om de juiste positie door te geven. Ze zouden de kustlijn kilometers ver in beide richtingen kunnen zien, en kilometers ver de zee op.

De angst wrong zich door Nicks keel en smoorde het gevoel van afstandelijkheid dat reizigers hebben. Hij wist dat angst de nare gewoonte heeft om de gang van zaken te veroorzaken die hij zo graag wilde vermijden. Een man of vrouw die bang is om te verdrinken, raakt bijna zeker in paniek als hij of zij in diep water terechtkomt – en verdrinkt dan. Nick hield zich voor dat hij kalm moest blijven. Hij kon niets doen. Jawel, hij had de veiligheidsgordel kunnen losmaken voordat de granaten insloegen. Hij had uit zijn stoel kunnen springen. Hij had van het gangboord op het toeristendek kunnen springen en in het volle zicht van een paar honderd passagiers kunnen proberen om het voorluik open te krijgen.
En dan? Overboord springen?
De bemanning zou hem hebben tegengehouden. Hij zou zich alleen maar belachelijk hebben gemaakt. Een Brit die de moed verliest was één ding, een Brit die door een schip vol gekken wordt gezien als dat gebeurt, is heel wat anders. Als hij toch dood moest, dan wel een beetje waardig.
In stilte. Zonder protest.
Dus bleef hij zitten in zijn eersteklas stoel met zijn eersteklas veiligheidsgordel en zijn nieuwe VN-paspoort.
Het water klotste tegen zijn enkels.
Onze Vader.
Die in de hemelen zijt.
Uw naam
Worde geheiligd.

Het schip schoot vooruit.
De V8's van de *Eulalia* donderden.
Nick klampte zich aan de armleuningen vast, zijn gezicht afgewend van het gordijn van schuim dat tegen de patrijspoort sloeg. Hij deed zijn ogen dicht.
Uw
Koninkrijk
kome.
Kwam er nog meer?
De kanonnen vuurden weer.
Flits daarna boem.
Uw wil geschiede.

# 3

Er waren mensen die wel teruggingen.
Die mensen verspreidden zich over de bezette gebieden en anderen, die nog binnen de Groene Lijn van voor 1967 woonden, gingen terug wanneer ze konden, als de soldaten en de controleposten en de avondklok dat toestonden, als het kruisvuur tussen de vijandelijke tanks en de ontoereikende, lichte wapens van de *shebab* verminderde of ophield bij een volgend waardeloos bestand of ronde vredesbesprekingen.
Vrede. Er was geen vrede.
Ze konden er niet wonen. Ze maakten dagtochtjes; ze mochten er niet eens overnachten. Maar in de loop der jaren hadden ze de kerk herbouwd, het dorpskerkhof gerestaureerd en de grafstenen vervangen. Ze hielden er zondagsdiensten en met Kerstmis kwamen er zelfs mensen helemaal uit San Diego en Montreal, Perth en de Bay of Islands, uit Manchester en Marseille. Ze kwamen op toeristenvisa en buitenlandse paspoorten, en dan stond de congregatie tot op het kerkhof.
De meesten zagen hun thuis voor het eerst.
Het maakte geen verschil in hoe ze werden behandeld. Het maakte geen verschil of ze eersteklas of toeristenklasse reisden, of ze een Canadees paspoort hadden of de Ierse achternaam van hun buitenlandse echtgenoot droegen. Ze konden zowel rijk als bejaard zijn, maar zodra de passagiers uit het vliegtuig stapten, werden ze herkend voor wat ze waren. Ze werden onder aan de vliegtuigtrap apart genomen, van de anderen gescheiden, ze moesten in een gesloten wagen stappen en ze werden meegenomen. Ze werden gevisiteerd en hun vingerafdrukken werden genomen. Ze werden beledigd, vernederd. Het was opzettelijk, allemaal, tot in onverdraaglijke kleinigheden.
Het was de routine van de haat, het rituele recht van de sterken over de zwakken.
Dat kwam omdat ze waren wat ze waren. Omdat ze kwamen waar ze van-

daan kwamen, omdat de vijand geen enkele gelegenheid voorbij kon laten gaan om hen te kleineren, hun respect te onthouden, hen te straffen voor hun onbeschaamdheid dat ze überhaupt waren teruggekomen, dat ze droomden dat dit hun land was.
En aan het eind van hun leven kwamen sommigen terug om te worden begraven in het familiegraf, in een metalen kist overgevlogen door overlevende verwanten die het zich konden veroorloven en het geduld hadden voor de bureaucratische rompslomp die een uiteindelijk toevluchtsoord in aarde die ze de hunne konden noemen in de weg stond.
Het was een soort thuiskomst, vermoedde Reem.
Ze wist dat zij het in elk geval nooit zou zien, levend of dood.

Ze draaiden haar armen op haar rug.
Twee van hen stonden achter haar, aan elke kant één. Elke man hield met één hand een pols vast en duwde met de andere haar schouder naar beneden, zodat ze voorover boog. Toen trokken ze haar armen omhoog en draaiden haar polsen naar binnen. Haar armen waren hefbomen, haar schouders en ellebogen de draaipunten. Ze hadden het kennelijk meer gedaan.
Reem voelde de pijn als een elektrische schok door haar armen schieten en aan haar schedelbasis opvlammen, maar ze had de pijn in zekere zin al voorzien. Ze had hem verwacht. Ze was met haar gedachten bij de vragen die ze zouden stellen en hoe ze die zou beantwoorden.
Maar er kwamen geen vragen.
Nog niet.
Dat overrompelde haar.
Wisten ze het?
De druk werd gestaag opgevoerd.
Ze wist dat iets het moest begeven. Dat zouden haar knieën zijn. Ze zouden doorzakken.
Ze wilden haar op de grond hebben, haar laten knielen.
Reem kwam in beweging voordat het zover was.
Ze deed een stap achteruit en verminderde zo de spanning op haar armen. Ze dook in elkaar, draaide scherp naar rechts en schoot grauwend en spuwend omhoog, waarbij ze haar armen als een bokser introk.
'Smeerlappen – noemen jullie jezelf Arabieren?'
Haar overweldigers verstijfden.
Reem ontblootte haar tanden. Ze trok haar rechterhand los en stak hem omhoog, als een klauw, paraat om neerwaarts uit te halen.

'Behandelen jullie je Arabische broeders zo? Behandelen jullie Arabische vrouwen zo? Noemen jullie jezelf mannen? Hoe durven jullie...'
Reem schoot naar voren en spuwde de lange jongeman die met haar in de lift naar de zesde verdieping had gestaan, in het gezicht.
Toen zijn metgezel wilde ingrijpen, draaide Reem zich weer naar links en haalde de vingers van haar rechterhand over zijn gezicht, van vlak onder zijn haarlijn aan weerskanten langs zijn neus tot zijn lippen, waarin ze bleef haken. Reem miste haar doel: de ogen. Maar ze voelde de huid bezwijken, voelde hoe zich onder haar nagels weefsel ophoopte, zag bloed uit een gescheurde mond vloeien.
'Schaam je. Schande, schande, schande...'
Om haar heen stonden vier mannen zich onzeker buiten bereik van haar klauwen en tanden te houden.
Het gezicht van de bewaker bloedde uit vier onregelmatige krabben.
'Werk haar tegen de grond, achterlijke idioten dat jullie zijn.'
Het was de blonde kerel. Hij had de commotie gehoord en stond in de deuropening toe te kijken, met zijn handen in zijn zakken.
Zijn woorden verbraken de trance. Iemand schopte haar voeten onder haar uit. Een elleboog smakte in haar rug, een vuistslag verdoofde haar aan één oor. Er werd een hoge schoen op haar onderrug gezet om haar vast te pinnen terwijl andere handen haar polsen en voeten bonden. Het enige wat ze kon zien, was vlak voor haar neus de gescheurde krant die was gebruikt om het bloed van de gevangenen mee op te nemen, en de punten van die glanzend zwarte loafers.
Reem ademde de stank van stront, pis en angst in.
Ze verdraaiden haar rug en verrekten haar schouders en ruggengraat.
De Jemeniet was er nog, aan de overkant van het vertrek, aan dezelfde radiator geketend. Zijn ogen waren dicht. Er zat aangekoekt bloed op zijn hemd.
Ze spanden haar als een boog.
Handen snoerden haar hardhandig aan een stoel vast. Ze bogen haar er zo tegenaan dat scherpe pijnscheuten door haar onderrug naar haar ribben schoten.
Reem ademde snel om te proberen de pijn onder controle te krijgen.
'Smeerlappen.'
Ze voelde haar ribben meegeven.
Haar rugwervels knarsten tegen elkaar.
De hoofdman sprak zachtjes.

'Je bent PLO.'
Het was een vaststelling.
Reem schudde haar hoofd.
'We weten dat je PLO bent.'
Zijn mond was vlak bij haar linkeroor.
'Nee. Nee. Nee.'
De pijn was constant. Branderig. Alsof ze een fakkel tegen haar rug hielden.
Ze zette haar kiezen op elkaar om het niet uit te schreeuwen.
'Zeg het ons. Je bent Fatah. Je bent gezien.'
In plaats van te schreeuwen, gromde Reem, ademde met korte, scherpe halen door haar tanden in en uit om te voorkomen dat ze het zou uitschreeuwen. Wat zou ze graag hebben geschreeuwd, gejammerd, gesmeekt.
'Je bent gezien,' zei de blonde man. 'Je bent gezien op het PLO-kantoor in Nicosia. Hij' – de blonde man wees op de bewusteloze Jemeniet – 'heeft je daar gezien. Twee dagen geleden. Hij is er ook een. Hij heeft je verraden om zichzelf te redden. Geef antwoord. Je bent PLO.'
Reem kreunde. Het was een laag, schor geluid. Ze ging geen antwoord geven. Dat kon ze niet. Ze vond dat ze klonk als een hijgend dier. Terwijl ze haar pijnigden, kon ze hun zweet ruiken. Hun lichaamsgeur, hun zweetvoeten. Een ranzige mannengeur.
'Je bent PLO. Zeg het ons. Dan kun je naar huis.'
Thuis was heel ver weg.
Het lag niet in hun vermogen om haar naar huis te sturen.
'Als je het ons zegt, mag je weg.'
Leugenaar.
Reem wist zijn bijnaam. Die was meer dan eens genoemd terwijl zij in de andere kamer net had gedaan of ze sliep. Zijn mannen hadden hem elkaar toegefluisterd toen hij ver genoeg weg was om het niet te kunnen horen.
Prins van de Heuvel noemden ze hem. Niet zijn echte naam natuurlijk, maar in een klein wereldje als West-Beiroet zou het niet moeilijk zijn. Als ze hier heelhuids uitkwam, zou ze het hem betaald zetten en daar verheugde ze zich nu al op.
Ergens in de flat, achter een deur, in een andere kamer, hoorde ze het hardnekkige rinkelen van een telefoon.
Het kon Reem niet schelen. De pijn schoot haar hoofd binnen. Uiteindelijk zouden haar spieren het begeven, dat moest wel, en zouden haar armen worden ontwricht, uit de kom worden getrokken. Veel langer hield ze het niet meer uit.

Smeerlappen.
Ze gingen haar breken. Dan zou ze niemand meer van nut zijn.
Die stem weer.
'Je bent PLO.'

Reem dwong zichzelf om slap te worden, in elkaar te zakken op de pijnbank die ze hadden geïmproviseerd. Haar hoofd zakte opzij. Haar ogen rolden weg in hun kassen. Ze kwijlde.
Het was een zielig toneelspel, maar ze wist niets beters.
Ze wilden straffen, niet ondervragen. Ze dachten dat ze alle antwoorden al hadden. Ze wilden haar pijnigen. Het lukte hun ook nog.
Hoewel het idee van wraak een zoete fantasie was, haatte Reem de Prins van de Heuvel niet echt. Ze was zich er heel goed van bewust dat, als het de Syriërs niet waren, het de Palestijnen hadden kunnen zijn. Ook zij waren in dit deel van de stad actief geweest en in hun tijd hadden ook zij zich niet ingehouden. Het hadden de Israëliërs kunnen zijn – wat God verhoede – of hun falangistische vazallen. Het had ook een van de vele andere facties van moslims of radicalen kunnen zijn die de ongedisciplineerde en turbulente coalitie vormden die de Nationale Beweging werd genoemd.
Niemand kon er in dit late stadium nog aanspraak op maken moraalridder te zijn.
Sommigen waren alleen minder erg dan anderen.
Nee, ze haatte niet. Ze had medelijden met hen.
Reem wist dat de Syriërs de Nationale Beweging altijd instinctief hadden gesteund. Het idee om godsdienst en etniciteit uit de politiek te halen, om de maronitische oligarchie van grootgrondbezitters hun voorrechten te ontnemen, om deze te vervangen door één stem per persoon – met andere woorden: democratie – was niet bepaald revolutionair.
Op het moment dat de Beweging zeker leek van de overwinning, was Syrië overgelopen. Het viel Reem niet moeilijk om te zien waarom. Het was reaalpolitiek. Als de Beweging de militaire overwinning had behaald, had de christelijke rechtervleugel in de vorm van de falangisten en hun Libanese militiebondgenoten, opgehitst door Israël, misschien gedaan waar hij al heel lang mee dreigde: het land verdelen en een apart maronitisch staatje stichten, als mes op de keel van Damascus en de Arabische wereld in het algemeen.
En als dit niet was gebeurd, en de Beweging er, tegen alle verwachtingen in, in slaagde om succes op het slagveld om te zetten in een links, nationalis-

tisch Libanon, was dat nauwelijks beter. Het zou voor Syriës heersende Baath-partij een democratische uitdaging zijn geweest, een mededinger naar de genegenheid en hulp van het socialistische blok.
Reem begreep dat er voor Syrië geen overwinnaars konden zijn, geen overwonnenen, in zijn piepkleine buurstaatje.
Syrië moest het machtsevenwicht bewaren en dat hield noodzakelijkerwijs in dat het de PLO-koeriers die voor Yasser Arafat werkten, moest onderscheppen. Syrië kon Israël dus niet tegen zich in het harnas jagen, anders kreeg het weer een invasie door het leger van de joodse staat te verduren.

'Maak haar los. Zet haar overeind.'
Het was niet haar toneelspel, maar het telefoontje.
'Je boft.'
De Prins van de Heuvel stond vlak bij Reem en keek haar in het gezicht.
'De volgende keer ben je niet zo fortuinlijk.'
Reem deed een uitval naar hem, maar haar bewakers grepen haar armen. Ze wrong zich in allerlei bochten om te proberen zich los te rukken.
'Noemen jullie jezelf nationalisten? Bevechten jullie onze vijanden zo? Door je mede-Arabieren in elkaar te slaan en te martelen? Gedragen de roemrijke bondgenoten van Libanon zich zo?'
De Prins werd bleek.
'Neem haar mee. Nu. Voordat ik me bedenk. Breng haar naar huis, Malik.'
Hij haalde sleutels uit een zak en gooide ze de lange gangster toe.
'Neem mijn auto maar.'
'Ja, baas.'
Reem zag hen de deur open doen. Daar was de lift. Ze stonden op haar te wachten. Was het een truc? Ze zette voorzichtig een stap, en toen nog een. Haar rug stond langs haar hele ruggengraat in brand. Iemand stak haar zijn hand toe, maar ze schudde hem af.
'Hou je smerige handen thuis...'
Ze zou hun eens wat laten zien.
Ze keken naar haar. Ja, ze zou zonder hulp lopen. Ze had hun hulp niet nodig. Reem schuifelde de onfortuinlijken voorbij die op hun hurken op de grond zaten. Ze keek niet naar hen. Ze liet de ammoniakstank van lichaamsvocht achter zich. Ze had overal pijn. Het deed pijn om te ademen. Elke spier deed zeer. Haar hoofd bonkte. De lift stond open. Ze hield zich voor dat ze, als ze er eenmaal in stond, wel tegen de muur kon hangen om uit te rusten.

Ze zou hun hulp nooit accepteren. Nooit.
Deze keer viel ze wel flauw, maar ze vingen haar op voordat ze op de grond viel en droegen haar de lift in en vervolgens naar de auto.

Het was donker in de stad. Er was maar heel weinig straatverlichting. Alles was gesloten, de winkels dichtgetimmerd voor de nacht. Toen Reem bijkwam, lag ze op de achterbank van de Mercedes. Ze probeerde te gaan zitten, maar de pijn overviel haar. Malik had haar zeker horen bewegen.
Hij minderde vaart, draaide zich enigszins om, stak één hand over de passagiersstoel en bood haar een sigaret aan.
Reem aarzelde niet. Ze nam er een. Hij legde het pakje naast zich neer en gaf haar zijn aansteker.
Ze inhaleerde de rook met een gevoel van luxueus genot.
Voorzichtig, heel voorzichtig, liet ze zich langzaam achteruit zakken tot ze onderuit op de achterbank lag, met haar hoofd net hoog genoeg om te zien waar ze heen gingen.
Er was niets anders te zien dan ratten en katten en gewapende mannen.
Malik had de radio aan. Hij zette hem harder, duidelijk om haar een plezier te doen.
Het was een westerse muziekzender, een van die nieuwe, vierentwintiguurs FM-zenders die elk kwartier nieuws uitzenden, beurtelings in het Arabisch, Frans en Engels.
Een veerboot naar Jounieh was geraakt door artillerievuur, zei de nieuwslezer, ditmaal in het Frans. Er waren nog geen meldingen van slachtoffers, maar men dacht dat het vaartuig erin geslaagd was om binnen te lopen.
De artillerie van het leger en van de Libanese strijdkrachten hadden teruggeschoten.
Ze waren er bijna.
Reem wilde niet dat Malik, hoe sympathiek hij ook mocht lijken, haar voor haar deur zou afzetten.
Ze waren er nog twee huizenblokken vanaf.
Reem dacht niet dat ze zonder hulp verder zou kunnen lopen.
'Hier,' zei ze. 'Stop hier maar.'
Malik ging naar de kant en stopte langs de stoeprand.
Deze keer draaide hij zich helemaal om in zijn stoel. 'Hoor eens,' zei hij. 'Het spijt me, oké? We wilden je geen pijn doen. Dat moet je geloven. Het is onze plicht.'
Ze kreeg het portier open, schoof haar voeten naar buiten, zette ze op de

grond, boog zich toen naar voren en trok zich overeind. Langzaam.
Spijt?
Reem deed het portier achter zich dicht. Ze keek niet om. Ze zei niets. Ze begon langzaam te lopen, zich ervan bewust dat Malik naar haar keek. Het was een dronken waggelgang. In Reems geval kwam het door de pijn, niet door de drank.
Er viel ook eigenlijk niets te zeggen. De veerboot, de artillerie, haar beproeving in handen van de *moukhabarat* – wat had het voor zin om iets te zeggen?
Dat soort dingen gebeurde elke nacht.

# 4

Zonlicht zette de armoedige hotelkamer in een gouden gloed.
Nick hing uit het raam, met zijn ellebogen op de vensterbank.
Aan de overkant liet een dikke man met ontbloot bovenlijf op een dak zijn duiven vliegen door een lange stok in de rondte te zwaaien zodat de vogels niet konden neerstrijken. De vogels vlogen in strakke formatie kleine rondjes. De meeste leken de verplichte lichaamsbeweging niet erg te vinden, maar een stelletje achterblijvers, die dikker waren dan de rest, probeerden herhaaldelijk neer te strijken; ze waren het rondvliegen alleen om het rondvliegen kennelijk zat.
De hemel was lichtblauw, de lucht koel. Hij voerde de scherpe geur van zee, koffie en versgeplukte bloemen mee. Van een schoolplein, zes verdiepingen lager, stegen de kreten van kinderen op, onderbroken door het getoeter van auto's aan het begin van de spits.
Nick was wakker geworden van kerkklokken die wedijverden met de oproep tot gebed die een onwelluidende breuklijn door de stad trok. Hij ervoer het heerlijke gevoel van alleen zijn in een vreemde stad, een hoofdstad die met zichzelf in oorlog is. Niemand wist waar hij was. Zijn werkgevers wisten het niet. Hoe konden ze? Zijn familie wist het niet. Hij was feitelijk verdwenen.
Er was op Nick geschoten. Hij was bijna verdronken. Het was de bedoeling geweest om hem en zijn medepassagiers te vermoorden. Hij had zijn hoofd koel gehouden. Hij hield zich voor dat hij het er niet één, maar twee keer levend had afgebracht. Niets zou ooit meer hetzelfde zijn; hoe precies, of wat voor verschil het zou kunnen maken, wist hij niet. Maar hij hield zich voor dat hij een drempel had overschreden, een volgende proef had doorstaan.
Was het allemaal een droom geweest? Het was hier zo rustig. Zo helemaal geen oorlog. Het voelde bepaald aan als een droom, maar Nick hoefde maar naar de grond te kijken om zijn kleren te zien liggen waar hij ze had uitgetrokken voordat hij in bed was gedoken. Zijn overhemd en broek waren nog nat. Hij was naar zijn kamer gebracht door een stokoude hotelportier

met een stormlamp en toen hij de deur achter hem op slot had gedaan, had hij het beddengoed over zijn hoofd getrokken in een vergeefse poging om de dreigende aanblik en het geluid van een stad in oorlog, het enge witte licht van lichtkogels dat langs wanden en plafond streek, het geratel van automatische wapens, het gedreun van mortierbommen en het inslaan van met raketwerpers afgevuurde granaten buiten te sluiten.
Het was geen droom.
Nick had vriendschap gesloten met de mooie Sylvie en de knappe George, misschien niet zozeer vriendschap, maar toen ze onder vuur lagen waren ze toch kennissen geworden en misschien was Sylvies vader, de geheimzinnige advocaat in zijn linnen pak met zijn brede, beweeglijke mond die altijd op het punt leek te staan een wrede grap ten koste van een ander te maken, wel een nuttig contact. Hij was een autoritaire figuur die in een zwarte S-klasse Mercedes met getint glas reed.
Het was een begin, een goed begin. Nick had diep geslapen, zonder zich ergens om te bekommeren, eindelijk doof voor de geluiden van de burgeroorlog. Het vage, verontrustende gevoel van bezorgdheid was tegen de ochtend verdwenen. Hij voelde zich verkwikt en verlangde ernaar om aan het werk te gaan, toen de telefoon ging. Nick wendde zich af van het raam, ging in zijn korte broek op de rand van het bed zitten en nam op.
Hij verwachtte de receptie of de beheerder om te vragen of hij vertrok. Of de huishoudelijke dienst die wilde weten of ze zijn kamer konden doen.
Het was een mannenstem. De woorden werden diep in de keel gevormd en bijna afgebeten voordat ze over de lippen van de spreker kwamen.
'Meneer Lorimer? Nicholas Lorimer?'
'Daar spreekt u mee.'
'Met majoor Peregrine Dacre van de Britse ambassade. Welkom in Libanon, meneer Lorimer.'
Hoe heette hij ook alweer?
'Ik hoop dat ik u niet wakker heb gemaakt.'
'Helemaal niet. Ik wilde net gaan ontbijten.'
'We stellen het ons altijd tot taak om de passagierslijsten na te gaan, meneer Lorimer, en daar kwam ik uw naam op tegen. Of liever, hij werd onder mijn aandacht gebracht. U bent zich ongetwijfeld bewust van het reisadvies van Buitenlandse Zaken betreffende Libanon?'
'Dat ben ik, ja.'
Dat advies was om er niet heen te gaan als de reis maar enigszins kon worden vermeden.

'Daar zou ik graag nog iets aan toevoegen.'
Nick wilde 'zeker' of 'natuurlijk' zeggen, maar daar wachtte de majoor niet op.
'Beide kanten hebben 240-millimeter mortieren te pakken gekregen. Dat is een wapen dat u misschien niet kent. Het wordt ook wel bunkerkraker genoemd, en met reden. Het is enorm. Het is Russisch. Het werd in de Tweede Wereldoorlog gebruikt om nazibunkers te verwoesten die diep onder de grond zaten. Eén zo'n bom weegt bijna 135 kilo en kan door een paar vloeren van een gebouw gaan voordat hij ontploft, en ik moet helaas zeggen dat het al eens is gebeurd. Meer dan eens.'
Nick zei niets.
'De Syriërs hebben drie batterijen in de westelijke sector, meneer Lorimer – dat zijn achttien van die monsters – en die gebruiken ze om te proberen een van de 240-millimeter mortieren mee op te sporen en te vernietigen die de Libanese militie van ofwel haar Israëlische, ofwel haar Irakese vrienden heeft gekregen.
Dit specifieke wapen staat vlak bij uw hotel opgesteld. Ik zou u willen aanraden om zo snel mogelijk van locatie te veranderen. Het liefst meteen.'
In Nicks binnenste kwam iets geprikkelds en halsstarrigs los.
'Ik zal verkassen zodra ik heb ontbeten.'
Nick zou toch vertrekken en naar het westen gaan, maar hij had honger en dorst. Hij moest zich nodig douchen en scheren en schone kleren aantrekken.
'Ik zou niet wachten, meneer Lorimer. Ze beginnen meestal om een uur of tien, na de koffie, maar er zijn altijd uitzonderingen en ik zou het vreselijk vinden als u dat was.'
En die 'ze' waren dan de militiemensen aan beide kanten. Aan alle kanten.
Nick keek op zijn horloge. Het was net acht uur geweest.
'Ik waardeer het, majoor. Hoe wist u dat ik hier was – in het Alexanderhotel?'
Er viel even een stilte.
'Een zekere heer die u gisteravond in de haven hebt ontmoet, heeft me verteld dat u op het nippertje was ontkomen en dat hij u daar had afgezet. Hij zei ook dat u zijn aanbod van alternatieve accommodatie had afgewezen.'
Iets zei Nick dat hij de naam van de advocaat niet moest noemen.
'Dat heeft de advocaat u verteld?'
'Ik zou hem geen advocaat willen noemen, meneer Lorimer. Hij is nogal een beest, maar hij geeft me een seintje als hij een van de onzen tegenkomt.

Als gunst. Hij zei dat u een ruige overtocht had gehad.'
Een van de onzen?
'Zo erg was het niet,' zei Nick.
Dacre grinnikte. 'Twee doden en vier gewonden klinkt me vrij erg. Laat ons weten waar u gaat logeren. U moet een keer komen eten. We zijn nog maar met ons drieën. We zien altijd graag een nieuw gezicht. We zijn met de ambassadeur – u zult hem wel mogen – de politiek raadsman, Andrew, en ik. U zou ons een genoegen doen.'
'Dat zou ik leuk vinden. Dank u.'
Nick kon ook beleefd zijn.
'Donderdag?'
'Nou –'
Hij had niet gedacht dat de uitnodiging iets anders was dan de gebruikelijke Engelse dubbelzinnige opmerking en al helemaal niet dat hij meteen een afspraak zou moeten maken. Wat was het vandaag? Vrijdag? Zaterdag? Nick worstelde met de dag en datum en faalde.
'Zullen we zeggen om zeven uur op de ambassade?'
'Klinkt goed.'
'Kent u Rabiyeh? We zitten op de helling tussen de pijnbomen.'
'Ik vind het wel.'
'Goed zo. Gaat u vandaag naar de westelijke sector?'
'Hoe wist u dat?'
'Daar treffen jullie, VN-mensen, elkaar doorgaans. Het museum lijkt me vanmorgen het waarschijnlijkst, maar zoals je zult ontdekken, Nicholas, kunnen dit soort zaken binnen een paar minuten veranderen.' De stem leek zwakker te worden. 'Tot donderdag dan. Ik verheug me erop.'
Dacre wist heel wat. Hij kende Nicks naam. Hij wist wanneer en hoe hij in Libanon was aangekomen. Hij wist waar hij logeerde. Hij wist voor wie hij werkte. Het was bijna alsof hij Nick wilde laten weten dat hij deze dingen wist. Nick was niet ondankbaar. Natuurlijk niet. En wat was dat allemaal over een museum dat binnen een paar minuten kon veranderen?
Nick kreeg geen kans om het te vragen.
Dacre had opgehangen.
Nick had nog geen kwartier nodig om zich onder een dun straatje lauw water te douchen, zich aan te kleden en te pakken.
In de scheve, gefineerde kast vond hij een plastic waszak waar hij zijn natte kleren in propte. Alleen al door ze op te rapen, de klamme stijfheid van de stof tussen zijn vingers te voelen, de smerige stank van zeewater, zweet,

braaksel en benzine in te ademen, kwam het allemaal weer bij hem boven. Zijn sportschoenen liet hij staan. Hij raakte ze niet eens aan.
Het aanleggen was snel gegaan. Uit het donker waren handen uitgestoken die de passagiers vliegensvlug over de gladde loopplank hadden geholpen die was uitgegooid om het vettige water te overbruggen. Anderen trokken de netten weg, grepen de bagage en smeten de koffers op lorries.
Nick griste een kruier zijn eigen reistas en rugzak uit handen.
Hun blikken troffen elkaar even toen Nick hem een vijfdollarbiljet in de verweerde handpalm drukte.
Het kwam bij Nick op dat de kruier zijn nek uitstak om zijn gezin te eten te geven. Er moesten gemakkelijker manieren zijn om te overleven, maar vissen – hij zag eruit als een visser – was daar niet een van. De zee was te vervuild; wat er nog aan vis was, werd verdelgd door burgerwachten die granaten in het water gooiden en de paar vissers die toch de zee op probeerden te gaan, werden door Israëlische kanonneerboten bestookt.
'Dank u,' zei Nick.
'Te veel boem-boem,' zei de kruier. 'Boem-boem,' herhaalde hij en gebaarde naar de verduisterde havenstad en het flakkerende licht van brandende huizen.
De vlammen verlichtten de angst van de man.
Te veel boem-boem.
Een fel licht deed Nick zijn hoofd naar rechts draaien. Later dacht hij dat hij een stap achteruit moest hebben gezet. Dat was zijn redding. De flits werd onmiddellijk gevolgd door wat een gigantische hamer leek die, vlak naast hem, met een enorme klap op de kade terechtkwam.
Hij voelde de schokgolf door zijn voeten en benen gaan en in zijn gebit doortrillen.
Stof en rook vulden zijn neus en mond.
Hij stond er versteld van. Hij draaide zich onzeker om, met zijn tassen nog in de hand.
De kruier was er niet meer.
Nick keek om zich heen. Hij voelde zich verdoofd. Stom. Het bloed raasde in zijn oren. O, dacht Nick, daar is hij. De man lag met zijn gezicht omlaag in het water. Er was iets mis met hem. Het was zijn hoofd. Dat was ingeslagen.
Iemand nam Nick bij de arm – een slungelige jongeman met een slecht passende helm en een oranje jack met een rood kruis op de voor- en achterkant.

De hand duwde Nick naar voren om aan te geven dat hij met de mensen mee moest lopen naar de betrekkelijke veiligheid van de aankomsthal. Het was een betonnen gebouw, meer bunker dan hal, hel verlicht en stampvol.
'Wees maar niet bang, meneer,' zei de rodekruisvrijwilliger. 'Wees maar niet bang.'
Achteraf dacht Nick dat de rodekruismedewerker misschien bang was dat hij in de bres tussen de kade en het beschadigde schip zou springen om te proberen de kruier te helpen.
Hij schuifelde met de rij mee. Pas toen werd het oorverdovende geraas minder, verdween het waas voor zijn ogen en keek hij omlaag naar zichzelf. Hij was zich ervan bewust dat er iets warms en nats door zijn spijkerbroek drong.
Zijn jeans was kletsnat van het zeewater, van zijn eigen braaksel en van de hersenen van de kruier.
De hersenpan van de man was opengebarsten. De tere, doorschijnende zak waarin de hopen, dromen en gedachten van een heel leven hadden gezeten, was opengebarsten, de natte, warme blubber was in Nicks schoot terechtgekomen en langs zijn dijen op zijn sportschoenen gedropen.
Toen Nick door de immigratie en douane kwam – posten die werden bemand door ongeschoren gewapende mannen met strakke gezichten en een pistool in de riem van hun groene gevechtstenue – kwam het bij hem op dat hij die sportschoenen niet meer zou kunnen dragen. Dat was jammer, want ze waren nog zo goed als nieuw.

Hij merkte dat hij sprakeloos de hand van de advocaat stond te schudden en dat George hen aan elkaar voorstelde. Toen werd hij meegenomen, langs de gewapende mannen, en geprest om over en om brancards heen te stappen en in ganzenpas door een chicane van hoge zandzakken de nacht in te lopen. Daar stond de auto van de advocaat; Nick smeet zijn tassen in de kofferbak en ging naast Sylvies vader voorin zitten.
'Welkom, welkom. Noem me maar Antoine, Nicholas. Mijn werkelijke naam is Antun, maar hier gebruikt iedereen de Franse versie.'
Een brede glimlach, Engels met een Amerikaans accent.
Jezus!
Het was hier een hel en deze persoon, die Antoine heette, deed zijn uiterste best om hoffelijk, gastvrij en charmant te zijn – en daar zat Nick dan, met iemands hersenen over zijn sportschoenen.
De gewapende mannen waren allemaal in de houding gaan staan. Deze

Antoine – of Antun – wekte ontzag bij de mensen om hem heen, zelfs bij de andere passagiers. Ze stootten elkaar aan, schuifelden met hun voeten en keken met grote ogen.
Alle anderen moesten zich te voet over de weg heuvelopwaarts haasten; Antun of Antoine en zijn passagiers reden de voetgangers zonder ook maar iets te zeggen voorbij.
Niemand in de auto zei iets. Niemand had het over de rode dekens over de figuren op de brancards, of waarom ze nog steeds op ambulances lagen te wachten. Niemand had het over de in brand staande huizen, de kruier, of Nicks broek en de schrikbarende toestand van zijn sportschoenen die nog zo goed als nieuw waren.
Antoine reed snel over de kustweg. In de heuvels heersten bosbranden, ontstaan door de artillerieduels, en in de koplampen van de Mercedes was een sneeuwstorm van vederlichte vlokken zichtbaar. Alleen was het grijze en zwarte as, geen witte sneeuw.
Hij zette de ruitenwissers aan.
Hij zei heel weinig. Nick zou zich later herinneren dat hij er – een beetje weemoedig – op wees dat de Almaza-brouwerij van de stad in brand stond. Verder legde Antoine uit dat er twee Libanese bierbrouwerijen waren. De ene importeerde bier uit Frankrijk en bottelde het ter plaatse, Almaza brouwde zijn eigen product in het land zelf.
Wie gaf er nu iets om bier als het hele land in rook leek op te gaan? Deed verder iedereen of hij gek was, of was het Nick die deze rotzooi nog niet helemaal kon accepteren?
Nick zag vonkenexplosies en metershoge vlammen die aan de muren van de brouwerij lekten. Hij kon de brandende hop gewoon ruiken.
'Wat zonde,' zei Antoine.

Nick hield zich voor dat hij het achter zich moest laten, dat hij er niet meer aan moest denken, dat hij zich met het heden en de naaste toekomst moest bezighouden. Wat eropaan kwam waren de komende tien minuten, niet de hele dag of de hele week. Doe het stap voor stap. Kijk niet om. Hij keek nog een laatste keer de hotelkamer en de aangrenzende badkamer rond of hij niets had laten liggen wat de moeite van het bewaren waard was en trok de deur achter zich dicht. Hij ging ontbijten. Hij was flauw van de honger.
Het was een moeilijke start geweest.
Dan kon het toch niet nog erger worden?

# 5

De droom was hetzelfde.
Ze ging met de lift naar beneden. Ze ging zoals altijd haar flat uit, liep naar de metalen deuren, drukte op de knop en wachtte, terwijl ze luisterde hoe het oude mechanisme piepend en krakend naar boven kwam, een mechanische astma die het hele flatgebouw liet weten dat hij onderweg was.
Dan stapte Reem de lift in, de deuren gingen dicht en zoals altijd ging ze langzaam naar beneden.
De ronde lampjes gaven bij het afdalen de verdiepingen aan.
Ze werd wakker toen ze op de begane grond kwamen.
Reem woonde op de zesde verdieping, maar in haar droom zag ze de deuren nooit op de begane grond opengaan om de foyer, het metalen veiligheidshek bij de ingang en de straat erachter te laten zien.
Ze had geen idee waarom niet.
Toen de lift haar deze keer naar de begane grond bracht en ze wakker werd, was het drie uur 's middags. Ze had elf uur geslapen. Ze ontdekte met opluchting dat ze in haar eigen bed lag, niet in de akelige kamer op het hoofdkwartier van de *moukhabarat.* Hier klonken geen kreten van pijn, geen gevloek. Dit was de flat waar ze het grootste deel van haar leven had gewoond. Ooit had ze deze kamer met haar zusjes gedeeld en verderop in de gang was de slaapkamer van haar ouders, de ene kleine badkamer waar haar vader zich altijd zo lang stond te scheren, de smalle, rechthoekige woonkamer en het piepkleine keukentje. Ondanks de dunne muren, de lawaaierige afvoerbuizen, het vocht en de vreselijke dingen die er waren gebeurd, kwam het voor Reem het dichtst bij een werkelijk thuis, bij een zich veilig voelen.
Het was haar reddingsvlot.
Door de gordijnen viel licht en sijpelden straatgeluiden van auto's, winkeliers die elkaar toeriepen, de schrille kreten van kinderen die uit school kwamen. En geweervuur, een geluid dat ze al kende sinds haar zevende. Reem

stond langzaam op omdat ze zich over haar hele lichaam stijf voelde. Haar rug was het ergst. Die was heel pijnlijk en elke onverhoedse beweging stuurde scherpe pijnscheuten naar haar nek. Het lukte haar om een badstof peignoir aan te trekken, al moest ze haar kiezen op elkaar zetten toen ze haar armen erin stak. Ze schuifelde naar de keuken. Ze bakte een eitje in olijfolie met wat zwarte peper en zout, dat ze zo uit de pan at, met brood, en wegspoelde met Turkse koffie.

Met kaas en een appel toe.

Reem deed de schuifdeuren aan het eind van de woonkamer open en stapte het balkon op. Het was heel smal, nauwelijks breed genoeg voor één persoon. Ze had een gele handdoek bij zich. Die bond ze aan het hek, met één kant los.

Ze ging weer naar binnen.

Ze was terug. Ze was beschikbaar. Ze wilde een ontmoeting.

Geel voor routine, rood voor spoed, blauw voor mislukt.

Hij zou wel weten wat er was gebeurd. Hij had haar eruit gekregen, daar twijfelde ze niet aan. Het was het telefoontje geweest. De Ustaz hoefde niet door haar te worden gewaarschuwd. Hij wist wel wanneer hij in gevaar verkeerde. Dat hoefde hij niet van haar te horen. Er was geen reden voor paniek.

In het medicijnkastje in de badkamer vond ze een pijnstiller, die ze met mineraalwater wegspoelde. Ze liet wat water in het bad lopen. Reem hield zich voor dat heet water zou helpen om de stijfheid te verzachten. Daarna zou ze weer naar bed gaan.

Om te slapen. Om te wachten.

Ze gebruikte de oude bakelieten telefoon in de hal om het onderzoeksinstituut te bellen waar ze werkte.

Dalia nam op.

'Ik ben het,' zei Reem. 'Het spijt me. Ik had vertraging en ik ben pas in de kleine uurtjes thuisgekomen.'

Dalia's stem droop van bezorgdheid.

'*Habibti*, we waren ongerust over je. Is alles goed met je?'

'Prima. Ik kom morgen, dat beloof ik.'

'Liefs van Zubaida.'

'Zeg haar alsjeblieft dat alles goed met me is en ik zie jullie morgen wel.'

'We zullen het vieren met een van Zubaida's chocoladecakes.'

'Het spijt me heel erg dat ik niet ben komen opdagen en jullie overal voor heb laten opdraaien.'

'Maak je maar geen zorgen, schat – het Instituut voor Palestijnse Vredesvraagstukken overleeft het nog wel een dag zonder vrede.'
Ze lachten allebei.
'Ik ben blij dat te horen,' zei Reem.
'Hoe was Cyprus?'
'Bloedheet.'
'We willen er alles over horen.' Dalia dempte haar stem. 'Vooral over die Griekse mannen.'
'Dat krijg je ook te horen, wees maar niet bang – al vrees ik dat ik je moet vertellen dat ik Adonis niet heb ontmoet.'
'Schaam je. Heb je iets nodig?'
'Nee. Niets. Maar mijn bad loopt. Ik moet ophangen.'
'Wat ben je toch een bofkont – in ons deel van de stad hebben we al twee weken geen water. Geniet er maar van zolang het kan. Tot morgen. Wat zal Zubaida opgelucht zijn dat je veilig en wel terug bent.'
'Ik ook, Dalia. Ik heb jullie allebei gemist.'
'Dag, schat.'

Het waren haar beste vriendinnen. Ze hadden op dezelfde plaatselijke school gezeten. Ze waren in dezelfde buurt opgegroeid en hadden in hun tienertijd samen nare en leuke dingen meegemaakt. Dalia en Zubaida waren zo ongeveer familie en hielpen Reem het gebrek aan eigen familie te vergoeden. Ze waren haar dekmantel, samen met het instituut. Ze hadden er geen idee van wat ze echt was, of wat ze buiten kantoortijd deed.
Soms voelde het bedrog aan als verraad. Het geheime leven voelde aantrekkelijk aan omdat het haar een stiekem gevoel van macht gaf, een geheime kennis. Reem wist dat de zwakheid die inherent was aan die aantrekkingskracht, de paradox was die erdoor ontstond. Om ten volle te worden genoten, had het genieten van een geheim leven een uitlaatklep nodig, moest het worden opgebiecht, moest het worden gedeeld. En toch, zodra de woorden werden uitgesproken of luid werden gefluisterd – Weet je, in werkelijkheid doe ik dit-en-dat – zou de magie verdwijnen, zou de bekoring van de clandestiene macht worden verbroken. En wat nog veel erger was, de hele constructie van de dekmantel, van de veiligheid, zou in puin liggen.
Reems eigen ambitie zou de bodem worden ingeslagen.
En dat allemaal omdat iemand zich zo nodig indrukwekkender, sympathieker, wilde voordoen door de waarheid eruit te flappen. En hoe smake-

loos, hoe gewoontjes, hoe kleinzielig zou de waarheid klinken als ze het gewoon eerlijk zei.
Dus hield Reem haar geheim voor zich. Ze behield haar vriendinnen en koesterde zich in de liefde en de kameraadschap die ze elkaar gaven, die voor vrouwen zo belangrijk is in een door mannen gedomineerde, traditionele maatschappij, zo kostbaar voor degenen die verkiezen het eenzame pad van het clandestiene leven te bewandelen. Reem probeerde er maar niet al te veel aan te denken hoe ze haar vriendinnen gebruikte om zichzelf het gevoel te geven dat ze normaal, zelfs gelukkig, was.

Ze kleedde zich aan.
Ze koos donkere kleuren, besteedde tijd aan haar ogen, haar mond.
Reem zou dezelfde fout niet nog eens maken.
Slechts twee soorten vrouwen gingen 's avonds alleen uit: getrouwde vrouwen die op bezoek gingen bij vrienden of familie, en prostituees. Reem was geen van beide, haar uiterlijk moest dus precies goed zijn. Ze moest er getrouwd uitzien. Ouder dus, en eleganter – maar in geen geval opzichtig. Ze kon niet te veel been laten zien. De rok mocht niet te kort of te strak zijn, en de oorbellen, halsketting en ring – een ring die voor trouwring kon doorgaan – moesten bescheiden zijn.
Het was geen studente die haar in de spiegel in de hal aankeek.
Handtas. Sleutels. Een omslagdoek voor haar schouders en bovenarmen die ook als hoofddoek kon worden gebruikt. Reem de fatsoenlijke matrone.

Een ensemble uit Praag trad op met stukken van Mozart en Gluck in de aula van de Amerikaanse universiteit.
Ze begonnen met het serene 'Parto, ma tu, ben mio'.
Een zangvoorstelling was niet Reems idee van een volmaakte avond, vooral met een rug die aanvoelde alsof er brandijzers langs waren gehaald. Maar het lukte haar om rechtop te zitten, met haar handen gevouwen in haar schoot.
Tijdens de pauze glimlachten en knikten Reem en de man die links van haar zat elkaar toe.
Ze knoopten een gesprek aan.
'Vindt u het mooi?'
'Erg mooi.'
'Ik ook.'
'Het mooiste vond ik "Voi che sapete che cosa è amor".'
'Uit *Figaro*. Het is prachtig.'

Toen het voorbij was, liepen ze samen zwijgend naar Bliss Street.
Toen de menigte zich had verspreid en ze min of meer alleen waren, zei Reem: 'Is dit een afspraakje, professor?'
'Ik geloof van wel, en jij?'
Ze liepen over de stoep. Er klonk geen geweervuur. Videotheken, sapbars en etenskraampjes deden goede zaken onder studenten, de meesten in spijkerbroek en T-shirt.
Als iemand al aandacht aan het stel had besteed, dacht Reem, zouden ze hen voor vader en dochter hebben gehouden. Zij was langer. Ze had lang haar, zwart of althans bijna. Hij was gezet, met brede schouders en een sikje, grijs haar van zijn voorhoofd gekamd. Hij droeg een bril met een geel met bruin montuur, een lichtgewicht colbertje over een overhemd zonder das.
Niemand zou hem knap noemen, dacht Reem.
Misschien wel interessant.
Zijn zwarte ogen hadden humor en de verontrustende gewoonte om alles wat ze bekeken, doordringend op te nemen.
Was hij aantrekkelijk? Zeker.
Als iemand Reem staande had gehouden en haar had gevraagd wie haar begeleider was, zou ze hebben gezegd dat hij haar oom Faiz was, maar soms sprak ze hem aan als Professor – het was een van de rollen waarvan ze wist dat hij hem graag speelde, de rol van academicus.
Ze kwamen uit hetzelfde dorp, toen en nu, maar ze waren geen bloedverwanten.
'Ik zei dat ik dit een afspraakje vond en vroeg of jij dat ook vond.'
'Het antwoord is dat ik het niet weet. Je bent veel te oud voor me.'
'Het is schandalig. Mensen gaan vast praten.'
'Je studenten zeker.'
'Studenten zijn nu eenmaal studenten.'
'Als dit een afspraakje is, oom Faiz, mag ik dan kiezen waar we gaan eten?'
'Ik dacht dat we koffie gingen drinken.'
'Je bent een krent.'
'Professoren verdienen niet veel. Wat dacht je van een ijsje?'
'Bibliothecaressen nog minder.'
'Het leven is hard.'
'Jij wordt in dollars betaald.'
'Jij moet op je figuur letten.'
'Daar let ik voortdurend op. Ik heb trouwens al een eeuwigheid niet meer gegeten en als je een heer bent, zul je me dit niet weigeren.'

De Ustaz schudde zijn hoofd.
'Wat ben je toch koppig. Waar wil je heen?'

Het gescherts hield op bij de koffie.
Reem had een kleine gelegenheid uitgekozen, Myrton House genaamd, in de stijl van een Tirools restaurant. Het was eigendom geweest van een Zwitsers echtpaar dat naar Monaco was gevlucht toen de kidnappings begonnen en de boel aan het personeel had overgelaten. Reem koos het niet vanwege het eten, maar vanwege de rust en de tafeltjes met een afscheiding ertussen die met hun zitplaatsen met hoge rug enige mate van privacy boden. Het was trouwens nog voor geen derde vol, omdat het pas halfnegen was en voor de meeste inwoners van Beiroet veel te vroeg.
De Ustaz had met zijn pasta gespeeld en zich ermee tevredengesteld toe te kijken hoe Reem een salade at, gevolgd door een chocoladedessert, de specialiteit van het huis.
'Bedankt dat je me eruit hebt gehaald.'
Hij haalde zijn schouders op.
'Ze hebben me niets gevraagd. Alleen telkens weer dezelfde beschuldiging.'
'Hoe voel je je?'
'Beter. Ik heb vandaag veel geslapen. Maar mijn rug – die doet verrekte pijn.'
'Dat spijt me.'
De Ustaz nam een slokje van zijn rode huiswijn.
'Waarom zou het je spijten? Het was mijn eigen schuld.'
'Niet helemaal.'
'Had ik maar naar je moeten luisteren en meer tijd aan mijn uiterlijk moeten besteden.'
'Reem –'
'Het was stom.'
'Luister.'
'Wat?'
Hij boog zich over tafel. Hij legde zijn hand even op de hare en haalde hem toen weer weg. Het gebeurde zo snel dat ze dacht dat ze het zich moest hebben verbeeld.
'Het lag niet alleen aan de make-up of de kleren.'
Het duurde even voordat het doordrong.
'Bedoel je...'
Ze keek om zich heen, maar er zat niemand naar hen te kijken.

'Wil je zeggen –'
Reems gezicht vertrok van woede.
'Ze waren een beetje al te enthousiast...'
'Jij had ze ingehuurd.'
Ze voelde de woede in zich opkomen.
'Ze waren me nog iets schuldig.'
'Die andere mensen –'
'O, het was echt genoeg. De gevangenen, de afstraffingen. Dat was allemaal echt.'
'En het meisje? Dat meisje dat de hele tijd huilde?'
Er viel een ongemakkelijke stilte.
Reem knikte. 'Dat was mijn oppasser. Jij hebt haar daar bij me gezet. Om verslag uit te brengen. Om te spioneren.' Reem verhief haar stem en de Ustaz bracht een vinger naar zijn lippen.
'Nee, verdomme, ik hou me niet koest.'
Ze was half uit haar stoel.
De Ustaz schudde zijn hoofd. 'Je bent met vlag en wimpel geslaagd. Je hebt briljant geïmproviseerd. Je hebt hen stormenderhand veroverd. Volgens mij heb je ze ontzag ingeboezemd. Het was een geweldige prestatie.'
Ze vervloekte hem inwendig.
*Yila'an abouk.*
'Probeer je hier maar niet met vleien uit te draaien.'
Als er geen tafel tussen hen in had gestaan, zei ze bij zichzelf, zou ze hem hebben geslagen. Als er nog koffie in haar kopje had gezeten, zou ze dat in zijn gezicht hebben gegooid. Haar boze buien waren altijd al haar zwakke punt en nu leek er geen houden meer aan.
Hij stak nogmaals zijn hand uit, als om haar in bedwang te houden.
'Waag het niet me aan te raken.'
Wat haar het meest razend maakte, was het feit dat zijn ogen lachten. Hij leek het vermakelijk te vinden, er niet mee te zitten.
'Reem. Luister. De reden dat ik vanavond hier ben, is om je te vertellen dat je training voorbij is. Je bent niet langer op proef. Je bent geslaagd. Je geheime leven begint. Ik heb een opdracht voor je. Je eerste echte opdracht.'
De vloed die in Reems keel aan het opkomen was, zakte.
De Ustaz koos dit moment om zich te verontschuldigen. Hij ging naar het toilet en greep de kans aan om bij de andere afgescheiden tafeltjes te kijken. Toen hij een paar minuten later terugkwam, was Reem gekalmeerd.

'Zo is het beter,' zei hij.
'Wat is beter?'
'Je lacht weer.'
Ze had het goed gedaan. Het was een belangrijke les geweest. Ze hadden haar niet om informatie gevraagd. Ze kon niet terugvallen op haar dekmantelverhalen. Dat was schrikken. Dat was ook de bedoeling geweest. Een laatste test. De meeste mensen zouden op dat moment het verzet hebben opgegeven. Maar Reem niet. Ze was vechtend uit haar hoekje gekomen. Ze had het prachtig gedaan.
Toen vertelde de Ustaz haar van haar eerste echte opdracht. Het doelwit was een nieuwkomer in Libanon. Een buitenlander. Een Engelsman. Hij werkte voor de Verenigde Naties, dat zei hij althans.
Zijn naam was Nicholas Lorimer.

# 6

Toen Nick door het groene baldakijn van parasoldennen omlaag keek, zag hij alleen de zee; een onwaarschijnlijk blauw, vaag gerimpeld, als een huid. Als hij zijn hoofd draaide, kon hij de baai zien liggen, als een pastel van Picasso van een mediterrane kustlijn.
Het was een warme dag, er klonk een koor van cicades, er geurden wilde bloemen en kruiden.
Al te volmaakt.
Het was een sprookje.
Een illusie.
En een wereld verwijderd van het armoedige doolhof van West-Beiroet met zijn smalle steegjes vol wasgoed en netwerk van illegale telefoon- en stroomkabels die in dikke bossen aan scheve lantarenpalen hingen die nooit werkten, een wirwar van eenrichtingswegen, doorsneden door de brede avenue van Hamra en de Corniche die van Raouche naar Ain El Mreisse liep. De sector was een lappendeken van militie-leengebiedjes met enorme afbeeldingen van Nasser, Khomeinie, Arafat, Jumblatt, Assad en vele, vele anderen op de muren.
En overal kalasjnikovs, gevechtstenues en baarden.
Hier was het een en al berg, zee en lucht.
Niets van het gevoel van claustrofobie van die overbevolkte, stedelijke sloppenwijk, van een dicht opeengepakte bevolking die van de ene dag op de andere leeft met haar rug naar zee en met een vijand tegenover zich die is bewapend, van uitrusting is voorzien en af en toe wordt geleid door vreemde mogendheden, waar lichamen van straat worden gehaald en voor het aanbreken van de dag worden begraven om niet nog meer vijandelijk vuur aan te trekken.
Hier boven waren geen scherpschutters, geen geweervuur, geen salvo's uit automatische geweren, geen oorverdovende inslagen van met raketwerpers afgevuurde granaten.

Na pas vijf dagen voelde Nick zich al een veteraan.
'Fijn dat je bent gekomen.'
De witharige ambassadeur gaf Nick een stevige hand. Sir Henry Long, die bij de Trucial Oman Scouts had gediend, droeg een flanellen cricketbroek, met een gestreepte das als riem. In zijn linkerhand had hij een reusachtig net en gezien de rode en bezwete gezichten van zijn bewakingsteam, afkomstig van de marechaussee, was sir Henry net pas binnen na op de berghelling te hebben rondgerend, achter zijn favoriete prooi, de plaatselijke vlinders, aan.
'Citroen en ijs, Nick?'
'Graag.'
Dacre gaf hem een gin en tonic.
Ze dronken en de diplomaten hieven zwijgend het glas op hun gast.
Wilson, de politiek adviseur, zei: 'Fijn om je aan boord te hebben, maat.'
Nick sloeg Wilsons aanbod van een sigaret af. Wilson was een figuur met kreukelzones, niet veel ouder dan Nick, maar aanzienlijk dikker. Hij had groetend geknikt zonder uit zijn leunstoel te komen.
Nick bewonderde zorgvuldig het gat in het raam van het kantoor van de ambassadeur dat door een mortiersplinter was gemaakt. Hij maakte respectvolle geluiden over de bibliotheek van de ambassadeur en was het met sir Henry eens dat de Maigret-romans van Simenon in tijden van crisis een rustgevend effect hadden. Hij probeerde waardering te tonen toen hij sir Henry's verzameling vlinders te zien kreeg, die tot helemaal uit Brunei en Belize kwamen.
Nick wist dat hij werd bekeken. Dat hij werd getaxeerd. Hij was, besefte hij, de nieuwste aanwinst van de majoor en voordat hij werd meegesleept om te gaan eten, werd hij geïnspecteerd.
Waarvoor?
Pas toen ze aan tafel zaten op de veranda van de gehuurde villa van de majoor die tegen de helling in de luxueuze buitenwijk Rabiyeh lag – evenals de ambassade in het door falangisten bezette deel van het Libanongebergte – begon het doel van de avond hem duidelijk te worden.
De avond was gevallen.
Onder hen lag de baai van Jounieh, als een glinsterende ketting.

Nick was die middag om een uur of vier bij Hadath de grens overgestoken. Het was de eerste keer sinds zijn aankomst in West-Beiroet dat hij had geprobeerd de oostelijke sector weer in te komen. Toen was hij per auto de grens overgestoken, had op zijn gemak op de achterbank van een taxi gezeten en was soepeltjes door de controleposten aan beide zijden gekomen. Deze keer was het anders gegaan.

Ze lieten geen auto's door, niet bij het museum of bij de grensovergangen van Barbir. Hij probeerde ze allemaal en kwam uiteindelijk terecht in Hadath, bij Bourj, aan het eind van de Groene Lijn, de scheidslijn die zich door de stad slingerde. Hij was dus uit de taxi gestapt, had zijn tas van de achterbank gehaald en was te voet vertrokken. De chauffeur, Ali, had geprobeerd om hem tegen te houden, was Nick achterna gerend en had hem de tas proberen te ontworstelen.

'Nee, nee, meneer Nicholas. Niet goed. Te veel scherpschutters.'

Ali had gelijk. Toen de eerste schoten weerklonken, staalde Nick zich. Zijn eerste impuls was om weg te rennen, weg te duiken, zich te verstoppen. Maar hij hield zich voor dat het te laat was om terug te gaan. Nick was gaan lopen en dwong zich om de ene voet voor de andere te zetten, rechtop te blijven lopen, niet in elkaar te krimpen. Het zou hem zwaar gezichtsverlies opleveren als hij nu terugging, vooral nu Ali stond te kijken. Dus haastte Nick zich over de stoffige weg die tussen betonblokken en lege containers door naar open terrein liep. Daar renden en jogden mensen, gebogen onder het gewicht van hun koffers en manden, in groepjes, alsof kuddegedrag enige vorm van bescherming bood.

Nick dwong zich om rustig te lopen.

Toen nog drie salvo's boven hun hoofd klonken, renden de anderen sneller. Dichtbij. Te dichtbij.

Als een zweepslag.

De laatste kogel zoefde vlak langs Nicks oor. Toen klonk de knal van het wapen dat ergens langs het front was afgevuurd, vanuit het hol van een scherpschutter in een van de vroeger grandioze villa's zonder ramen, inmiddels overwoekerd door struikgewas en hoog gras.

Het regende versplinterde bast van een gomboom op Nicks hoofd.

De smeerlap speelt met me, dacht Nick bij zichzelf.

Het eigenaardige was dat het leek of hij steeds langzamer ging lopen, of zijn armen en benen zich moeizaam bewogen, alsof hij onder water liep. Het hielp niet dat hij door mul zand ploegde. Het kwam ook door de adrenaline die zijn reflexen versnelde en de wereld om hem heen, waaronder zijn eigen benen, traag deed lijken.

Toen Nick de veilige overkant bereikte, voelde hij dat de endorfine begon te werken. Hij voelde zich geweldig. Opgetogen. Een en al opgewektheid

glimlachte hij als een idioot naar de taxichauffeur en nam niet eens de moeite om op de prijs af te dingen.
Blij dat hij nog leefde.
Sommige mensen – honderden, zo niet duizenden – maakten de tocht tweemaal daags, naar en van hun werk. Het gaf forenzen een heel nieuwe betekenis.
En hoe anders was de oostelijke sector.
Na nog geen week leek het wel een ander land. De auto's waren allemaal intact, glanzend. De gebouwen leden niet aan de pokken – de duizenden en nog eens duizenden kraters, groot en klein, die in het westelijk deel elk gebouw ontsierden. De straten zagen er schoon uit, de etalages lagen vol dure spullen.
Hier keek slechts het gezicht van één leider glimlachend op hen neer in een overhemd met korte mouwen. Een keurig kapsel. Hij zag eruit als een atleet, alle tekenen van middelbare leeftijd waren eruit geairbrushed. Een gebit als een reclame voor tandpasta. Hij zag er robuust en gezond uit, als een tennisprof.
Het gezicht van het nieuwe Libanon.
Een christelijk, pro-westers Libanon. Beslist geen Arabisch Libanon. Beslist ook geen islamitisch Libanon. Een krachtig, autocratisch, falangistisch Libanon, bewapend door Israël en de Verenigde Staten, een Libanon dat de Palestijnen, de radicalen, de Arabische nationalisten, de sjiitische mollahs die zich door het revolutionaire Iran lieten inspireren – ofwel alle 'terroristen' – zou verdrijven.
Uitschot.
Welkom in Oost-Beiroet met zijn falangistische strijders, de gesel van de islam en de radicalen.
Nick keek op naar de glimlach.
Dat kon toch niet.
Hij keek nog eens.
Maar het was wel zo.
De advocaat.
In grote letters stonden er de woorden 'el-Hami'.
De Protector.
Een woordspeling op *mohami*, advocaat in het Arabisch.
Het was Antun.
Of Antoine.

Het zou wel door de gin zijn gekomen, gevolgd door een glas witte Ksara en nog een glas Château Musar, maar Nick zat majoor Dacre opeens de gebeurtenissen van die middag te beschrijven alsof het een grap ten koste van zichzelf was.

'En hoe gaat het op je werk, Nick?'

'Dat wil je niet weten, Perry.'

Toen ze aan het hoofdgerecht – filet mignon – en het tweede glas rode wijn begonnen, tutoyeerden ze elkaar. Bij het derde glas noemden ze elkaar bij hun roepnaam.

'Zo erg, Nick?'

'Nog erger.'

Nick beschreef zijn aankomst op het kantoor in Talat al-Khaya'at. Zijn verbazing over de hoeveelheid personeel – in totaal negenentwintig man – hun nieuwsgierigheid, hun warme onthaal, het vertoon van respect, de eerste ronde koffie met wat lekkers, de vijf oudere mannen, veteranen bij de Verenigde Naties, en de lange, middelmatige en uiteindelijk frustrerende pogingen van de organisatie om te helpen de impact te verzachten van de respectieve Arabisch-Israëlische oorlogen en de stromen vluchtelingen die de grens overtrokken en daarna door verdere invallen naar het noorden, naar de hoofdstad werden gedreven.

Wat maakten ze zich een zorgen over hun nieuwe baas, een Engelsman die zo jong was dat hij een van hun vele kinderen had kunnen zijn. Zorgen ook over hun toekomst, de plannen die hij met hen had, er zeker van dat hij een of andere geheime agenda had, angstig en ongerust ook over hun VN-pensioen, dat dagelijks minder waard werd door de snelle waardedaling van het Libanese pond.

Er waren een paar dagen en de openhartige raad van de kantoorcynicus, Khaled, voor nodig geweest om Nick een paar dingen duidelijk te maken. Van Nick werd domweg niet verwacht dat hij in zijn opdracht zou slagen. Bij zijn werk vergeleken, was een sisyfusarbeid gemakkelijk.

Dacre schonk nog eens in.

'Hoe bedoel je?'

'Ik ben het bewijs, of zo je wilt het symbool, van de bezorgdheid van de internationale samenleving over het lot van vermiste Libanezen. Maar niemand verwacht dat ik er ook echt iets aan doe.'

'Nee?'

'Er moet een militair equivalent zijn. Een dumpplaats, een eenheid voor alle gewonden die nog kunnen lopen, de brokkenmakers en duvelstoejagers, de

mislukkelingen en de oude soldaten die het vertikken om weg te kwijnen.'
'Dat denk ik niet, Nick. In het Britse leger hebben we geen strafbataljons. De Russen en de Duitsers hadden die wel. Het kost ons al moeite genoeg om nieuwe rekruten te werven en vast te houden.'
'Nou, dat is wat mijn eenheid is, Perry. Het United Nations Office for Missing Persons (Libanon). UNOMP (L). Ze hebben namelijk nogal wat personeel afgestoten en verscheidene kleinere instanties hebben hun plaatselijke werkzaamheden moeten staken. Te gevaarlijk. De Verenigde Naties wilden hun hoorns intrekken, minder opvallen. Genève maakte zich zorgen over de risico's die ons personeel liep in hun dagelijks leven hier. Dus krijg ik wat er over is, een zootje ongeregeld dat zich vastklampt aan zijn non-baan en zo lang mogelijk zijn geld beurt tot de volgende ontslagronde. Die vast niet lang op zich laat wachten.'
'En wat ga jij intussen doen?'
'Khaled zegt dat ik het er maar van moet nemen.'
'En doe je dat? Het ervan nemen?'
'O, ja.'
'Wat valt er ginds dan van te nemen?'
'Er zijn een paar erg goede restaurants die spotgoedkoop zijn voor iemand die in buitenlandse valuta wordt betaald. En er zijn een paar goede nachtclubs.'
'Clandestiene kroegen zijn erg in, heb ik gehoord.'
'O, ja. En dan zijn er de bars.'
'Khaled klinkt als een ondernemend man. En het werk?'
'Tijdverspilling.'
'Werkelijk?'
'Nou, ik doe mijn best.'
Nick nam een sigaar aan van Dacre, die er zelf ook een nam en Nick een zilveren sigarenknipper en een grote doos lucifers aangaf.
'Dus je gelooft Khaled niet?'
'Ik heb besloten om te proberen te bewijzen dat hij ongelijk heeft. Maar hij heeft wel een punt. We hebben niet veel bewegingsvrijheid. Mensen willen niet met ons praten. Er is niet veel aan officiële stukken van de politie of veiligheidsdienst, en ambtenaren zijn niet erg behulpzaam, om de doodeenvoudige reden dat ze een groot deel van de tijd niet op kantoor zijn. Ik kan niet zeggen dat ik ze dat kwalijk neem. Ze worden nauwelijks betaald. Alleen heen en weer naar je werk is al gevaarlijk. Aan de westkant functioneert het bestuur nauwelijks. Ik kan er niet eens toe komen om er bij mijn

personeel op aan te dringen dat ze op hun werk moeten komen als er zware beschietingen zijn.'

Dacre ging achteruit zitten, zoog aan zijn sigaar en keek Nick aan alsof hij niet wist wat hij van zijn gast moest denken.

'Heb je el-Hami deze keer gezien?'

'Ik heb vanmiddag zijn portret gezien, toen ik hierheen kwam. Ik had geen idee.'

Dacre nam zijn sigaar uit zijn mond en glimlachte.

'Sommige dingen veranderen heel snel. Andere veranderen nooit.'

'Hoe bedoel je?'

'Dat hij uitermate geschikt is. Hij komt uit een familie van grootgrondbezitters. Adel. Hij is advocaat. Politiek zit hem in het bloed. Hij heeft het veiligheidsapparaat van de regering in handen, althans de presidentiële veiligheidsorganen aan deze kant, en hij heeft vrienden op alle juiste plaatsen. Hij is een veelbelovend man, Nicholas. Misschien de volgende president. Gelukkig voor ons heeft hij een Londense kleermaker, zijn geweren zijn Purdeys, zijn honden zijn labradors en zijn lievelingspaard is een Engels-Arabische volbloed. Hij heeft zich zelfs aangesteld als jagermeester bij een drijfjacht die zijn vriendjes en hij elk jaar in de bergen houden, het hoogtepunt van het uitgaansseizoen, heb ik gehoord.'

'Wat voor vrienden op de juiste plaatsen?'

'De Amerikanen mogen hem.'

'Meer heeft hij niet nodig, neem ik aan.'

'En de Israëliërs ook.'

'En de Engelse regering?'

'Wij stellen niet veel meer voor, Nick – maar hij is helemaal weg van de ambassadeur.'

'Dat zal wel een hele opluchting zijn, voor ons en alle anderen. In ons deel van de stad noemen ze hem el-Harami – de dief. Ze maken er een woordspeling van. Ze zeggen: '*Hami-ha, harami-ha.*'

Advocaat-dief.

Dacre gooide zijn hoofd achterover en lachte. Hij was absoluut niet zoals Nick had verwacht. Hij was volstrekt geen pissige figuur van wie geen notitie werd genomen. Hij was jong. Begin dertig, fit, sportief gekleed in polohemd en katoenen broek. Pienter. Een artillerist, en artilleristen leken altijd slimmer dan leden van andere legerkorpsen, met de mogelijke uitzondering van de Green Jackets.

Ze stonden van tafel op en gingen naar het lage, stenen muurtje aan het

eind van het balkon waar ze op de lichtjes neerkeken. Jounieh was zo goed verlicht dat je haast niet kon geloven dat het werkelijk oorlog was.
Nick zei iets over dat hij onderweg Irakese BTR-60 pantserwagens had gezien – een cadeautje van Bagdad aan de conservatieve Libanese militie. Bagdad, Tel Aviv en de Protector van Maronistan waren rare bondgenoten, voegde Nick eraan toe.
Irak was de rivaal van Syrië, zei Dacre. Het werd geregeerd door rivaliserende vleugels van de Baath-partij. Israël zou zo ongeveer alles doen (zelfs burgerdoelen bombarderen) als het daarmee de Arabische wereld op zijn kop kon zetten en het Palestijnse verzet kon breken. En door de rechtse maronieten te steunen, kon het Libanon, Syrië en de Palestijnen een poets bakken. Het Irakese materieel kwam met Israëlitische hulp binnen, en de Israëliërs hadden de Irakezen en Iraniërs geholpen met gereedschap en onderhoud van de luchtmacht van de twee landen – zogenaamd door Joegoslavische en Turkse industriële consortia.
De falangisten van el-Hami en de Libanese militie voeren er wel bij.
Nick wist dit alles donders goed. Het stond in de kranten. Hij werd als een klein kind behandeld, maar hij zei niets.
'Je zou ons kunnen helpen, Nick. Heus. Als je tijd over hebt – als je het er niet van neemt met Khaled in clandestiene kroegen.'
Dacre had twee royaal gevulde cognacglazen mee naar buiten gebracht.
'Op je gezondheid, Nick. Op een succesvol verblijf in Beiroet.'
'Bedankt. Proost.'
Ze dronken.
'Je zei...?'
Dacre speelde met hem, was het aan het uitspinnen, deed net of hij het niet meer wist.
Dacre zei: 'De meeste ellende hier – moorden, autobommen – is het werk van één man, zegt men.' Dacre zweeg even en liet zijn cognac ronddraaien in het glas dat hij in de palm van zijn linkerhand hield. Nick zag dat hij een gouden trouwring droeg, al had hij het niet over een vrouw of kinderen gehad. 'Ze noemen hem de Ustaz.'
'Leermeester.'
'Niemand weet iets van hem af. Hij staat boven aan de lijst met gezochten van de Protector. Hij staat ook op de FBI-lijst. Niemand weet wat hij is. Moslim? Christen? Radicaal? Is hij Palestijn? Wie steunt hem? Wie betaalt hem? We weten alleen dat hij vanuit de westelijke sector werkt en dat zijn operaties zijn signatuur dragen.'

'Signatuur?'
'Zijn modus operandi.'
'Zoals?'
'Zoals het gebruik van een klein kaliber precisiewapen voor een schot door het hoofd. Zoals nooit de verantwoordelijkheid voor een aanslag opeisen. Zoals Russische C-4 gebruiken bij zijn aanslagen met autobommen en een telefoonsignaal gebruiken om zijn vindingen te laten ontploffen.'
'C-4?'
'Plastic explosieven.'
Nick was de draad aan het kwijtraken. Hij begon dronken te worden. Het was niet onplezierig. Het was goed om zich te ontspannen, onder zijn soort mensen te zijn, zijn eigen taal te horen, te weten dat hij niet terug hoefde naar dat rotgat West-Beiroet – vanavond tenminste niet. Zoals Dacre en zijn collega's van de ambassade wisten. Hij deed een laatste poging om zich op het onderwerp te concentreren, om zijn woorden duidelijk uit te spreken.
'Misschien is de Ustaz wel verschillende mensen, Perry. Of verscheidene. Misschien is Ustaz gewoon een generieke term voor een groep, een beweging, een factie van iets groters – of gewoon een collectieve term voor alles wat je vriend de Protector en de mensen die hem vanuit Washington steunen niet zo leuk vinden.'
'Dat is een mogelijkheid.'
'Waarom zouden wij dat willen weten?'
'Wij?'
'De Engelsen. De enige rol die wij hier in het Midden-Oosten spelen, is opzitten en met onze staart kwispelen bij alles wat de Amerikanen hier doen, of laten. Wij hebben het hier lang geleden al verpest. Met de declaratie van Balfour, het verdrag van Sykes-Picot, door tegen iedereen te liegen, nieuwe landen te creëren en nepkoningen op neptronen te zetten.'
Nick hield zich voor dat hij te veel praatte. Hij zou zijn mond moeten houden.
'We houden nog steeds een oogje op terroristische groeperingen,' zei Dacre.
'Is hij dat? Een terrorist?'
'Vorige week is de militaire hulpattaché van de Franse ambassade doodgeschoten toen hij naar zijn auto liep. De kapitein werd van dichtbij twee keer door het hoofd geschoten met een .22-kogel. We denken dat het de Ustaz was.'
'Niet bepaald een terroristische daad. Het doelwit was militair.'

Dacre zoog aan zijn sigaar.
Nick zei: 'Is de aanslag opgeëist?'
'Hij eist zijn aanslagen nooit op.'
'Dus...'
'Wil je ons helpen, Nick?'
Ze wilden hem laten spioneren. Dat was duidelijk. Daar ging de avond over. Zo was het gepland. Ze wilden iemand in de westelijke sector. Wat was de uitdrukking?
Een van de onzen.
Eindelijk viel het muntje. Als Nick deed wat ze van hem vroegen, zou hij in ruil daarvoor hun kameraadschap krijgen, het gevoel dat hij erbij hoorde. Hij zou niet helemaal alleen onder vreemden zijn. Hij kon zich bedrinken. Hij kon zich laten gaan op kosten van de Engelse regering. Hij kon over zijn werk zeuren en het zou niemand wat kunnen schelen.
Een van de onzen.

Nicks gedachten – die steeds verwarder en onduidelijker werden – werden onderbroken door de komst van sir Henry met Wilson achter zich aan, allebei in smoking.
'Ik vond dat we ons maar bij jullie moesten aansluiten voor een drankje na de maaltijd,' zei sir Henry en bediende zich van de fles Armagnac die op het blad stond.
'Verdomd saaie toestand bij de Zweedse ambassadeur,' zei Wilson, knikte tegen Nick en schonk zich een groot glas Lagavulin in.
Nick kon het zich verbeelden, maar hij dacht dat er iets – een vragende blik, een knikje ten antwoord – tussen Dacre en Wilson werd gewisseld.
Nick was nergens meer helemaal zeker van, niet na alle gin, wijn en cognac die hij op had. Hij was dronken, en misselijk van de sigaar. Zijn hoofd tolde. Maar één ding wist hij vrij zeker. Hij had geen ja of nee gezegd op de uitnodiging van de majoor om voor zijn land te spioneren.
Nog niet.

# 7

Er vielen die middag een paar buien, maar na een uurtje klaarde het op. Reem liep van het instituut naar huis, voorzichtig om de enorme plassen heen die zich in de granaatkraters hadden gevormd. De stad zag er schoon en opgefrist uit, ondanks al zijn wonden.
In een belegerde stad is verval een geleidelijk en bijna onzichtbaar proces en Reem wist dat de symptomen haar niet meer opvielen.
Ze vallen niemand op, dacht ze. We maken er allemaal deel van uit.
Onze kleren worden steeds armoediger, op onze holle gezichten staat de spanning, de voortdurende ongerustheid te lezen. We kunnen niet stilzitten, we kunnen niet alleen zijn, we kunnen niet tegen stilte, we kunnen niet in de rij staan in een winkel, of wachten tot een ander is uitgesproken. Omdat we maar zo weinig pleziertjes hebben, nemen we wat we kunnen zo snel we kunnen, als gulzigaards. We worden als schapen naar ons onvermijdelijke einde gedreven, alsof we ons gedwongen voelen ons naar de vergetelheid te haasten.
Reem haastte zich niet. Ze nam er de tijd voor. Ze nam nooit de kortste weg. Die zou haar binnen een paar minuten rechtstreeks de heuvel op hebben gebracht, omdat ze praktisch in het zicht van haar eigen voordeur werkte. Winkels kijken, vooral rond Hamra, in de buurt van Tivoli en de zijstraten bij de Piccadilly-bioscoop, was een van de weinige afleidingen die ze had, dus maakte ze een omweg. Ze had weinig geld, maar zoals alle jonge vrouwen vond ze het leuk om te kijken en dingen te passen. Treuzelen had een tweeledig doel. Ze kon haar route variëren. En als ze winkels keek, kon ze de straat in de gaten houden – 'spiegelen' noemde de Ustaz het.
Uitkijken naar signalen dat er gevaar dreigde.
Werk en plezier combineren.
Reem keek of ze twee keer hetzelfde gezicht zag, maar dan met een andere hoed op of een andere jas aan, dat van een andere kant kwam, misschien schuin de straat overstak en haast had om dichter bij te komen. Reem had

het vaak genoeg geoefend tijdens de opleiding en had elk lid van een vijf man sterk team dat haar in de gaten hield geïdentificeerd zonder er enige indicatie van te geven dat ze zich ervan bewust was dat ze werd gevolgd. Het was meer dan oefening. Het was een instinct tot zelfbehoud. Sommigen hadden het, anderen zouden het nooit oppikken. Het kon niet worden aangeleerd. Het moest worden beleefd. Zoals Reem ook altijd wist of iemand een verborgen wapen droeg door de manier waarop hij of zij zich bewoog.
Ze bleef goed uitkijken naar bedelaars en venters met handkarren met fruit of sigaretten – maar al te vaak een statische uitkijkpost om mensen in de gaten te houden die een bepaald gebouw in en uit gingen. Of dezelfde gehavende Volvo Estate die op een hoek bleef staan, met de achterdeuren op een kier. De Syrische *moukhabarat* had een voorkeur voor Volvo Estates.
Soms ging ze een winkel in en terwijl ze dan net deed of ze een handtas bewonderde of wachtte tot ze een paar schoenen kon passen, keek ze naar buiten of ze stond te dagdromen, omdat ze wist dat degene die buiten stond haar niet goed zou kunnen zien.
Zien zonder gezien te worden.
Soms was er nog een uitgang en prentte ze zich die in voor het geval ze ooit moest vluchten.
Tenzij vechten het onmogelijk maakte, was Reem op weg naar huis altijd minstens dertig minuten aan het controleren of ze niet werd gevolgd.
Ditmaal kocht ze uien, citroenen, knoflook, tomaten en peterselie.
De kooplui kenden haar van gezicht.
Ze hield wel van een geintje, van een beetje flirten.
Ze riepen naar haar.
'Licht van mijn ogen, wat is je wens?'
Het gaf haar bijna het gevoel dat ze normaal was. Het was een beetje een vlucht. Tijdens deze korte intermezzo's kon Reem heel even net doen of ze een gewoon mens was die een gewoon leven leidde in een gewone stad, die genoot van de kleine dingen van het dagelijks leven die zovele miljoenen mensen in andere landen vast heel normaal vonden.
Wat boften die mensen. Maar toch, wat had het voor zin dat je gelukkig was als je je er niet van bewust was, als je het niet waardeerde? Als je er niet voor had gevochten?

Halfhoge suède laarsjes, nogal afgetrapt en met versleten hakken, een geperste blauwe spijkerbroek, een olijfkleurig T-shirt met bijpassende lamswollen

V-hals pullover, oogschaduw, lippenbalsem. Een paar halen met de haarborstel.
Zo. Bijna klaar.
Een enkele zilveren armband.
Netjes maar toch informeel.
Voldoende geld voor een taxi heen en terug en nog genoeg in reserve voor een paar drankjes. Sleutels. Kam. Gelamineerde identiteitskaart. Allemaal in de binnenzak van een kort, zwart, leren jasje.
Ze was klaar.
Een laatste blik in de spiegel.
Ze had nog een half uur de tijd. Reem had een salade voor zichzelf gemaakt; nu zocht ze Mozarts pianoconcert nummer 23 op en ging in de zitkamer, vlak bij de glazen deuren, op de schemering zitten wachten. Ze at langzaam.
Reem keek de kamer rond. Ze had niets veranderd.
De familiefoto's stonden nog waar haar vader en moeder ze hadden neergezet. Foto's van beide ouders, hand in hand, naar de camera lachend. Met hun rug naar zee. Die was in Shikka genomen, in het noorden.
Reems twee zusjes. Haar ernstige broertje in pak met das.
De antimakassars die haar grootmoeder had geborduurd lagen nog op hun plaats op de twee leren leunstoelen. Zelfs haar vaders verzameling whisky stond onaangeroerd, elke fles precies zoals hij zou hebben gewild, met de labels naar voren.
Johnny Walker. Bells. Cutty Sark.
Alles was die ochtend gestoft, de versleten grijze vloerbedekking en de rossig-roze *kilim* gezogen. De Ustaz betaalde de huur – niet rechtstreeks, natuurlijk – en hij had geregeld dat de betrouwbare Salwa, een Koerdische weduwe, twee keer per week kwam schoonmaken. Als de oorlog het toestond, deed ze ook veel van de boodschappen, de was en het strijkwerk.
In de slaapkamer van haar ouders was het al net zo: hun kleren in de kast, de lakens en slopen op het bed; uitgeschud, gewassen, gestreken en gesteven, besproeid met Frans linnengoedwater. Maar nooit veranderd. Soms ging Reem er op het bed zitten praten. Net of ze er nog waren en ze hun ontbijt had gebracht en nog even bleef en hun haar verhalen vertelde terwijl zij gingen zitten eten – alleen om haar een plezier te doen.
Zoals ze dat als kind altijd deed.
Haar vaders scheerspullen stonden nog waar hij ze altijd bewaarde, in het kastje boven de wastafel in de badkamer. Dezelfde tubes tandpasta, de badolie, de zeep die naar citroen rook.

Een museum ter nagedachtenis, voor het verlies, voor wat was en wat had kunnen zijn.
Om deze tijd, vlak voor zonsondergang, kwam de enige straal direct zonlicht de woonkamer in. De straat was te smal, de flatgebouwen te hoog om het anders te laten zijn. Reem keek hoe de lange, gouden kling de *kilim* in brand stak en over de vloerbedekking naar haar voeten kroop. De guillotine zou tot de tenen van haar laarsjes komen en zich dan terugtrekken.
Zoals het altijd was gegaan.
Het was het tweede deel, het Adagio, dat ze het ontroerendst vond.
Toen was het voorbij, de zon was weg en de snelle mediterrane zonsondergang luidde het donker in.

Ze had zijn naam. Ze had een beschrijving en ze had een fotokopie van wat volgens Reem een van de pasfoto's moest zijn geweest die de Brit aan de immigratieautoriteiten zou hebben verstrekt.
Die moest het plaatselijke VN-personeel al voor zijn aankomst in handen hebben gehad en er was geen twijfel aan hoe de Ustaz het kiekje in bezit had gekregen. Een insider die was betaald om het te kopiëren.
Iemand die bij hem werkte.
1,78 m, tachtig kilo, lichtbruin haar, blauwe ogen. Zevenentwintig jaar.
Zeven jaar ouder dan zij.
Ze wist iets van zijn dagindeling, voorzover dat kon. De Engelsman woonde en werkte nog maar drie weken in de stad.
Hij woonde alleen op een grote flat op de achtste verdieping van het al-Nada-gebouw in Ain El Mreisse. Hij had zeezicht. Drie tweepersoons slaapkamers, twee badkamers, drie balkons. Er was een stalen buitendeur en een bewakingscamera op de overloop.
Marmeren vloeren. Louvreluiken.
Een boel flat voor één jonge buitenlander.
De Engelsman liep naar zijn werk. Alleen. Hij verliet zijn flat om ongeveer half acht en liep tussen de Franse en Engelse ambassade door de heuvel op. Hij liep langs het MEA-kantoor, de Centrale Bank en de gerechtshoven naar zijn kantoor in Sanayeh. Daar had hij maar twintig minuten voor nodig.
Als er erg werd geschoten, werd hij met de auto gehaald, door een chauffeur van kantoor of door een van de Libanese taximensen.
Na zijn werk liep hij weer naar huis.
Dan kwam hij een paar uur later weer uit het al-Nada-gebouw, gedoucht en

verkleed, en zette hij koers naar de dichtstbijzijnde kroeg aan Bliss Street. Hij maakte lange nachten, hij begon om een uur of zeven en hield zelden op voor het ochtendgloren.
Zijn eerste stop was meestal Sammy's Bar.
Sammy's Bar had een matglazen front aan Bliss Street.
De lange bar liep langs de rechterkant.
Een Stan Getz-jazzsamba droop uit verborgen luidsprekers.
'Daar ben je.'
Zubaida zat op een barkruk aan het eind van de bar, met haar zwarte tasje voor haar op het blad. Ze zat te roken.
Ze begroetten elkaar op Libanese manier met drie kussen, wang aan wang en, omdat ze goede vriendinnen waren, een omhelzing.
'Lieverd, je bent laat.'
'Nee, hoor.'
'Ik heb het tien over zeven.' Zubaida keek op haar horloge.
'Het is zeven uur.'
Reem wees op de klok aan de muur.
'Dan loopt mijn horloge zeker voor.'
De barman kwam naar hen toe om hen te bedienen.
'Wat drink jij?' vroeg Reem.
'Sinaasappelsap,' zei Zubaida. 'Maar het komt uit een flesje.'
Reem wendde zich tot de barman. 'Een cola graag, met ijs en citroen.'
Er waren maar drie andere klanten, allemaal mannen. Reem dacht dat het mensen met een vrij beroep waren. Artsen uit het Amerikaanse ziekenhuis misschien, in de dertig en veertig, een beetje oud voor de gebruikelijke clientèle bij Sammy's. De mannen hadden even opgekeken toen Reem langskwam, kropen toen weer bij elkaar en dronken lachend Duits bier zo uit het flesje.
Misschien een terugkeer naar de kroegen uit hun studententijd, dacht Reem.
Het was nog vroeg. Ze hadden alle tijd.
'Je bent hier toch al eens geweest? Dat moet wel,' zei Zubaida.
'Nee. Nog nooit.' Reem schudde haar hoofd.
'Waarom heb je deze bar dan gekozen?'
'Omdat we hier nooit kwamen toen we nog studeerden. Dat durfden we nooit. Nu durf ik het wel,' zei Reem met een glimlach.
Twee vrouwen, allebei met zware make-up en strakke cocktailjurken van een glanzend materiaal dat het licht ving, wankelden op hoge hakken naar

de bar. De drie mannen hielden op met praten en namen hen zorgvuldig op. De twee vrouwen keken onbeschaamd terug en namen hen even openhartig op.
Zubaida trok haar wenkbrauwen op naar Reem en knipoogde.
'Die gaan een avondje stevig stappen,' zei Zubaida.
'Nou en of.'

Twintig minuten later zat Sammy's bar stampvol.
Voornamelijk met studenten, mannen en jongens, vrouwen en meisjes, christenen en moslims, druzen en Koerden, Armeniërs en Palestijnen. De meesten kwamen in groepjes. Leden van sommige groepjes herkenden leden van andere groepjes. Groepjes vielen uit elkaar, braken op, vormden zich weer, gingen in elkaar op en braken weer op. Vrienden verwelkomden andere vrienden. Er werd veel gekust en omhelsd en op ruggen geslagen en er werd veel en hard gelachen. De mannen dronken bier en de vrouwen ook wel, maar de meesten hielden het toch bij frisdrank. Reem wist dat veel mensen één drankje zouden kopen en daar de hele avond over zouden doen omdat ze het zich amper konden veroorloven. Ze waren vastbesloten om lol te hebben. Beter één drankje drinken en een maaltijd overslaan. Lol, wat het ook kostte. Zie er goed uit met een drankje in de hand, om te kijken en bekeken te worden. Dat was wat ertoe deed. Je kon beter nu met je voet op de maat van de muziek tikken en flirten, want misschien kwam er wel geen morgen. Dus nam het lawaai toe, het was één deinende mensenmassa en de bar stond vol flessen en glazen en bakjes noten en chips. Iedereen was vastbesloten om er een paar uur van te genieten.
De samba's werden luider, sneller.
In hoeken zaten stelletjes elkaar hongerig te zoenen.
Tegen het plafond zag het blauw van de rook.
Mensen praatten niet. Ze schreeuwden. Een paar dansten zelfs. Stelletjes in een innige omhelzing wankelden rond als uitgetelde boksers.
Het vechten zou zowel hard als dichtbij moeten zijn om te worden gehoord. En dat was precies de bedoeling, dacht Reem. Tijd om te vergeten. Tijd om te leven.
Zubaida mopperde dat ze trek kreeg en of het geen tijd werd om ergens pizza te gaan eten.
Reem begon net te denken dat het haar die avond gewoon niet zou lukken. Ze nam zich voor om het nog tien minuten aan te kijken en niet langer.
Nee, ze had geen trek. Nog niet.

Zubaida pruilde en stak nog een Marlboro Lite op. Er was trouwens te veel lawaai om te praten. Ze moesten hun mond tegen elkaars oor houden en schreeuwen om zich verstaanbaar te maken.
Vier voor half negen.
Op dat moment kwam hij binnen.
Nicholas Lorimer, in gezelschap van een Libanese man.
Er was geen twijfel aan.
Lang, met brede schouders, blond.
Moet je hem toch zien.
Hij baande zich een weg naar de bar, waarbij hij zijn hoofd omdraaide naar zijn vriend, vermoedelijk om te vragen wat deze wilde drinken.
Geld zat.
Chique kleren.
Zo verdomd superieur.
Hij beschouwt het leven als vanzelfsprekend, dacht ze.
Reem vloekte binnensmonds.
Omdat hij buitenlander was, viel hij op. Hij had zo de aandacht van de barman. Hij stak twee vingers op. Twee bier. Hij betaalde, greep de flesjes en trok zich terug uit het gewoel. Beide mannen gingen tegen de muur staan.
Nu.
Reem boog zich naar Zubaida toe, met haar hoofd vlak bij haar oor.
'Hou mijn stoel even vrij. Ik ben zo terug.'
Ze zou wel iets verzinnen. Ze zou hen voorbijkomen op weg naar het toilet, en op de terugweg nog een keer. Op die manier had ze twee kansen.

Reem had er goed over nagedacht. Eén optie was om Zubaida te gebruiken, omdat ze een knotsgekke, spraakzame kant had. Zij kon de onbezonnen extrovert uithangen. Zij kon Reems malloot zijn.
Reem zou Zubaida maar hoeven aanstoten en haar op de knappe vent daar hoeven wijzen. Ze zou haar vriendin gemakkelijk kunnen overhalen om de barman te vragen wie de buitenlander was, en hem er dan toe aanzetten aan hun spelletje mee te doen door de aandacht van de buitenlander te trekken. Zubaida zou het tempo bepalen en Reem zou achteruit blijven zitten en hem naar zich toe laten komen.
Zubaida was kort, volslank, met een bleke huid en pikzwarte, levendige ogen en weelderig haar. Ze had een lief, rond gezichtje met een willige en warme glimlach. Ze was van nature vriendelijk. Mannen keken naar haar, waren van haar gecharmeerd. Ze genoot van de aandacht en Reem wist dat

ze er bedreven in was om met volslagen vreemden een gesprek aan te knopen. Ze had de aangeboren gave van een verkoopster. Zubaida richtte zich meestal tot iemand die naast degene zat of stond met wie ze wilde praten en betrok deze er dan indirect bij.
Het ging allemaal volgens de regels van het subtiele relatiespel. Respectabele vrouwen mochten flirten, als ze het maar discreet deden. Ze konden ook afspraakjes maken, maar binnen bepaalde grenzen.
In openbare gelegenheden was oogcontact belangrijk, maar als het met de Libanees werkte, zou het de buitenlander, die er ongetwijfeld nog aan moest wennen dat hij door iedereen werd aangegaapt, misschien van zijn stuk brengen.
'Ik ben zo terug,' zei Reem. Ze raakte Zubaida's arm aan. Om bij het toilet te komen, zou ze zich langs Lorimer moeten wringen.
In haar linkerhand had ze de sleutels van haar flat.
'Neem me niet kwalijk.'
Reem stootte Lorimers elleboog aan.
Hij hief zijn arm om geen bier te morsen, draaide zich half naar haar toe, overrompeld, en draaide zijn hoofd om en keek omlaag.
'Het spijt me zeer,' zei Reem.
Ze glimlachte naar hem op.
Haar linkerhand hing langs haar zij. Ze ontspande haar vingers en liet haar sleutels vallen.

# 8

Nick en zijn vriend Khaled waren naar Sammy's Bar gegaan voor een paar biertjes. Khaled moest later nog ergens anders heen. Nick had ook zo zijn plannen. Hij ging de meeste avonden uit, behalve vrijdag, zaterdag en maandag, en na bijna een maand in West-Beiroet had hij Khaled niet meer nodig om hem wegwijs te maken.

'Weet je, Nick, het woord "bar" heeft een slechte betekenis. Meestal tenminste. Voor de Libanezen is een bar een plek waar je, je weet wel, animeermeisjes vindt. Het soort dat het voor geld doet.'

Dat soort bars waren er wel, voornamelijk in het maronitische Kaslik en Jounieh: armoedige kroegen, gerund door souteneur-gangsters uit de oostkant waar voornamelijk Thaise en Filipijnse meisjes werkten.

'Er zijn hier wel vrouwen alleen,' zei Nick, die rondkeek. 'Maar ze zien er niet uit als hoeren.'

'Ja, klopt, maar dit is een bijzondere bar. Een studentenkroeg. Dat is in. Daarom ben jij hier, en ik ook. Maar toch komen vrouwen hier niet alleen, en als ze dat wel doen, komt het omdat ze met iemand hebben afgesproken. Ze treffen wel niet altijd iemand, maar ze zullen toch tenminste doen alsof. Dan zwaaien ze naar iemand buiten, en kijken op hun horloge. Dan beginnen ze een gesprek met een andere vrouw en het eerste wat ze dan zeggen is dat ze met iemand hebben afgesproken maar dat ze laat is. Wat maar werkt. Ze zullen eruitzien of ze het druk hebben. Ze willen niet alleen lijken. Schijn is heel belangrijk.'

Nick vond Khaled meteen aardig. Het was instinctief. Ze waren even oud, bijna op de dag af. Khaled was gevat, rusteloos, cynisch en had een scherpe tong. Hij was zorgeloos eerlijk, eerlijker dan goed voor hem en voor zijn eigen veiligheid was. In een land waar telefoons routinematig werden afgetapt en buitenlandse instanties door een aantal spionnen goed in de gaten werden gehouden, was het een soort roekeloze overmoed.

Khaled hield van plezier maken. Hij dronk. Hij rookte. Hij hield van meis-

jes en leek zich voortdurend in een of andere pijnlijke romantische of seksuele crisis te bevinden waarvan hij maar al te graag alles aan de nieuwe *ajnabi* wilde vertellen.
Hij praatte over van alles, ook over dingen waarvan anderen niet graag zouden toegeven dat ze er zelfs maar aan dachten.
Khaled was normaal.
Nick was de baas, een feit waar hij bijna elke minuut die hij op kantoor doorbracht, pijnlijk van bewust werd gemaakt. Iemand die de baas zover kreeg dat hij naar hem luisterde, die ook buiten kantoortijd met hem omging, die hem wegwijs maakte, die in feite zijn adviseur en soms zijn nar werd, zou vermoedelijk wel iets bij de relatie winnen. Als er nog meer mensen moesten afvloeien, zou Khaled door zijn innemende manier van doen misschien iets voor hebben op de anderen. Dat was duidelijk, en het was iets wat zijn collega's niet ontging.
Khaleds vriendschap met Nick bezorgde hem ook vijanden.
Die eerste dag zou Nick nooit vergeten. Hij had zijn tas achter de deur laten vallen en was meteen aan het handen schudden gegaan. Gezichten, namen – aanvankelijk kon hij zich op niet een ervan concentreren, laat staan dat hij ze onthield. Het personeel werd voorgesteld naar functie, naar hoe lang men er al werkte – naar aantal dienstjaren, daarna naar leeftijd. De plaatselijke manager, Elias Khoury, zette de toon. Hij was de onbetwiste leider. Daarna gingen ze allemaal in een halve kring zitten, dronken koffie en maakten stijfjes een praatje. Er was een strikte pikorde. Niemand zei iets als Nick niet eerst iets zei. Vrouwen – ze hadden er maar drie in dienst – telden niet mee. Zij kwamen als laatsten, ongeacht hun aantal dienstjaren of leeftijd, en toen ze waren voorgesteld, trokken ze zich terug aan hun bureau.
Ook Khaled hield zich afzijdig. Hij was de laatste man die naar voren kwam, vlak voor Nicks secretaresse, de administratief assistente en de receptioniste. Hij was de jongste en had de minste dienstjaren.
Khaled was degene die hem rustig – en met alle respect – had uitgelegd dat Nicks werk zo ongeveer onmogelijk was en dat Nicks archiefsysteem, zijn rapportageprocedure, zijn indeling van personeel in zoekteams, nergens toe zou leiden.
Nick had geluisterd, geaccepteerd dat Khaled wel eens gelijk kon hebben en, tenminste inwendig, gezworen dat hij zou bewijzen dat Khaled ongelijk had.
Tegen het eind van de eerste week hadden ze een stroompje namen.
En Khaled was degene die Nick de rondleiding gaf, hem persoonlijk rond-

leidde door het nachtleven van Beiroet en hem het fijne vertelde van Libanese vrouwen.

'Dus dit is een respectabele gelegenheid.'
Khaled hield zijn hoofd schuin en dacht erover na.
'Zo'n beetje wel. Sammy's is wat je zou noemen – wat is het woord...'
'Onconventioneel? Trendy?'
'Juist. Rijke jongelui, artistieke types, meisjesstudenten die eigenlijk onafhankelijk zijn – ze komen hier allemaal. In groepjes, met vrienden of vriendinnen. Of ze doen net alsof. Het is in geen geval traditioneel. En ja, het is een goede gelegenheid om een meisje te versieren. Een van de beste zelfs.'
Khaled nam een flinke teug bier, leunde met één schouder tegen de muur en hield zijn hoofd achterover. Hij droeg zijn haar in stekeltjes die overeind werden gehouden door een overvloed aan gel. Hij zag ermee uit als een punker. Nick vond het lawaai en de hilariteit maar hectisch. Als er een bar op de *Titanic* was geweest toen die op een ijsberg liep, dacht hij, zou het zoiets als hier zijn geweest: een panische poging om aan de werkelijkheid te ontsnappen, met glimlachen die te geforceerd waren, gelach dat te doordringend was terwijl de reddingsboten langs de patrijspoorten in de ijskoude zee werden neergelaten.
'Ik bedoel versieren niet helemaal zoals jij dat bedoelt, Nick. Ze sloven zich bij het eerste afspraakje niet meteen al uit. Sommigen misschien wel, maar de meesten zullen er meer tijd voor willen nemen. Veel meer tijd.'
Khaled was trots op zijn Amerikaanse zegswijzen. Nick had al versierd, en om Khaleds uitdrukking te gebruiken, zij had zich uitgesloofd. Maar Mona was dan ook geen doorsnee Libanese. Geen doorsnee vrouw, punt. Ze had hem eigenlijk meer versierd dan andersom. Ze belde hem gewoon om de paar dagen en zei dat ze een video wilde kijken: haar code voor seks.
Aanvankelijk was Nick gretig geweest. Mona was altijd naar zijn flat toe gekomen, meestal onder lunchtijd of aan het begin van de avond, als de oorlog het toeliet. De oorlog was net als het weer. Mensen luisterden voortdurend naar het nieuws, naar het geluid van geweervuur, en wachtten op een onderbreking van de vijandelijkheden. Dan zetten Mona en Nick ook wel een videoband op, maar ze keken er nooit naar. Ze wilde niet eten of drinken. Ze wilde geen afspraakjes. Ze gaf niet om bloemen of chocola. Ze wilde niet eens praten. Ze deed het liever op zijn bank of op de grond dan in zijn bed.
Meteen al aan het begin, toen hij nog geen week in Beiroet was, had ze

tegen hem gezegd: 'Ik ben anders, Nicholas, en we zullen genoeg van elkaar krijgen, dat zul je zien. Het is alleen leuk vanwege de nieuwigheid. Voor jou en voor mij.'
Ze had gelijk.
Hij kende Mona inmiddels goed genoeg om te weten dat ze aan haar gerief kwam waar ze maar kon. Op het moment was dat met een helikopterpiloot van de VN, een Italiaan wiens belangrijkste gespreksonderwerp koken was. Jaloezie was aan haar niet besteed. Ze woonde bij haar ouders in een enorme flat in Sanayeh, in de buurt van Nicks kantoor. Het waren steenrijke mensen. Franssprekende maronieten, maar met een linkse overtuiging. Uiterlijk was Mona volkomen respectabel, al werd ze wat te oud gevonden om een 'goede partij' te zijn.
Ze hadden elkaar voor het eerst in een clandestiene kroeg ontmoet. Op Nicks tweede avond in West-Beiroet.
Ze hadden gedanst en zij had zich tegen hem aangedrukt, en hem zo opgewonden. Toen ze weer waren gaan zitten, had Mona hem gevraagd of hij nog in een hotel zat. Hij zei van wel. Zoals zoveel buitenlanders logeerde hij in het Commodore, waar het personeel buitengewoon goed was ingespeeld op de behoeften van hun buitenlandse gasten, zozeer zelfs dat ze nieuwkomers vroegen of ze hun kosten van de bar misschien op hun wasserijrekening vermeld wilden hebben omdat, zoals iedereen weet, de wasserijrekening van journalisten door hun nieuwsorganisatie wordt betaald.
Ja, toen had hij nog in het Commodore gelogeerd.
'Jammer,' had ze gezegd en haar slanke vingers over zijn kruis gehaald. 'Laat me weten wanneer je verhuist, wil je?'
Tien dagen en vier gehuurde video's later was Nick zijn belangstelling voor haar al aan het verliezen, en Mona de hare voor hem. Precies zoals ze had gezegd.
Hij was niet van plan om het Khaled te vertellen, al was het Khaled die hem nu vertelde van de klinieken in achterafstraatjes die zich specialiseerden in het herstellen van het maagdenvlies zodat een jonge vrouw nog steeds een goed huwelijk kon sluiten en als 'maagd' kon trouwen.
Iemand liep tegen Nick op en sloeg hem het bierflesje bijna uit handen.
Hij draaide zich om.
'Het spijt me zeer,' hoorde hij haar zeggen.
Ze had een allercharmantste glimlach.
Het onbekende meisje mompelde iets over dat ze haar sleutels had laten vallen en ze knielden gelijktijdig.

Nick stootte met zijn kin tegen haar voorhoofd.
'Au,' zei de vrouw.
'Shit,' zei Nick en wilde meteen dat hij dat niet had gezegd.
Nu ze zo tegenover elkaar zaten, bijna neus aan neus, brachten ze allebei instinctief een hand naar de pijnlijke plek. Hij voelde aan zijn kin, zij legde een hand op haar voorhoofd.
Ze lachten allebei.
'Geen zichtbare schade,' zei ze, terwijl ze goed naar zijn kin keek en met de vingers van één hand een lok bruin haar uit haar ogen veegde. Hij zag dat ze lange, slanke vingers had, en bruine polsen die lichter waren waar het polsbotje tegen de huid drukte.
Op zijn hurken tussen de sigarettenpeuken, de doppen van bierflesjes, de chipspakjes, de noten, de plasjes gemorste wijn en bier, keek Nick in grote, donkere ogen die enigszins ovaal waren en een beetje schuin stonden.
Ze staarden elkaar even aan.
De andere mensen waren een ogenblik teruggeweken om hun ruimte te geven, maar stonden al gauw weer te praten en te lachen. Ze waren vergeten tussen een woud van benen en voeten, al keek Khaled nog omlaag en vroeg of hij kon helpen. Ze negeerden hem.
'Mijn sleutels,' zei ze en verbrak het oogcontact, alsof ze zich opeens herinnerde wat ze hier zat te doen, en begon om zich heen te kijken.
Nick vond ze, raapte ze op en gaf ze haar.
'Bedankt. Het was mijn schuld...'
Hij stak zijn hand uit.
'Ik ben Nick Lorimer.'
Ze gaf hem een hand.
'Nick?'
'Ja,' zei hij.
'Leuk je te ontmoeten, Nick. Ik ben Reem.'
Ze zaten nog steeds op hun hurken.
'Reem.'
Ze stonden allebei op, voorzichtig om een tweede botsing te vermijden. Nick merkte dat hij nog steeds haar hand vasthield die zij had gebruikt om overeind te komen.
Ze glimlachte breed en schudde haar haren uit haar gezicht.
'Mag ik mijn hand terug, Nick?'
'Sorry.'
Nick voelde dat hij bloosde van verlegenheid.

'Dank je,' zei ze.
'Leuk je te ontmoeten, Reem.'
'Dat geldt ook voor mij.'
Ze glimlachte nogmaals, ditmaal minder breed, zich bewust van andere mensen om hen heen en baande zich een weg terug door de menigte naar haar plaats naast Zubaida.
'Jezus,' zei Nick. 'Heb je dat gezien?'
'Wat?'
'Ken je haar?' Nick moest schreeuwen.
Khaled schudde zijn hoofd. Hij dronk zijn flesje bier leeg.
'Heb haar nog nooit gezien,' zei hij en voegde eraan toe: 'Tijd om te gaan.'
'Nog eentje,' zei Nick en zocht in het gedrang naar haar.
'Voor mij niet,' zei Khaled. 'De avond is nog jong, te jong om me al te bedrinken.'
'Wat vind je van haar?'
'Wie?'
'Het meisje dat haar sleutels liet vallen.'
Khaled haalde zijn schouders op.
'Ziet eruit als een studente. Misschien afgestudeerd – wie weet?'
Het kon Khaled niet schelen. Nick hield zich voor dat dat kwam omdat zijn vriend niet echt naar haar had gekeken.
'Wat kun je me over haar vertellen?'
Khaled volgde Nicks blik, maar hij was een stuk korter dan Nick en kon nog minder zien door de menigte.
'Ze is donker. Misschien Palestijns. Of sjiitisch.'
'Niet dat het er iets toe doet,' zei Nick.
'Wat?'
'Ik zei dat het er niet toe doet wat ze is.'
De muziek was nog harder geworden.
'Laten we maken dat we weg komen,' zei Khaled.
Maar Nick ging niet meteen weg.
Hij haalde een van zijn visitekaartjes uit zijn borstzakje.
'Heb je een pen?'
Khaled had er geen.
Roekeloos van ongeduld vroeg Nick mensen aan de bar. Uiteindelijk kreeg iemand de barman te pakken die voor een pen zorgde.
'Blijf staan, Khaled.'
'Waar ben je verdorie mee bezig, man?'

'Blijf staan.'
Nick gebruikte Khaleds rug om zijn privé-telefoonnummer op de achterkant van het kaartje te schrijven.
'Bedankt. Ik ben zo terug.'
Hij legde de pen op de bar en draaide zich af. Hij baande zich een weg door het gedrang.
'Reem?'
Ze leek verbaasd hem te zien.
Hij stak haar het kaartje toe en voelde zich opgelaten.
Ze pakte het met een ernstig gezicht aan, keek ernaar en keek toen weer naar Nick.
Haar vriendin keek toe vanuit haar ooghoek, half afgewend terwijl ze iets door een rietje dronk en deed of het haar niet interesseerde.
Het kaartje was wit met blauwe reliëfdruk.
Nick Lorimer, VN-coördinator.
Dat absurde acroniem.
'Mijn privé-nummer staat achterop.'
Toen hij dat zei, besefte hij dat geen enkele Libanese vrouw – geen enkele respectabele Libanese vrouw – hem zou bellen. Natuurlijk zou ze hem niet bellen. Hij was een volslagen vreemde. Hij gedroeg zich aanmatigend en beging waarschijnlijk een afschuwelijke sociale blunder.
God, wat was ze cool.
'Wacht.'
Hij was al aan het weglopen, er zeker van dat hij deze keer te ver was gegaan, maar Reem zat met gebogen hoofd en zoekende vingers. Ze haalde een stukje papier tevoorschijn, stond op van haar barkruk en deed een stap naar hem toe alsof ze niet wilde dat haar vriendin zou horen wat ze zei. Reem was langer dan hij zich herinnerde. Ze zag er lang en slank uit. Natuurlijk. Ze had iets atletisch en beheersts over zich zoals ze daar stond, totaal niet verwend. In elk geval niet opgemaakt. Cosmeticabedrijven en modefotografen gaven enorme bedragen uit in een poging om dat frisse, sportieve uiterlijk vast te leggen.
'Bel mij maar.'
De blik die ze hem gaf was half honend, half uitdagend.
Hij rook de zeep die ze gebruikte, het vleugje parfum.
Toen Nick op zijn plaats terugkwam, stonden er vreemden.
Khaled was verdwenen.

# 9

Die avond was er geen water, en de volgende ochtend ook niet.
Niet eens een dun straaltje.
Het nieuws was ook niet goed, maar de BBC leek er laconiek onder.
'Granaatbeschietingen over en weer over de Groene Lijn tussen het islamitische West- en het christelijke Oost-Beiroet gaan door...'
De woorden van de nieuwslezer klonken zonder enige hartstocht. Routinematig. Wat waren die koele woorden op de korte golf ver van de realiteit, dacht Reem, zeker voor de mensen die vlak bij de Groene Lijn woonden, de burgers die deze zogenaamde beschietingen over en weer te verduren kregen. Was er iemand die niet in angst leefde, bang dat er vernietiging dreigde? Was het mogelijk? Heerste zelfs in die verre stad die Londen heette een ander principe dan wreed toeval?
Aan het eind van Reems straat was een standpijp, maar dat betekende open en bloot in de rij staan en gevaar lopen te worden geraakt, en dan het water naar de flat te moeten slepen. Er was geen generator in het pand en als er geen water was, betekende dat meestal dat er ook geen stroom was. Het water moest stap voor stap naar boven worden gedragen, de trap op naar de zesde verdieping.
Als drinkwater waren er grote plastic flessen mineraalwater, maar ook die moesten worden gedragen. De beter gesitueerden betaalden een haveloos Koerdisch, sjiitisch of Palestijns vluchtelingenkind om het bij hen thuis af te leveren, maar Reem kon zich niet veroorloven om maar een paar piaster te verspillen. Dus liet ze de stop in bad, wastafel en gootsteen zitten en zette de kranen wijd open in de hoop dat er misschien een klein straaltje uitkwam als zij op haar werk was.
Ze had al weken niet meer dan een klein kommetje water per dag gehad om zichzelf, haar haren en haar kleren te wassen.
Mensen begonnen onprettig te ruiken. Niet smerig, niet echt smerig, maar de onprettige geur van oud zweet en kleren die te lang waren gedragen, een

stank die in taxi's en openbare gebouwen, liften en winkels doordrong.
De stank van een belegerde stad.
Reem raakte net als iedereen gewend aan het gebrek aan water. Het was geen ontbering meer, enkel een ongemak. Leven en dood waren enkel grote ongemakken, en tussen de bedrijven door waren er de kleinere ongemakken van de dagelijkse worsteling om nog wat langer in leven te blijven. Je keek niet verder dan de volgende maaltijd, de volgende sigaret.
Ook de telefoons deden het niet meer.
Ze zou niet kunnen zeggen of Nick had geprobeerd te bellen.
Tegen elf uur 's morgens werd overal geschoten met wapens van alle kalibers.
'Het is de *shouf*,' zei Dalia.
Druzenstrijders verdreven de moordenaars van de soennitisch-islamitische Mourabitoun-militie uit hun loopgraven aan de rand van Beiroet.
Een oorlog binnen een oorlog.
De drie vriendinnen kwamen bij elkaar voor de ochtendkoffie in de bibliotheek waar ze werkten. Dalia had *baklawa* meegebracht, die machtige, mierzoete en, voor Reem, onweerstaanbare Libanese gebakjes. Het hielp niet dat ze zo lekker klein waren. Het was zo gemakkelijk om er nog een te nemen. En dan nog een.
'Goddank zitten we op de vijfde verdieping,' zei Zubaida en nam haar derde gebakje, waarna ze met een papieren servetje haar mondhoek bette.
Reem was het met haar eens. De begane grond, de eerste en tweede verdieping waren te laag. Daar sloegen de kogels van de kleine vuurwapens, de afgeketste kogels, de granaatsplinters in. De zevende en achtste liepen het gevaar van mortierbommen die uit de lucht kwamen vallen en van de grote houwitsers – Franse 155's die aan Israël waren verkocht en doorverkocht aan de falangisten en daarna aan de Libanese militie. Deze monsters vuurden hun enorme granaten met een grote boog af en dan braken ze door daken en wanden van cementbeton alsof ze van papier waren en ontploften binnen.
De vijfde was zo ongeveer de beste.
Boeken in het Arabisch, Engels en Frans stonden in rijen op planken boven elkaar. Licht kwam uit een rechthoekig paneel van dik glas dat hoog in één muur zat. De vrouwen zaten in het midden op gemakkelijke stoelen die rond een koffietafel stonden. Verder was er niemand. Geen mensen die stonden te snuffelen, geen onderzoekers. Niemand kon zich herinneren wanneer er eigenlijk iemand van de straat naar binnen was gekomen om een boek te lenen.

Reem liet het gesprek van haar vriendinnen over zich heen gaan. Ze luisterde niet echt. Ze had een afspraak met de Ustaz, maar zoals het er nu naar uitzag, leek het niet waarschijnlijk dat een van hen zich aan die afspraak zou kunnen houden. Er zouden vandaag ook geen uitstapjes naar Hamra zijn, geen spiegelen in de etalages van schoenwinkels, vandaag niet. Ze stond, niet voor het eerst, voor het dilemma van overleven. Op het werk blijven wachten, er zo nodig op de grond blijven slapen tot de gevechten ophielden, of haar leven in eigen hand nemen en spitsroeden lopen door van portiek naar portiek over straat te sprinten.

Reem kon geen contact met hem opnemen.

De Ustaz vermeed zowel mobieltjes als vaste telefoonlijnen. Alles wat elektronisch was, kon worden afgeluisterd en werd dat ook.

Als ze deze afspraak misten, hadden ze er de volgende dag nog een om op terug te vallen.

'... zo lang, en die blauwe ogen,' hoorde ze Zubaida zeggen.

Ze keken allebei naar haar.

'Daar heb je me niets van verteld,' riep Dalia uit. 'Hoe kon je? Dat doet me echt pijn. Ik dacht dat ik je vriendin was. God, wat opwindend. Waarom heb je het me niet verteld?' Ze beet op haar lip, half ernstig, half speels.

Reem besefte dat ze het over de Engelsman hadden.

Lorimer.

'Hij heeft je zijn kaartje gegeven? O, laat zien.'

Om niet te laten merken hoe opgelaten ze zich voelde, boog Reem zich voorover en pakte haar tas die aan haar voeten lag. Ze keek erin en viste het kaartje eruit.

Wat kon het ook voor kwaad?

'Zie je wel?' zei Zubaida. 'Wat heb ik je gezegd?'

Dalia griste Reem het kaartje uit handen.

'Vertel, vertel,' zei ze en zat van opwinding te draaien op haar stoel.

'Ik snap niet waar jullie je zo druk om maken,' zei Reem. Er verscheen een rimpel tussen haar wenkbrauwen, een teken dat ze boos werd. 'Alleen omdat hij een buitenlander is –'

'Niet zomaar een buitenlander,' zei Zubaida en stootte Dalia aan. 'Niet zomaar een buitenlander, schat, maar een knappe vent. Zo lang. Ik hoor dat hij zijn eigen kantoor heeft met veel personeel. O, ja. Hij is jong, maar hij heeft alle voordelen van het buitenlanderschap. Zijn eigen chauffeur, een grote flat in Ain El Mreisse.' Zubaida zweeg even. 'En ongetrouwd.'

'Wat heb jij toch een geluk in de liefde,' zei Dalia pruilend. 'Jij boft ook altijd.'
'Hij heeft zo'n lieve glimlach,' zei Zubaida. 'Net een klein jongetje.'
Reem wist dat ze er juist over door zouden gaan als ze probeerde om hun de mond te snoeren, over iets anders te beginnen. Ze was bijna opgelucht toen ze het gebouw voelde trillen, gevolgd door weer een explosie.
'O, mijn god,' zei Dalia en klampte zich aan Zubaida's arm vast. 'Weer een autobom.'

De plaatselijke radiozenders kwamen al snel met de eerste bijzonderheden. Een luxewagen was volgepropt met explosieven, samen met een antitankmijn. Het voertuig, waarschijnlijk met een volle benzinetank, was tussen andere auto's voor een populair fastfoodrestaurant geparkeerd in een winkelgebied in de westelijke sector, slechts een paar kilometer van waar Reem en haar vriendinnen werkten. De eerste radioberichten zeiden dat er elf doden en drieëntwintig gewonden waren. Het was de derde willekeurige aanslag in evenzovele weken. Als die dag niet zo lukraak tussen oost en west, tussen christenen en moslims, schoten waren gewisseld, zouden er veel meer slachtoffers zijn gevallen.
'Moordzuchtige smeerlappen,' zei Zubaida en zette de radio uit. 'Er was niet eens een doelwit.'
'O, maar dat was er wel,' zei Reem. 'Het doelwit is altijd hetzelfde. Wij zijn het doelwit – gewoon omdat we er zijn. Als we in het westen leven, moeten we wel schuldig zijn. Wij allemaal.'
'Mensen zoals wij,' zei Dalia.
Het schieten langs de Groene Lijn hield kort daarna op. Er was weer stroom. Nu konden ze de akelige nasleep op de televisie zien.
Het was net of het bloedbad van de autobom van die ochtend iedereen tijdelijk bij zinnen had gebracht en de oorlog werd opgeschort, al was het maar voor een paar uur.
'Volgens mij kunnen we de tent beter sluiten en naar huis gaan zolang het nog kan,' zei Reem.
'Goed idee.' Zubaida stond meteen op en stapelde de bordjes op.
Reem hield zich voor dat ze haar afspraak nog kon halen als ze opschoot.

'Vind je hem aardig?'
De Ustaz keek naar Reems gezicht toen ze antwoord gaf.
'Aardig? We hebben maar een paar woorden gewisseld.'
'Je hebt een goede intuïtie waar het mensen betreft.'

'Hij is knap. Intelligent. Misschien niet erg volwassen.'
In werkelijkheid had ze de Engelsman willen verafschuwen.
Alle Engelsen.
'Onervaren?'
'Ja,' zei Reem en keek weer naar de Ustaz. 'Onbeproefd – uit een land waar mensen elkaar niet dagelijks vermoorden. Als Engelsen moorden, doen ze dat in het buitenland.'
'Hij neemt vast contact met je op. Zo niet, dan zul je een tweede toevallige ontmoeting moeten arrangeren. Wat ga je doen als hij je mee uit vraagt?'
Reem had er niet zoveel vertrouwen in als hij. Voor iemand als Lorimer waren er altijd een heleboel Libanese vrouwen. Hij was iemand naar wie mensen nieuwsgierig waren. Ze zouden vallen voor zijn uiterlijk. Voor die blauwe ogen. Voor het blonde haar en de rode wangen. Ja, en voor de glimlach die Zubaida zo bewonderde. Hij was een baas. Hij zou wel goed worden betaald. Kortom, hij zou een geweldige vangst zijn. De Engelsman betekende een uitweg uit dit rotgat. Een nieuw paspoort, een ander leven, een comfortabel leven, een veilig leven.
Wie kon hun dat kwalijk nemen?
Reem nam het hun kwalijk.
'Dan ga ik natuurlijk – onder bepaalde voorwaarden.'
'Voorwaarden?'
'Ik ben een respectabele vrouw en we zijn niet verloofd. Ter wille van mijn reputatie moeten we elkaar discreet ontmoeten, in gelegenheden waar we waarschijnlijk geen van beiden door vrienden worden herkend.'
'Je zult zeggen dat je de voorkeur geeft aan de oostelijke sector.'
'Precies – ver van onze gebruikelijke stekken.'
Het had meer om het lijf. Reem moest meer te weten komen over de situatie in de oostelijke sector en over alternatieve routes. Als ze heen en terug ging met een VN-functionaris, zou dat ook helpen om bij de controleposten het vertrouwen van de *shebab* te winnen.
De Ustaz bleef staan bij een houten bank die door oud-studenten was geschonken.
Hij had zijn haar kort laten knippen en aan zijn kleding te zien was hij een arme arbeider. Stoffig. Hij droeg hoge schoenen, geen lage. Een denim hemd zonder das, een kaki soldatenbroek. Helemaal geen universiteitsman. Reem vroeg zich onwillekeurig af wat hij had gedaan, welke postbus hij in een of andere arme buurt had geleegd, wat voor smeergeld hij misschien had afgeleverd en waar, terwijl er een bombardement aan de gang was.

Er zat houtschaafsel aan zijn broek en er hing een sterke terpentinegeur om hem heen.
'Zullen we hier even gaan zitten?'
Het werd zo donker. Ze zaten naast elkaar, niet al te dicht bij elkaar, en keken over een gazon – kaal, bruin en overwoekerd door onkruid – naar wat een rozentuin was geweest. Hij was nu verwilderd, onverzorgd. Erachter lagen de verwaarloosde tennisbanen, het kantoor van het afwezige hoofd van de universiteit en de verlaten cafetaria tegen een achtergrond van parasoldennen.
Reem kon de zee erachter net zien.
Nu er niemand was, was de campus perfect voor een ontmoeting omdat er wel vijf in- en uitgangen waren. Ze waren apart gekomen en ze gingen ook apart weer weg, waarbij de Ustaz meestal als laatste vertrok.
'Je moet de dingen niet overhaasten,' zei de Ustaz.
'We hebben de toegang nodig.'
'Zeker, maar zonder zijn argwaan te wekken. Dit is een operatie om inlichtingen in te winnen en daar heb je geduld voor nodig. Een zekere zorgvuldigheid.'
Het was een vriendelijke terechtwijzing. Reem was ongeduldiger dan goed voor haar was.
'En jij denkt dat deze Engelsman hem heeft, professor? Die toegang?'
'Ik weet dat hij hem heeft.'
'Is het de dochter?'
'Sylvie? Ik weet het niet. Ik vermoed dat ze Lorimer graag mag en waarschijnlijk heel wat meer dan hij haar mag. Ik denk dat hij het gezelschap van George zou prefereren en liever uitnodigingen krijgt voor feesten op Georges boot.'
'Bedoel je dat hij...'
Ze bedoelde homoseksueel.
'Je begrijpt me verkeerd. Volgens mijn informatie feest en zeilt hij liever en geniet hij meer van de betrekkelijke rust van de oostelijke sector dan van Sylvies charmes.'
'Als ik op het toneel verschijn, zou dat dingen kunnen bemoeilijken.'
De Ustaz haalde zijn schouders op. 'Ik zie niet in waarom. Als Lorimer Sylvie duidelijk wil maken dat hij op dat gebied andere interesses heeft, zou hij er niet verkeerd aan doen als hij jou de volgende keer mee zou nemen.'
'Dat zou zowel voor hem als voor ons een averechtse uitwerking kunnen hebben.'

'Dat is allemaal speculatie tot je er komt.'
'Waarom zou hij er überhaupt heen gaan?'
'Lorimer moet voor zijn werk zo veel mogelijk contacten zien te krijgen. Als hij vrienden op hoge posities heeft, zou dat nuttig kunnen zijn als hij zijn mensen uit de westelijke sector moet evacueren. En hij wil graag omgaan met de Engelsen op hun ambassade. Het is een ontsnappingsmiddel.'
'Eigenbelang.'
'De Protector zou binnen een paar weken wel eens de volgende president van het land kunnen zijn.'
'Een machtig man om te vriend te hebben.'
'En met wie wij hopen dat de Engelsman zal proberen indruk op jou te maken.'
Reem draaide zich naar hem toe. 'Ik heb één verzoek.'
'Zeg het maar.'
'Ik ben dankbaar, oom Faiz. Echt. Maar als...'
Bij uitzondering zat Reem om woorden verlegen.
'Als wat?'
Reem probeerde het op een andere manier.
'Wat ga je met de informatie doen?'
'Dat hangt ervan af wat het is.'
'Ik wil –'
'Ja?'
'Als je een operatie op touw gaat zetten...'
Reem zweeg.
'Dan wil ik eraan mee doen.'
Zo. Ze had het gezegd.
'Dat zien we nog wel. Het is nog een beetje voorbarig. Dit is enkel een missie om informatie in te winnen over één man. Er is nog geen besluit genomen.'
De Ustaz had geen verbazing getoond. Hij leek het niet af te keuren.
Had hij haar verzoek verwacht?
'Ik bedoel, ik wil niet alleen maar deel van het team uitmaken. Ik wil het doen –'
'Het doen?'
De Ustaz was opgestaan en stond voor haar, en keek of er niemand aankwam.
Reem haalde diep adem en zei wat ze al heel lang op haar lever had.
'Ik wil degene zijn die de trekker overhaalt.'

Was dat nou zo moeilijk te begrijpen?
Ze was nog nooit ergens zo zeker van geweest.
Toen Reem onderweg naar de uitgang over het gras liep, keek ze omhoog naar de universiteit om haar heen. Voor zoveel mensen, mensen die niets van ballingschap of verlies wisten, wier identiteit veilig in hun familie, gemeenschap en geloof verankerd lag, was dit een plek geweest van eindeloos veel mogelijkheden, een opstapje naar succes, naar status, naar onafhankelijkheid en rijkdom – of enkel een rijke echtgenoot.
Reem zou hier geen nee tegen hebben gezegd. De mogelijkheden waren alleen nooit bij haar opgekomen om de eenvoudige reden dat ze niet bestonden. En ze zouden ook nooit bestaan. Niet voor haar.
Niet na wat er was gebeurd.
Het geheugen was vreemd selectief. Wat haar in het leven had gedreven, het pad dat ze bewust had gekozen – en Reem had nooit enige illusie gekoesterd over hoe het zou eindigen – werd gedeeltelijk verduisterd, een onvrijwillige verduistering van gebeurtenissen die te vreselijk waren om je te herinneren en tegelijkertijd iets te bewaren wat op een normale greep op de werkelijkheid leek.
Het was net littekenweefsel. Het groeide langzaam over de wonden, een afweermechanisme dat de herinnering verdoofde zodat ze de ene voet voor de andere kon zetten, de moeite kon nemen om zich aan te kleden, te eten, zich als een menselijk wezen te gedragen. Te functioneren.
Maar ze kon er met haar vingers en tanden aan pulken, de omtrek voelen, de rand vlees die het verleden markeerde. Het was de voortdurende jeuk van een zichzelf opgelegde taak.
Toen ze Bliss Street op liep en uitkeek naar een taxi, voelde ze de draaierigheid die ze associeerde met de droom die ze steeds weer had. Ze keek naar haar handen. Ze leken op te zwellen toen ze ernaar keek, en het ging vergezeld van een metalige smaak op haar tong.
Ze wist dat ze die nacht de droom weer zou krijgen.
De droom dat ze de lift in stapte, dat de deuren dichtsloegen, de fel verlichte knoppen, de afdaling die haar keel dichtsnoerde en waarbij ze nooit op de begane grond kwam.
Toen Reem thuiskwam, vond ze een briefje dat onder haar deur door was geschoven.
Het was een onleesbare krabbel, maar ze herkende de handtekening.
Er was geen twijfel aan van wie hij was.

# 10

Hij bracht haar zelf over de Groene Lijn.
Nick gaf de chauffeur van kantoor een vrije middag en haalde Reem na het werk op. Hij wachtte haar aan het eind van de straat op, zoals ze had gezegd. Ze wilde niet zeggen of het haar straat was, of dat ze er alleen maar werkte. Loslippigheid kon de reputatie van een ongetrouwde vrouw schaden, zeker als ze openlijk met een man werd gezien. Nick drong dus niet aan.
Onder het wachten bekeek hij de afbeeldingen van de martelaren. Het waren kleine, rechthoekige, witte posters met zwart-witportretjes. Ze waren in rijen aangeplakt, een heleboel bij elkaar. Toen Nick nog maar pas in West-Beiroet was, had hij er nauwelijks aandacht aan besteed. Hij had het niet begrepen. Het waren er zoveel en ze hingen op bijna alle muren. De gezichten stonden nietszeggend, passief. Er waren ook vrouwen bij. Het waren Palestijnen en Libanezen, sjiieten en soennieten, orthodoxe Grieken en Syriërs, communisten en fundamentalisten, maronieten en druzen.
Bataljons doden.
De troepen en militiemensen wuifden Nick en Reem door. Ze hoefden niet te stoppen. Niemand vroeg naar hun papieren. De witte Landrover Defender met zijn blauwe VN-nummerplaten en een buitenlander aan het stuur had het effect dat Nick had verwacht.
'Vind je het leuk in het oosten?'
Ze haalde haar schouders op en zei niets. Reem stak haar kin naar voren en schudde het haar uit haar gezicht. Ze keek blij. Of dat was omdat het haar aard was, of omdat Nick haar mee uit vroeg op hun eerste afspraakje, of omdat de oostelijke sector haar wel aanstond en ze een paar uur aan de westelijke wilde ontsnappen, kon hij niet zeggen.
Ze reden door Ashrafiyeh met zijn banketbakkerijen en boetiekjes.
'Er wordt niet geschoten,' zei Nick. Hij deed zijn uiterste best om niet te

veel naar haar te kijken, naar die door de zon gebruinde armen, naar die lange benen en naar de manier waarop ze haar topje vulde.
'Goddank,' zei Reem. Ze klonk alsof ze het meende.
Ze keek ook niet naar hem, maar naar de winkels, de kleren, de meubels, de mensen. Ze staarde als een toerist, vond hij.
Toen ze het Libanongebergte in reden, werd de lucht koeler.
Nick stopte in de berm onder Ain Saadeh en ze stapten uit.
Beiroet lag aan hun voeten. Een plateau van blauwgrijze rotskristal stak de glinsterende Middellandse Zee in. De zee strekte zich onbeweeglijk uit tot de horizon. Helemaal links van hen lag het vliegveld, rechts lag Jounieh. Met ertussenin op zijn minst vijf talen, ontelbare inlichtingendiensten, officiële en officieuze legers, honderdduizenden vluchtelingen, verhoorkamers, talloze hoeren, legerdumpplaatsen en oorlogsprofiteurs, en te midden van dat alles en ondanks dat alles probeerden anderhalf miljoen mensen te leven, lief te hebben, kinderen groot te brengen, in leven te blijven.
Nick vroeg Reem of ze kon aanwijzen waar ze woonde. Ze wees naar waar de universiteit was, toen naar Hamra en uiteindelijk naar Verdun. Ze stonden zo dicht bij elkaar dat hij haar haren, haar huid kon ruiken. Hij keek met half dichtgeknepen ogen langs haar arm, als een scherpschutter die aanlegt. En wat was dat hoge gebouw? De Murr-toren, zei Reem, geblakerd door brand en opengereten door ammunitie, nu een wolkenkrabber met sluipschutters op de bovenste verdiepingen en volgens de geruchten met een van de vele officieuze militiegevangenissen in de kelder.
En daar lag wat over was van Sabra en Shatila.
En Bourj al-Barajneh.
Zag hij het?
Ja.
Waar zoveel Palestijnse burgers in koelen bloede waren doodgeschoten.
En wat was dat?
Aanvankelijk dacht hij dat het de zon was die op een dak, een autoruit weerkaatste.
Kleine lichtflitsen door de hittenevel.
'Daar wordt geschoten – zie je wel?'
Helemaal in het zuiden – in de buitenwijken.
Een doffe knal. Een beetje als een kurk die uit een fles wordt getrokken.
Palestijnen en sjiitische Libanezen, nog weer een oorlog binnen een oorlog.
Nick zag een veeg vettige rook uit een veld opstijgen en langzaam wegdrijven.

'Zo moet God ons zien,' zei Reem en ging een eindje van hem af staan. 'Wat zijn we onbeduidend...'
De rest van haar woorden hoorde hij niet. Reem had zich van de stad afgekeerd, haar gezicht afgewend zodat hij haar gelaatsuitdrukking niet kon zien.
Nick liep achter haar aan naar de Landrover terug en stond verbaasd over de manier waarop de zon in haar haren glansde.
Daar beneden gingen mensen dood, dacht hij, vermoordden gangsters elkaar en eigenlijk iedereen die hen voor de voeten liep, en hij stond hier te denken hoe hij naar deze vrouw verlangde. Hij kende haar niet eens. Hij wist niets van haar. Nick keek stiekem hoe ze zich bewoog, deze keer keek hij echt, hij nam haar zwemmersschouders in zich op, de slanke taille, hoe sierlijk ze zich bewoog, hoe haar voetjes en enkels haar droegen, het sensueel zwaaien van de heupen, de rondingen van haar billen tegen het denim. Haar kleren waren schoon en geperst, maar ze waren tot de draad versleten. Ze was arm, besefte hij, en bedroevend mager.
Jezus, wat ben ik toch een zieke, ongevoelige klootzak.

Hij reed door het christelijke vakantieoord Broumana, vol half afgebouwde flatgebouwen, hotels en timeshare nieuwbouwprojecten voor de maronitisch-Libanese diaspora.
Nick snoof de geur van zondoorbakken aarde, van de bitterzoete kruiden, rucola, oregano en mint op.
'Mijn arme land,' zei Reem toen ze naar het restaurant liepen. 'Arm, arm Libanon.'
Nick regelde zijn pas naar de hare. 'Dus je bent Libanese.'
'Wat dacht je dan?'
'Ik weet het niet. Iemand zei dat je misschien Palestijnse was.'
'Wat voor iemand?'
'Een vriend van me. Khaled. Ik was met hem die avond dat je tegen me op liep.'
'Wat zei hij dan, je vriend?'
'Hij zei dat je er Palestijns uitzag. Of dat je misschien een sjiitische moslim was.'
'Omdat ik donker ben.' Ze zei het of het een vaststaand feit was.
De woordenwisseling werd afgebroken doordat iemand de glazen deuren opendeed en hen verwelkomde in een enorme eetzaal met lange witte tafels die bomvol gezinnen zaten.

Reem vroeg. 'Mogen we buiten zitten?'
'Zeker, mevrouw.'
Langs de oostkant van de eetzaal gaven deuren en ramen toegang tot een smal balkon met uitzicht op wijngaarden en, op een tegenoverliggende heuvel, een klooster.
Er was voldoende ruimte voor een enkele rij tafeltjes.
Toen ze zaten, zei ze: 'Ik wilde niet onheus zijn. Het spijt me.'
'Je was niet onheus.'
'Het is een gevoelig onderwerp. Niet mijn huidskleur, maar de kwestie van identiteit. Daar gaat deze oorlog namelijk over. Misschien gaan alle oorlogen wel over identiteit. Niet over wat Amerika het beschermen van de vrijheid noemt.'
'Ik begrijp het.'
'Is dat zo, Nick?'
Hij bestelde mineraalwater voor hen beiden, een half flesje rode wijn voor zichzelf en vers geperst sinaasappelsap voor Reem.
'Het is moeilijk uit te leggen,' zei Reem toen de kelner weg was. 'Stel je voor dat je in een oorlog aan het front woont en je komt met verlof thuis en je ontdekt dat iedereen een leuke tijd heeft, geld verdient, zich vermaakt. Hoe zou jij je dan voelen?'
'Boos, van streek. Ja ik zou er erg door van streek zijn.'
'En als het je vijanden waren, en de vrienden van je vijanden?'
'Vreselijk.'
'Vreselijk – ja.'
'Ik had je niet mee naar deze kant moeten vragen.'
'Dat bedoelde ik niet. Alsjeblieft, zeg. Dat bedoelde ik helemaal niet. Het is heerlijk om er even uit te zijn. Echt. Verwacht alleen niet van me dat ik deze mensen aardig vind, dat ik het met hen eens ben.'
'Het spijt me.'
'Je hoeft nergens spijt van te hebben. Ik ga een leuke tijd hebben en jij ook. Goed? Je gelooft me toch? Nick?'
'Ja.' Hij glimlachte haar toe. 'Natuurlijk geloof ik je.'
'Dat is beter. We hebben een gezegde in het Arabisch: kus de hand die je niet kunt bijten en bid dat God hem breekt.'
Ze had tegen hem gepraat als tegen een kind dat je zoet moet houden.
Hun drankjes kwamen, waarmee er een eind aan de verlegenheid tussen hen kwam, en ze gingen bestellen. Nick vroeg Reem om te besluiten tot de *meza* voor hen beiden. De lucht was koel, maar de zon warmde hun

gezicht. Hij keek hoe ze zich op de menukaart concentreerde, waarbij ze op haar onderlip beet. Als hoofdgerecht koos Reem *kibbeh* – de specialiteit van het huis – en Nick deed met haar mee.
Reem wilde een *tabouli*-salade.
'Waarom heb je me mee hierheen genomen, Nick?'
De kelner bracht gezouten pistachenoten, olijven en reepjes rauwe wortel in citroensap voor bij hun aperitief.
'Naar de Coq Rouge? Ten eerste vanwege de traditionele keuken – uit het noorden, is me verteld. Echte kookkunst. En dan de ligging. Het kijkt van Beiroet af en ik wist niet wat er zou gebeuren, dus ik wilde iets wat een heel eind van de oorlog af leek.'
'Het is een goede keus.'
Ze stak een hand uit en raakte met haar koele vingertoppen even zijn pols aan.
'Dank je, Nick.'
Ze kraakte de gezouten pistachenoten.
'Vertel me eens over jezelf, Nick. Vertel me over je thuis. Hoe het is.'
'Dat is maar saai.'
'Vertel het toch maar. Ik wil alles weten.'
'Alles?'
Ze knikte.
'Toe dan.'
Nick vertelde haar dat hij uit een familie van wereldverbeteraars kwam. Dat zijn grootvader op zijn zeventiende dienst had genomen bij de lichte infanterie van Durham en naar de loopgraven werd gestuurd. Tot zijn verbazing had opa de Eerste Wereldoorlog overleefd en de schok en het schuldgevoel hadden hem methodistisch predikant doen worden en uiteindelijk als missionaris naar China doen gaan. Daar had hij Nicks grootmoeder ontmoet, een vroedvrouw uit Dawlish.
Reem luisterde aandachtig, maar ze onderbrak hem meermalen om te vragen: 'Wat was de Eerste Wereldoorlog? Wat was de lichte infanterie van Durham? Wat waren methodisten? En een vroedvrouw? Dawlish? Wat was dat?'
Nicks vader was een niet-revolutionaire socialist en een lichtend voorbeeld in de campagne voor nucleaire ontwapening en Amnesty International lang voordat deze organisatie grote bekendheid verwierf. Zijn moeder was in haar studententijd activiste in de socialistische arbeiderspartij geweest. Ze had een strafblad: veroordelingen vanwege verstoring van de openbare orde

tijdens demonstraties in Strathclyde en voor het binnendringen van een basis voor nucleaire onderzeeërs bij Rosyth in Schotland, waarvoor ze had gezeten – een maand.
Tegen de tijd dat Nick werd geboren, waren ze allebei docent, respectabele leden van de gemeenschap in Elgin Crescent, Sheffield. Degelijke middenstanders die hun turbulente activistentijd achter zich hadden gelaten. Maar Mao, Che, Nasser, Castro en Aneurin Bevan waren in hun rijtjeshuis nog steeds helden en Nick groeide op met de klanken van Sjostakovitsj en de woorden uit het verzamelde werk van George Orwell van zijn vader.
Nick ging naar de middelbare school. En daarna met een beurs naar de universiteit.
Reem wilde nog meer weten. Geen broers? Zusters?
Nicks oudere zus, Pamela, had in Oxford theologie gestudeerd en was cum laude geslaagd zonder er zelfs maar moeite voor te hoeven doen, waarna ze het had verpest door weg te lopen naar Palma en te trouwen met een hasjsmokkelaar en eigenaar van een Magaluf-bar die Kevin heette.
'Op haar drieëndertigste heeft ze haar neus laten veranderen, ze heeft drie kinderen en is vrouw des huizes van een landgoed in Toscane – in werkelijkheid drie gerestaureerde schuren – met een zwembad, tennisbaan en garage voor drie auto's. Onze ouders hebben het haar vergeven en gaan er elk jaar op vakantie heen. Ze is nog steeds met Kevin getrouwd.'
'Klinkt als een leuke meid.' Reem lachte.
Voor Nick was het kruis of munt geweest tussen Spaans en Arabisch, tussen Nicaragua en Libanon. Arabisch en Libanon hadden gewonnen.
'Ik wist eigelijk niet eens goed waar Libanon lag.'
Reem glimlachte.
Nick weerstond de verleiding om zich over tafel te buigen, haar in zijn armen te nemen en haar te kussen. Het was haar vreemde mengeling van kwetsbaarheid en kracht, iets wat hij niet goed kon thuisbrengen. Ze was zacht, maar toch hard. Ze was vriendelijk, maar toch terughoudend. Ze was hartelijk, maar gereserveerd.
Ze wilden allebei koffie, die uit een enorme koperen pot in piepkleine kopjes werd geschonken.
'Ik heb de hele tijd zitten praten,' zei Nick. 'Nu is het jouw beurt.'
Ze vertelde hem dat ze bibliothecaresse en archivaris was.
Het was geen goed betaalde baan, maar het was voldoende voor de huur, eten en kleren.
'Je komt uit Beiroet – oorspronkelijk?'

Reem schudde haar hoofd. 'Nee.'
Iets in haar gezicht zei Nick dat ze er eigenlijk niet over wilde praten.
'En je ouders?'
'Die zijn dood.'
'Dat spijt me.'
'Het geeft niet. Het is al een poos geleden.'
Reem keek weg, over de wijngaarden die al in de schaduw lagen nu de zon naar de westelijke horizon neigde. De hemel was bleek, mooi in het zachte berglicht.
Het gaf duidelijk wel. Nick hield erover op.
Hij vroeg of ze rookte. Dat deed ze niet, maar hij ging zijn gang maar. Nick stak een sigaret op.
'Dus wat doe je in die bibliotheek of wat het dan ook is?'
'We doen niets, Nick. We drinken koffie en zitten te roddelen. Ik krijg elke donderdag betaald. Maar er is geen werk, als je dat bedoelt. We doen alleen maar alsof, we stoffen de boeken af en wachten tot iemand zich herinnert dat hij ons moet ontslaan.'
'Je spreekt prachtig Engels.'
'Wat aardig van je.'
'Nee, ik meen het.'
'Ik heb op school Engels geleerd – geen Frans, en ik heb op Cyprus een cursus gevolgd.'
Ze begonnen over muziek. Ze ontdekten dat ze allebei van Bach en Mozart hielden. Haar lievelingszangeres was de overleden Egyptische diva Um Kalthoum en haar favoriete politicus de nationalist Gamal Abdel Nasser. Allebei Egyptisch en allebei dood. Ze hadden het over boeken en de nieuwe Algerijnse muziek die Rai werd genoemd. Ze praatten over de Libanese schrijver Amin Maalouf en de Egyptische Naguib Mahfouz. Reem begon zich te ontspannen. Ze begonnen zich allebei te ontspannen. Ze werd levendig, lachte veel, vertelde grapjes. Genoot.
Toen Nick betaalde, zagen ze dat ze de laatste mensen in het restaurant waren.
'Je bent christen,' zei hij toen ze door de lange schaduwen van de pijnbomen naar de Landrover liepen.
'Ja, Nick. Ik ben christen. Kun je dat niet zien?'
Ze plaagde hem en keek naar hem over haar schouder.
'Maronitisch? Grieks-orthodox?'
'Doet het ertoe?'

'Helemaal niet.'
'Je geeft het niet op.'
'Het spijt me. Ik wilde niet nieuwsgierig zijn.'
'Ik ben melchitisch – Grieks-katholiek.'
Ze keek Nick aan met een ernstige uitdrukking op haar gezicht.
'Ben je praktiserend christen?'
'Nee, jij wel?'
'Nee.'
'Geen echte methodist?'
'Ben bang van niet. Doet het ertoe?'
Reem giechelde. 'Nee.'
'Dus je komt uit het noorden.'
'Nee.' Ze schudde haar hoofd. 'Het zuiden.'
Ze praatte terwijl ze terugreden, de berg af, de warme nevel van de stad in. Er waren twee dorpen, zei ze.
De dorpen waren Iqrith en Kufr Bira'am.
Het ene was maronitisch, het andere melchitisch. Ze waren allebei Libanees en lagen allebei aan de verkeerde kant van de grens uit 1948 van de nieuw gevestigde staat Israël.
Reem had haar echte thuis nog nooit gezien. En dat zou nooit gebeuren ook.
Ze beschreef wat er was gebeurd, hoe de dorpelingen er nooit naar terug konden. Hoe ze hun huizen hadden zien bombarderen. Hoe de soldaten hadden gelachen om de uitspraak van het Israëlische hooggerechtshof. Hoe ze de kerk hadden herbouwd, bloemen op het kerkhof hadden gezet, er hun doden hadden begraven.
'Westerlingen spreken zich uit tegen dingen waar ze niets van weten. Ze praten over het Midden-Oosten als een conflict tussen moslims en joden. Veel westerlingen lijken niet eens te weten dat in Jeruzalem 150.000 Palestijnen wonen en dat velen van hen christen zijn. Wie denken ze dat er in Oost-Jeruzalem, in Bethlehem en in Nazareth wonen? Christenen.'
'Maar je bent geen Palestijnse.'
'We zijn allemaal Palestijnen, Nick. We zijn Afrikaanse Amerikanen en we zijn Amerikaanse Indianen en we zijn Namibiërs en zwarte Zuid-Afrikanen en Chinese moslims en Karen en Afghanen.'
Ze zweeg, alsof ze bang was dat ze te veel had gezegd. Nick keek naar haar. Ze had zich opgerold op haar stoel. Ze was in haar studentenplunje van verschoten blauwe spijkerbroek, oude sportschoenen en een groen T-shirt, en

ze had een marineblauw, mouwloos jasje aan. Als ze van een student waren geweest, dacht hij, moest dat een hele tijd geleden zijn geweest. In vele opzichten was ze zo gedwee. Ze was vrouwelijk. Toch had ze iets verbolgens, iets doelbewusts. Het was een gebrek aan twijfel, hield hij zich voor, een gebrek aan onzekerheid, een gebrek aan verlegenheid. Naar alle waarschijnlijkheid zag ze zichzelf niet als arm. Wat maakte haar zo zeker in een wereld die zo onzeker van zichzelf was?
'Ga door,' zei hij.
'Nee.'
'Mijn schuld,' zei hij.
'Waarvoor?'
'Dat ik je heb laten praten over dingen die je van streek maken.'
'Dat is jouw schuld niet.' Ze glimlachte hem toe. 'Nou, nee, het is jouw schuld wel. Jij bent tenslotte Brits. De oorzaak van al onze ellende.'
Nick probeerde het weg te lachen, maar het deed hartstikke zeer. Verdorie, het mandaat en Engelands rol als vroedvrouw van het zionisme was een hele tijd geleden. Toen was hij nog niet eens geboren.
'Hé,' zei Reem, en ging rechtop zitten en stompte hem zachtjes tegen zijn schouder. 'Vat het niet zo serieus op. Ik plaag je maar.'
Nick wilde vragen wat er met haar ouders was gebeurd, met haar familie, maar hij besloot dat gesprek uit te stellen.
'Hoe zit het met jou, Nick?'
'Hoe zit wat met mij?'
'Ben jij niet bang?'
Hij draaide zijn hoofd naar haar toe.
'Waarvoor?'
Reem gebaarde met haar hand. 'Voor alles. De stad. De mensen. Hoe vreemd het allemaal is. De rijkdom en de armoede, allemaal door elkaar. Heb je ooit zoveel Mercedessen gezien? Of Range Rovers? Deze kapotgeschoten gebouwen. De sluipschutters. De mortierbommen. De oorlog. De manier waarop mensen je aanstaren. Mensen met geweren. De beschietingen dag en nacht. De grensovergangen. De manier waarop mensen aan deze kant je in het westen zullen proberen te vermoorden, en toch zit je hier, in het oosten, te lunchen. Alleen al hoe onvoorspelbaar het allemaal is. En nu het ontvoeren van buitenlanders.'
'Ja.'
'Ja?'
'Ja, ik ben bang.'

'Waarvoor?'
Hij nam gas terug voor de grensovergang. Aan de andere kant stond een enorm portret van een fronsende Ayatollah Khomeini om hen welkom te heten.
'O. Alles. Precies zoals je zei.'
Reem glimlachte hem toe. 'Maar niet voor mij.'
'Voor jou ook.'
'Waarom?'
'Ik ben bang om iets verkeerds te zeggen, je van streek te maken, het op de een of andere manier te verknallen. Tegelijkertijd wil ik alles over je weten.'
'Waarom? Staat kennis gelijk aan bezit, Nick? Lopen westerse mannen hun vrouwen zo achterna? Om ze in bezit te krijgen?'
'Ik hoop van niet.'
'Ik wil niet worden bezeten, Nick.'
'Ik ben blij dat te horen.'
Meende hij dat? Hij wist het niet zeker.
'Niet veel mannen zullen de moed hebben om toe te geven dat ze bang zijn. Niet tegen een vrouw.'
'Misschien tegen hun moeder.'
Reem glimlachte. 'Ik bedoelde hun moeder niet.'
'Dat weet ik wel.'
Ze werden aangehouden. Een gewapende man liep om de Landrover heen en slenterde terug naar de kant van de bestuurder, met een sigaret in zijn mondhoek en een AK-47 in zijn armen.
'Verenigde Naties?'
'Dat klopt,' zei Nick met een glimlach.
'Rij maar door,' zei de man in het Arabisch. '*Ahlan*.' Nick zag dat hij naar Reem keek en er hoogte van probeerde te krijgen wat ze was. Maar hij vroeg het niet. Zijn aangeboren hoffelijkheid had het gewonnen van zijn plichtsbesef.
Nick manoeuvreerde het grote voertuig door een chicane van betonnen antitankvallen met stukken rails erop.
'Dat heb je goed gedaan,' zei Reem toen ze erdoor waren.
'Wat goed gedaan?'
'Je was rustig. Je sprak netjes. Je was niet te trots of te nederig. Je toonde respect zonder neerbuigend te zijn. Dat is goed, Nick. Je gaf me een veilig gevoel.'
'Echt?' Het gaf hem een voldaan gevoel, maar waarom had hij het vreemde

idee dat juist Reem hem helemaal niet nodig had als het op veiligheid aankwam, en dat het werd gezegd om hem op zijn gemak te stellen, om zijn broze mannelijke trots te schragen?
'Dit is veel leuker dan de grens over hollen,' zei Reem.
'Jij holt de grens over?'
'Als ze schieten.'
'Dat is krankzinnig. Ik heb het één keer gedaan – en dat was genoeg.'
'Zo moet het jou lijken, Nick. Geef het wat meer tijd en dan ben je net zo gek als wij allemaal.'
'Ik heb vandaag een leuke tijd gehad,' zei Nick gevoelvol. 'Een heel erg leuke tijd.'
'Ik ook. Dank je wel.'
Het werd koeltjes gezegd.
'Kunnen we dit nog eens doen? Zou je het nog eens willen doen?'
'Dat vraag je mij?'
'Ja.'
Een lichte aarzeling leek Nick een eeuwigheid toe.
'Dat zou ik leuk vinden. Ja.'
Hij klemde zijn handen om het stuur zodat ze niet zou zien dat hij beefde van spanning – en van opluchting. God, waarom was het zo belangrijk?
Was het eenzaamheid?
Het effect dat ze lichamelijk op hem had?
Of kwam het alleen doordat Mona hem ontrouw was geworden met een Italiaanse piloot?
'Zullen we dan zeggen zaterdag?'
'Bel me van tevoren, Nick, wil je?'
'Tuurlijk. Als de telefoon het doet.'
'Wil je hier stoppen, Nick?'
Het was Verdun, maar hij wist niet precies welke straat.
Het eenrichtingsverkeer bracht hem nog steeds in verwarring.
'Woon je hier?'
Reem knikte.
'Reem...'
Hij stapte uit, liep om de auto heen en deed haar portier open.
'Heb jij de Protector wel eens ontmoet?'
'Nee.'
'Zou je dat willen?'
Ze pakte haar tas en sprong uit de auto.

'Dat denk ik niet, Nick. Waarom? Zou ik dat moeten willen?'
'Ik ben uitgenodigd voor zijn vijfenveertigste verjaardag, zaterdag.'
Reem leek erover na te denken.
'Zaterdag,' zei Nick. 'Misschien is het amusant. Al die hoge omes daar. Antoine wordt de volgende president van het land, zeggen ze.'
'Antoine,' zei Reem, alsof ze de naam proefde, hem door haar mond liet gaan alsof ze wijnproever was. 'Antoine.' Reem keek naar Nick en heel even zag hij haar donkere ogen dof worden van woede.
'Hoor eens, we hóéven er niet heen. Ik heb niet goed nagedacht. Er is geen reden –'
'Nee. Ik wil best.'
'Echt? Ik weet dat het niet jouw soort mensen zijn.'
'Ik wil best. Ja. Echt. Maar bel me – als, zoals je zegt, de telefoon het doet...'
'Natuurlijk.'
Ze kusten elkaar niet. Ze gaven elkaar niet eens een hand. Ze stonden op straat, waar iedereen hen kon zien. Er stonden mensen voor de ramen, op de balkons. Er liepen mensen voorbij. Ze zouden alles zien. Buren. Buren betekenden geklets. Jij idioot, hield Nick zich voor. Wat egocentrisch, wat egoïstisch. Wat had hij eigenlijk verwacht?
'Zaterdag – of anders vrijdag.'
Ergens langs de Groene Lijn ratelde een automatisch wapen. Een salvo van drie ronden, daarna een vierde.
Vijf dagen. Vijf. Verdorie een mensenleven. Hield hij het uit, haar zolang niet te zien? Misschien als hij had voorgesteld om eerst samen koffie te gaan drinken...
Maar ze was al weg, weggestapt door de donkere straat.

# 11

Er werd niet geschoten en er was weinig licht op straat.
Tegen middernacht liep Reem naar de Corniche om aan zowel de vochtigheid als het benauwende geraas van privé-generatoren te ontsnappen. Ze was even geruisloos en onwezenlijk als haar eigen schaduw toen ze luisterde naar de ratten die op de kapotte bestrating voor haar weg scharrelden. Er stond een stijve bries uit zee die haar wangen streelde en haar haren uit haar gezicht woei zodat ze in haar nek prikten. Hij stond uit het noordwesten, recht de heuvel op. Hij blies de geur van chocola en koffie en vers gebakken brood weg. Hij blies de geur van Turkse tabak en katten weg, hij blies de geur van jasmijn en de stank van rottend afval weg. Het beste was nog dat hij de stank van de doden afvoerde, de doden die niemand ooit zou vinden onder de enorme puinhopen na meer dan tien jaar bloedige oorlog.
Ergens op zee stormde het.
Reem keek uit over zee, tegen de reling gedrukt, terwijl ze een appel at en tegen de wind in hing. Blind voor de wereld, de wereld blind voor haar, hoorde ze achter zich voeten komen en gaan, vage, aarzelende stemmen, klaar om de benen te nemen bij het eerste geluid van binnenkomend of uitgaand geweervuur. Als kind had ze de Corniche vol mensen gekend, vol vakantiegangers, met waterverkopers en ijscokarretjes, met bergen watermeloenen zo groot als kanonskogels, de geur van gegrilde maïskolven, de kraampjes die koffie en tamarindesap verkochten en waterpijpen verhuurden, de zoete, blauwe rook uit de waterpijpen, haar moeder die haar hand vasthield die kleverig was van de zoetigheid, de hitte op haar hoofd, trots op haar vlechten met strikken, haar roze jurk, de onmogelijk blauwe en rustige zee met zijn zilte geur, een belofte van nog onbekende mysteries, van verre oorden, van dromen.
Hij kwam zonder iets te zeggen naast haar staan, met zijn handen om de bovenste stang.

Ze kon zijn gezicht niet zien, maar ze wist gewoon dat de Ustaz over zee stond uit te kijken en van het moment stond te genieten voordat hij haar verslag aanhoorde.
Ze had geleerd om verslagen te schrijven, om alle feiten op papier te zetten, en waar ze die feiten precies vandaan had. Maar er werd nooit iets opgeschreven. Alles moest uit het hoofd. Papier was niet te vertrouwen.
Het enige wat ze kon zien, waren de witte schuimkoppen waar de golven meedogenloos op de rotsen onder haar sloegen, daarna het klauwen van het zich terugtrekkende water, alsof het zich aan de kiezels probeerde vast te klampen, zich aan de kust probeerde vast te houden, onwillig om op zichzelf te worden teruggetrokken voor een volgende zelfmoordaanslag.
Net als wij. We zullen het nooit opgeven.
Ze gooide het klokhuis de nacht in.
Er zwaaiden koplampen over de Corniche. Een militiepatrouille, Syrische troepen, een smokkelaar, wat dan ook – hun blonde stralen verlichtten de uitbarstingen van wit schuim en Reem voelde het geweld in de stenen onder haar in muilen gestoken voeten, de slagen in het holle ijzer tegen haar heupen.
Ze had altijd geweten hoe het einde zou zijn.
Ze had nooit geprobeerd om het de Ustaz uit te leggen. Zoals verwacht, had hij zich geprikkeld getoond toen ze hem voor het eerst had benaderd, niet omdat hij haar niet mocht of het niet met haar eens was, maar omdat ze, door hem überhaupt te kennen voor wat hij was, een zwakke plek in zijn pantser van geheimhouding aan het licht had gebracht. Hoe kon dit tengere schoolmeisje, dit arme weeskind, deze brutale rakker – want dat was Reem toen ze zich aanbood, zich opdrong – weten wie hij was en wat hij deed als zoveel mensen hem zochten, wilden weten wie hij was en tevergeefs probeerden hem te doden?
Hij was begonnen met een botte, spottende afwijzing, en toen onverbloemd vuile taal haar ook niet had kunnen verjagen, had hij geprobeerd haar zo te vernederen dat ze wel uit zichzelf zou weggaan. Ze scheurde haar nagels bij het schrobben van de vloer van zijn armzalige kamer. Ze waste zijn overhemden. Ze zette koffie voor hem en bracht hem zijn ontbijt. Ze stofte en streek. Ze klaagde nooit. Niet één keer. En hij deed net of ze niet bestond, destijds. Hij had zich over haar heen kunnen buigen en haar met zijn zware schoen kunnen trappen, en ze zou geen kik hebben gegeven.
Reem wist toen al wat ze wilde.
Ze zou de prijs betalen.

Uiteindelijk sprak hij haar aan. Hij was bruusk. Ze kon koerier worden. Maar eerst moest ze een vak leren, zei hij. Ze moest haar Engels verbeteren. Hij zou haar studie betalen, en dat deed hij ook. Hij liet haar voor bibliothecaresse leren en liet haar toen naar het oosten verdwijnen, naar de Bekaa, onder een deken op de achterbank van een auto, voor een ander soort opleiding.
Reem had hem voor het eerst in een spiegel gezien, in smoking, toen hij in de lobby van het Commodore stond, zijn beeld door het puntige blad van de potpalmen versplinterd op het glas. Ze werkte daar toen als kamermeisje en kwam veel over menselijke zwakheden en menselijke behoeften te weten door de toestand van een paar ongewassen lakens of een kussensloop, door de make-up op een kaptafel, de toiletartikelen op een plank in de badkamer, een over een stoel gegooide handdoek, de boze woorden en verstikte kreten van pijn achter een gesloten deur; allemaal forensisch gereedschap om erachter te komen hoe het met mensen was gesteld.
Ze had altijd geweten wat haar weg zou zijn, toen al, en nu was ze onderweg naar haar donkere apotheose, of liever, dacht ze met grimmige voldoening, haar aphelium.
Haar donkere ster.
Die ze aanvankelijk zelfs voor de Ustaz geheim had gehouden.
'Reem...'
Ze draaide zich om bij het geluid van zijn stem.

Ze vond Nick aardig. Dat maakte het zoveel moeilijker. Je kon iemand beter niet mogen als je hem wilde gebruiken, maar daar kon ze zich niet toe brengen. Ze had het geprobeerd. Er waren wel duizend redenen om hem niet te mogen. Elk van die redenen was goed geweest, van halitose tot reactionaire opvattingen, van stomheid tot onhandigheid. Maar ze waren geen van alle op hem van toepassing. Hij was vriendelijk. Hij was hoffelijk. Hij was ongetwijfeld intelligent. Hij luisterde. Hij stonk niet. Hij probeerde zich niet op te dringen. Hij had zulke goede tafelmanieren dat hij niet eens wist hoe hij met zijn vingers moest eten. Hij deed erg zijn best om geen aanstoot te geven, om haar gevoelens te ontzien. En toch was hij een man, ondanks al zijn hoffelijkheid, zijn goede manieren, zijn zelfbeheersing en zijn attentheid. De tirannie van een man over een vrouw was zoveel gemakkelijker te verdragen als ze schuilging onder goede manieren, en alleen daarom mocht ze hem al.
Reem wist dat hij haar aantrekkelijk vond.

Ze had zijn fysieke nabijheid gevoeld en er zonder het te willen op gereageerd. De blonde haartjes op zijn onderarmen als zijn handen het stuur vasthielden; de gespierde schouders onder zijn overhemd als hij zich aan tafel vooroverboog; de manier waarop hij naar haar keek als ze sprak en haar al zijn aandacht gaf; de sterke, puntige kin, de neus die eruitzag of hij gebroken was geweest, waarvan de brug bij een of andere jeugdsport was ingedrukt; dit alles maakte de indruk van nobele bokser alleen maar groter. Zijn kind/man-glimlach; de lijn van zijn kaak. Hoe zijn adamsappel op en neer ging als hij iets zei – ze wilde hem aanraken, zijn huid voelen. Maar het was toch in de eerste plaats zijn oprechtheid, vooral het opbiechten van zijn angst.

Zijn onschuld.

Waren alle buitenlanders zoals Nick?

Ze vertrouwde zichzelf niet. Hoe kon ze? Niemand had haar op dergelijke gevoelens voorbereid. Maar Reem was vastbesloten om van het weekend te genieten, wat er ook gebeurde. Ze nam zich voor om het schuldgevoel over Nick en de leugens die ze moest vertellen op te schorten, en de dubbelhartige reden van haar trip diep weg te stoppen. Ze leefde al zo lang met bedrog. Zo lang ze zich kon herinneren had ze de kosten van het dubbelleven voor zowel haar als anderen en wat het zou inhouden, ingecalculeerd. Hij zou haar nogmaals meenemen naar het oosten in zijn grote, witte auto, deze keer vrijdag rond lunchtijd. Ze zouden door de dorpen van het Libanongebergte rijden. Onderweg naar de ceders zouden ze lunchen in haar lievelingsdorp Hashroon. Hij zou haar afzetten in Kornet Shewan waarvan ze had gezegd dat ze er vrienden had (ze had gelogen; ze kende niemand in dat dorp). Ze zou zelf met de bus door de falangistische en daarna de Syrische linies naar het huis van tante Sohad in Koura gaan en daar zou ze, een nacht en een halve dag, vergeten wat ze was, wat ze aan het worden was, want dit was thuis, althans zo dicht mogelijk bij haar echte thuis en haar eigen moeder.

Een paar uur doen alsof, luieren in haar troostzone, zonder angst voor ontdekking.

Geen vragen, geen kritiek.

Gevolgd door juist de antithese van veiligheid op zaterdagmiddag: de verjaarsreceptie van de Protector. Net als David zou ze de leeuwen in hun kuil confronteren. Kijk de vijand in het gezicht, glimlach en beef niet.

Maar daar wilde ze nu niet aan denken.

Reem werd wakker.
Ze draaide haar hoofd naar links. De wijzers van de wekker stonden op een paar minuten over drie in de ochtend.
Luide stemmen op de gang, licht dat toenam en weer afnam, dat feller en zwakker werd door de gordijnen heen, zich over het plafond verspreidde en zich weer terugtrok.
Daarna werd ze zich bewust van het geluid. Geen donderslag. Harder. Recht boven haar hoofd.
Ze stond in een oogwenk naast haar bed, worstelde zich in een jas, klaarwakker, voeten op zoek naar muilen, vond teenslippers, graaide naar sleutels en tas.
Reem vloog naar de deur.
Onderweg telde ze de salvo's.
Een. Vlakbij.
Barbir.
Twee. Dichterbij.
Mar Elias.
Het was zoals kinderen de seconden aftellen – die elk voor een kilometer staan – tussen de bliksem en het geluid van de donder. Ditmaal kwamen flits en klap vlak na elkaar en het gebouw beefde onder haar, schudde nogmaals, en Reem stak een hand uit, met haar handpalm tegen het behang, om zich staande te houden.
Ze hoorde een rij ramen springen, een hard, knallend geluid, gevolgd door een regen van glas op straat.
Het licht was een aanzwellende golf die de kamers overspoelde.
Drie.
Heilige moeder Gods.
Haar oren plopten door de abrupte luchtdrukverandering.
Smeerlappen. Ze lagen aan weerskanten van Reems flatgebouw.
Daar hield het niet mee op.
Het artillerievuur was constant, de afzonderlijke inslagen waren te talrijk om ze van het volgende salvo te onderscheiden.
Ook het vuur dat werd afgeschoten.
Flitsen uit de trompen van houwitsers die achter muren, in tuintjes stonden, braakten projectielen de rokerige hemel in.
Ze had de deur open, strompelde naar buiten, trok hem achter zich dicht, draaide zich om om hem op slot te doen – zich ervan bewust hoe absurd dat was – en vloog naar het trappenhuis.

Ze waren er allemaal.
De Itani's van de bovenste verdieping, alle acht, de kinderen op een rijtje, zestien donkere ogen die naar haar keken.
De Armeniërs van de overkant van het portaal.
Het oude stel van beneden dat zich aan elkaar vastklampte, met een rozenkrans in de reumatische vingers.
Biddend.
De radio's stonden hard aan, er stonden wel zes zenders door elkaar te schetteren.
'Een bijeenkomst van het veiligheidskabinet... wapenstilstand... leger gaat het overnemen... premier Karami... het presidentiële paleis in Baabda...'
Nieuwsfragmenten, verbrokkeld door het lawaai van granaatvuur.
Iemand reikte haar een fles mineraalwater aan.
Reem ging bij haar buren op de smerige trap zitten en probeerde niet aan de kakkerlakken te denken die over haar benen liepen.
De ontploffingen gingen door, een muur van lawaai en geweld die naderde en zich terugtrok, de vijand die hen besloop, naar hen op zoek was, zijn mortierbommen en granaten op hen af stuurde, heen en weer door de straten die Reem zo goed kende.
Een regen van staal, een wind van vuur.
De Rue Makhoul, Sharia Habib Srour, Talat al-Khaya'at, Madame Curie.
Manara.
Blauwe naamplaatjes in het Frans en het Arabisch.
Haar eigen straat: de Rue 68.
Iemand brouwde koffie door op de trap een vuurtje te maken.
Ze wist wat die ochtend zou brengen. Een zee van glas en puin dat de straat versperde, winkels die met de grond gelijk waren gemaakt, gebroken elektriciteitsleidingen, kapotte waterleidingbuizen. De rodekruismensen die de lijken opgroeven, de eindeloze branden.
Schoenen en kapot serviesgoed, boeken en speelgoed.
Glazen ornamenten die de hitte tot vreemde vormen had verwrongen.
Wat was het verrekte koud op de trap.
De Itani's deelden hun brood en olijven.
Daar vond Nick Reem twee uur later, toen de hemel in het oosten anilineroze kleurde.
Ze zat in elkaar gedoken in het trappenhuis, met haar armen om haar knieën, olijven te eten uit een plastic zakje waar ze de pitten weer in spuwde omdat ze ze niet aan de kakkerlakken gunde.

Ze keek naar hem op toen hij naar haar toe klom.
Reem toonde zich niet verbaasd.
Ze klonk verontschuldigend dat ze er zo *déshabillé* bij zat, terwijl ze de olie van haar vingers likte, een voor een, met een herenjas – van haar vader – over haar nachtpon en plastic teenslippers aan haar voeten.
Het was een ernstige inbreuk op haar veiligheid – Lorimer werd absoluut niet geacht te weten waar ze woonde. Maar dat zei Reem niet.
'Ik heb vreselijke trek,' was het enige wat ze zei.
Daarna: 'Hoe heb je me gevonden?'

# 12

Ze vroeg hem niet binnen terwijl ze zich aankleedde. Hij wachtte beneden, in de verlaten lobby. Door haar manier van doen liet Reem hem weten dat hij haar in zekere zin had gecompromitteerd tegenover haar buren, door zomaar in haar flatgebouw te verschijnen. Maar het was wel lief van hem. Hij had het goed bedoeld. Ze was geroerd. Het was ook stom. Nick had wel gedood kunnen worden. Had hij daaraan gedacht?

Eerlijk gezegd had hij aan haar gedacht, niet aan zichzelf. Maar dat kon hij haar niet vertellen zonder akelig pompeus te klinken.

Het was een opwelling geweest, zei hij. Ongepland. Khaled had hem vlak voor middernacht gebeld. Een gezin had de ontvoering van de man en vader door onbekende gewapende mannen gemeld, om een uur of acht, en Khaled had Nick met zijn gehavende Fiat opgehaald en ze waren erheen gegaan – niet ver bij Reem vandaan, in Qasqas.

Drie kinderen, de moeder buiten zichzelf, ervan overtuigd dat ze haar man nooit meer zou terugzien. Hoe moesten ze eten zonder zijn loon? Nick had zijn hand in zijn zak gestoken, maar Khaled had zijn pols gegrepen en zijn hoofd geschud.

'Nee. Later misschien. Niet nu. Het zou een belediging zijn, chef.'

Het was afschuwelijk. Daar bedoelde Nick niet de doodsbange kinderen of hun ontroostbare moeder mee. Dat was al erg genoeg, maar dat was het niet. Het was zijn hulpeloosheid. Wat kon hij doen? Dingen beter maken? Hoe? Door banaliteiten te mompelen, de zinloze geruststelling dat hij het geval bij de Verenigde Naties in Genève, bij het Internationale Comité van het Rode Kruis zou melden, dat hij ervoor zou zorgen dat het wat aandacht kreeg in de plaatselijke media? Dat deed hij allemaal, elke dag, maar wat voor nut had iets van dat alles werkelijk? Geen enkel. Geen enkel nut. Zou het de vader bij zijn kinderen terugbrengen? Zou het eten op tafel brengen terwijl ze in een of andere kelder in de stad de bastonnade – de *faraka* – op de arme drommel loslieten? Nick voelde zich een indringer, een voyeur, die

de tragedie van het gezin gebruikte om zijn salaris, zijn onkostenvergoeding, te rechtvaardigen. Wat voor nut had hij voor wie dan ook? Hij kon de vrouw nauwelijks in de ogen kijken. Hij voelde zich schuldig en volslagen machteloos.
Als wereldverbeteraar schoot hij schromelijk tekort.
Misschien was dat uit Khaleds oogpunt wel het doel van deze oefening geweest.
'Volgens mij wilde Khaled dat ik het met eigen ogen zou zien,' zei Nick tegen Reem. 'Hij wilde de baas laten zien hoe erg het is. Hoe de hele toestand stinkt. Laat Lorimer maar eens zien waarmee wij, Libanezen, moeten leven, hoe we werken, wat we moeten doen, en laten we maar eens kijken hoe leuk hij dat vindt. Laat hem maar eens beseffen hoe nutteloos die hoogmoedige buitenlanders en hun prachtige organisaties zijn... hoe hooghartig, hoe irrelevant.'
Ze hadden het vraaggesprek afgemaakt, zei hij. De vrouw – een soennitische moslim die de *hejab* droeg – had met alle geweld koffie voor het ongenode bezoek willen zetten en ze hadden hem opgedronken en waren net opgestaan om weg te gaan toen de artillerieaanval begon.
Dus hadden ze samen met alle anderen, inclusief de familie van de ontvoerde technicus, hun heil gezocht in de gang.
Khaled was erachter gekomen waar Reem woonde.
'Dus hij heeft het je verteld?'
'Ja. Toen de beschieting voorbij was en hij me thuis bracht. Net toen ik uitstapte, zei hij: "O, wat ik nog zeggen wilde, de vrouw die je in Sammy's Bar hebt ontmoet..."'
'Ga door.'
'Hij zei dat je Reem Najjar heette en dat je in het Daouk-gebouw, Rue Soixante-huit, woonde, dat je in een bibliotheek aan het eind van je straat werkte en dat hij dat wist omdat hij daar een vriend had. Het lijkt wel of iedereen vroeg of laat iedereen leert kennen.'
Nick zei het niet, maar het was voor het eerst dat hij Reems achternaam had gehoord. Ze had hem die nooit verteld en om de een of andere reden had hij er nooit naar gevraagd. Het was vreemd dat je het idee had dat je iemand kende, dat je je tot diegene aangetrokken voelde, dat je bij die persoon wilde zijn en dat je in wezen toch zo weinig van die ander wist.
'Wie was die vriend?'
'Dat heeft hij niet gezegd.'
'Heb je het gevraagd?'

'Nee. Doet het ertoe?'
Reem gaf geen antwoord. Nick had de indruk dat het er voor haar heel erg toe deed. Ze leek van streek, misschien zelfs beledigd, dat hij opeens bij haar voor de deur was opgedoken. Nou ja, niet precies bij haar voor de deur, maar dat hij in haar stinkende trappenhuis over de benen van haar buren was geklauterd.
Nick zei dat hij net had gedaan of hij zijn al-Nada-gebouw binnenging, maar dat hij in plaats daarvan net binnen de foyer bij de liften had gewacht tot hij zeker had geweten dat Khaled weg was, en dat hij toen te voet naar haar op zoek was gegaan.
Het vuren was toen al minder, zei hij.
'Ik wilde alleen maar weten of alles goed met je was,' zei hij. 'Het klonk behoorlijk heftig bij jou in de buurt.'
'Dat was het ook,' zei Reem. 'Maar zoals je ziet, mankeer ik niets.'
'Oké. Goed. Daar ben ik blij om.'
Ze wachtte tot hij iets zou doen, of iets zou zeggen. Nick voelde zich opgelaten en ging van zijn ene voet op zijn andere staan. Hij hield zich voor dat hij zich niet ging verontschuldigen. Hij had niets om zich voor te verontschuldigen.
'Ga maar liever,' zei ze uiteindelijk.
'Ja,' zei hij en knikte. 'Ja. Dat moest ik maar doen.'
Hij wachtte tot ze hem binnen zou vragen. Hij wilde haar familie ontmoeten, misschien met hen mee ontbijten. Hij wilde hun vriendschap officieel en openbaar maken. Hij wilde officieel haar vriend worden. Hij wilde met Reem uitgaan – openlijk. Was dat zo onbillijk? Was dat nou echt te veel gevraagd? Wat hij eigenlijk wilde, was geaccepteerd worden. Maar hoe kon hij geaccepteerd worden als hij zo goed de buitenlander uithing? Misschien was het oneerlijk jegens Reem en haar reputatie als het niets werd. Dan zou ze een afgelikte boterham zijn. Het was belachelijk, maar zo was het nu eenmaal. Maar de uitnodiging zat er in elk geval niet aan te komen, en Nick, die zich een beetje absurd voelde, sjouwde weer naar huis, zonder deze keer de moeite te nemen een andere route te volgen – wat voor ontvoerders zouden er nu in godsnaam nog buiten zijn – over straten die bezaaid lagen met puin en gebroken glas, met de bittere smaak van brand in zijn neus en keel, van smeulend hout en rubber, verf en pleisterwerk.
Zijn gevoelens waren toch wel een beetje gekwetst. Dat verweet hij Reem niet. Hij weet het aan hun verschillen. Verschil in ervaring, in verwachtingen. Hij had spontaan gehandeld, had niet beseft dat hij zich te vertrouwe-

lijk gedroeg, dat het een risico inhield – een risico voor Reem, niet voor zichzelf. Hij moest geduld hebben, dingen op hun manier bekijken, zich aanpassen aan de mores van Beiroet als hij de relatie wilde doorzetten, verdiepen.

Het telefoontje kwam donderdagmiddag op kantoor, vlak voordat Nick het die dag voor gezien hield.
Het was Dacre.
'Ah, Nick. Wanneer mogen we weer eens van je gezelschap genieten?'
De dagen waren omgekropen en met het vooruitzicht dat hij Reem de volgende middag zou zien – ze hadden afgesproken om vrijdag na de lunch samen naar het oosten te gaan – was Nick nog in een vrolijke bui ook. Hij had gedacht dat Dacre of Wilson wel eerder contact zou hebben opgenomen. Hij had er zelfs in zekere zin tegenop gezien. Maar hij had zich er toch ook op verheugd. Hij had zeker geweten dat ze erop zouden terugkomen dat hij voor hen zou werken – hun oren en ogen in de westelijke sector zou zijn, zoals zij het noemden. Nu leek het er niet meer toe te doen. Hij had besloten dat hij wel iets zou bedenken als een van hen erover begon. Maar het was niet erg waarschijnlijk en niet de moeite om over in te zitten. Het zou wel niet zo belangrijk zijn geweest. Ze hadden het in elk geval waarschijnlijk vergeten, of veelbelovender materiaal gevonden om voor hen te spioneren. Maar Nick had toch gehoopt op een avondje eten en drinken, en dat was er nog niet van gekomen. Hij was zowel een beetje teleurgesteld als opgelucht.
'Eerlijk gezegd kom ik morgen jullie kant uit.'
'Voor de verjaardag van de grote man, zaterdag?'
'Dat klopt.'
'Het duurt de hele dag, weet je. Partijleden 's morgens, militaire en veiligheidstypes voor de lunch, diplomaten en journalisten 's middags, de hoge pieten 's avonds, van de patriarch tot de premier. Het gaat waarschijnlijk door tot het ochtendgloren op zondag. God weet hoe hij het doet – de man is onvermoeibaar.'
'Dat heb ik gehoord, ja.'
De kranten stonden vol van de talenten van de Protector, waaronder zijn werklust, zijn uithoudingsvermogen. Alleen West-Beiroets onafhankelijke *an-Nahar* en de pro-Syrische *as-Safir* hadden vermeld dat hij een concurrerende maronitische militaire leider uit het noorden uit de weg had geruimd door hem in de kerk te vermoorden, dat hij hem bij het doopvont had

doodgestoken en daarna in zijn rouwstoet achter de kist was meegelopen. Niemand had hem er destijds op durven aanspreken. Weinigen durfden dat nu, niet nu hij Amerika en Israël achter zich had. Niemand noemde de massamoorden in Sabra en Shatila of Karantina.
'Heb je morgenavond tijd voor een drankje? Het zou fijn zijn om je te zien en ik zou even met je willen praten.'
Praten.
Nick aarzelde. Reem deed haar eigen dingen, mensen in het noorden opzoeken, had ze gezegd. Dus hij had toch niets omhanden tot zaterdag. Hij had er nog niet aan gedacht waar hij zou logeren. Enerzijds wilde hij het niet toegeven, anderzijds was hij een beetje gebelgd dat hij niet te eten werd gevraagd.
'Nick – ben je daar nog?'
'Ik dacht er even over na. Sorry.'
'Waar logeer je?'
'Zo ver had ik eigenlijk nog niet vooruit gedacht.'
'Nou, dat is dan afgesproken. Je logeert bij mij. Ik heb plaats zat.'
Nick had geen excuus bij de hand.
'Kom tegen een uur of zes maar naar de ambassade. Ik moet om half acht naar een Libanese fuif, maar ik ben met een uurtje wel weer terug…'
'Goed.'
'Je hebt best een zware week gehad. Dat artilleriegevecht op – wat was het – dinsdag of woensdag moet nogal heftig zijn geweest.'
'Dat was het ook, maar het was geen gevecht. De westelijke sector is geen partij voor de oostelijke als het op vuurkracht aankomt…'
'Daar hebben we het morgenavond wel over.'
Waarmee hij bedoelde dat de telefoon werd afgetapt. Of afgeluisterd. Wat dan ook.
'Majoor –'
'Perry, zeg.'
'Perry, ik zal proberen zes uur te halen, maar je moet niet verbaasd kijken als ik laat ben. Deels door de grensovergangen en deels door de veiligheidssituatie in het algemeen.'
Nick was niet van plan om Dacre van Reem te vertellen.
'Als ik er niet ben, is er wel iemand anders. Chris – je herinnert je Chris nog wel, de stafsergeant van de Engelse marechaussee – is er in elk geval. Hij vangt je wel op.'
Nick kende Chris niet. Of misschien was hij het vergeten.

Pas toen besefte Nick dat Reem en Dacre elkaar op de Kaslik jachtclub zouden ontmoeten. Natuurlijk. Uit wat de majoor had gezegd, zouden ze zaterdagmiddag omstreeks dezelfde tijd op het verjaarsfeest van el-Hami zijn. Het was niet alleen voor diplomaten en journalisten, maar ook voor VN- en NGO-functionarissen. Het deed er niet echt toe, alleen had Nick zijn liefdesleven liever voor zich gehouden. Het ging verder niemand iets aan.
De vraag was of Reem het erg vond.

Het begon best goed.
Ze hadden afgesproken elkaar in de Wimpy Bar op het Piccadillyterrein te ontmoeten en hij zag haar door het raam toen hij aankwam. Ze zocht haar spulletjes bij elkaar en vloog naar buiten, gaf hem een brede grijns, streek haar wang langs de zijne (hij voelde haar haren, rook hun geur) en smeet haar weekendtas op de achterbank.
'Mag ik deze keer rijden?'
De vraag overviel hem.
'Zeker. Ik wist niet dat je kon rijden.'
'O, ja.'
Ze ruilden van plaats.
'Wat leuk,' zei ze.
Nick wist dat hij haar eigenlijk niet mocht laten rijden, maar hij had het hart niet om nee te zeggen. Ze keek zo blij. Zelfverzekerd ook. Hij kende de regels. Niet-VN-personeel mocht in geen geval met VN-voertuigen rijden. Dat was voornamelijk vanwege de verzekering. En vanwege de gevoelige kwestie van de veiligheid van het personeel.
'Ik heb mijn Libanese rijbewijs,' zei Reem terwijl ze in het zijspiegeltje keek en de weg op reed. 'En ook nog een internationaal rijbewijs. Uit Cyprus.'
'O, ja?'
'Ik heb in Larnaca een cursus Engels gevolgd. Dat heb ik je toch verteld? Het instituut betaalde. Dat was vlak voordat we elkaar ontmoetten. Toen heb ik in mijn vrije tijd mijn rijvaardigheid ook maar opgepoetst. Dat leek me wel een goed idee.'
'Je lijkt deze bruut goed aan te kunnen.'
'Het is een makkie. Hij heeft stuurbekrachtiging en vierwielaandrijving. Ik zou hem graag een keer in de bergen willen uitproberen.'
'Ik was al bang dat je dat zou zeggen.'
'O, ja? Jullie Engelsen.'
Er stond een rij auto's toen ze Mathaf naderden.

Reem wisselde een paar woorden met een taxichauffeur die in tegengestelde richting reed.
'Ziet er niet goed uit, Nick. Hij moest net omkeren. Ze laten geen auto's door. Alleen voetgangers. Het komt door het leger – dat heeft de grensovergang kennelijk overgenomen.'
'O, verdomme.'
Reem haalde haar schouders op. 'Laten we maar kijken hoe het loopt. Misschien is de VN een uitzondering.'
Nick zei: 'Ik denk dat ik het maar beter kan overnemen. Een buitenlander zullen ze minder snel aanhouden – een kennelijke buitenlander als ik tenminste.'
Ze wisselden weer van plaats. Reem wrong zich langs hem heen. Nick kwam in de verleiding om zijn handen om haar middel te leggen, haar op schoot te trekken. Haar geur, en haar nabijheid, gaven hem een licht gevoel in het hoofd.
'Kijk.'
Reem gebaarde met haar kin.
'Shit,' zei Nick.
Libanese soldaten met alpinopetten op – met zwarte lintjes aan de achterkant – hielden alle voertuigen aan. De troepen hadden Amerikaanse M-16 geweren.
Een commando-eenheid, lichte infanterie, naar model van de Amerikaanse formatie met dezelfde naam.
Voor hen was een Cadillac van het corps diplomatique aangehouden en hij wilde net keren. Een man had zijn hoofd uit het achterraampje gestoken en discussieerde verhit met een gedrongen soldaat in camouflage-uniform. De soldaat trok zich niets van de tirade aan. Hij had zijn orders.
'Het is de Egyptische staatssecretaris,' zei Nick. 'Hij is er niet erg blij mee – had waarschijnlijk een weekendje met zijn maîtresse gepland.'
Ze keken het argument even aan.
'Wat nu?'
'We gaan lopen,' zei Reem en greep over de rug van haar stoel naar haar tas. Meende ze dat nou? Eén blik op haar gezicht zei hem van wel.
'En de Landrover dan?'
'We kunnen je kantoor bellen. Laten ze hem maar ophalen. Ik ga wel even met die kapitein daar praten.' Ze bedoelde de gedrongen man die stoïcijns de scheldpartij van de Egyptenaar over zich heen had laten komen. 'Maak je toch niet zoveel zorgen, Nick. Heb vertrouwen.'

Vertrouwen? Vertrouwen had er niets mee te maken.
Hij had dit al een keer gedaan. Eén keer was genoeg.
Maar hij sprak haar niet tegen.

Klabang!
Degene die schoot, vuurde enkele schoten af.
'Ze proberen ons bang te maken,' zei Reem.
'Dat hoeven ze niet te proberen. Ik ben al om.'
Ze draaide zich om en keek over haar schouder naar Nick.
'Wil je teruggaan?'
Hij schudde zijn hoofd. Nee. Maar hij wilde wel terug. Graag zelfs. Hij wilde het liever dan wat ook. Alleen kon hij dat tegen Reem natuurlijk niet toegeven. Nick transpireerde en dat kwam niet alleen door de hete zon. Als ze de muur van zandzakken achter zich lieten, moesten ze 150 of 200 meter over open terrein voordat ze weer dekking konden vinden.
Hij had een droge mond.
'Klaar?'
Er was verder niemand op het open stuk.
Reem nam zijn rechterhand in haar linker.
Nick knikte en voelde zijn hart in zijn ribbenkast bonken.
Klabang!
Fuck.
Dit was geen goed idee.
'Ga mee,' zei Reem.
Ze trok aan zijn hand.
Nick was met stomheid geslagen. Hij stond stijf van angst. Maar hij was nog banger om zijn angst te laten zien.
'*Yalla* – nu.'
Ze schoot weg.
Ze renden naast elkaar, hand in hand.
Klabang!
De tijd tussen de slag van de langsfluitende kogel en de knal van het vuurwapen was een microseconde. Wat dichtbij, dacht Nick. De smeerlap of smeerlappen kunnen zien wat voor kleur ogen we hebben.
Nick zoog lucht zijn longen in.
Ze waren op het open stuk.
Hij zag onder het rennen vaag een rok met camouflagekleuren, zag benen die snel heen en weer gingen, zag de monden van de soldaten opengaan. Ze

riepen. Hij kon hen niet horen. Ze stonden met hun gezicht naar het stel hardlopers toe.
Riepen ze een waarschuwing?
Een bevel om terug te gaan?
Te laat.
Reem glimlachte. Ze leek het leuk te vinden. Hoe kon ze?
Klabang!
Hij zag de kogels vlak voor hen in de grond slaan en zand opstuiven.
Hij speelt met ons door laag te vuren.
Hij kan ons elk moment doodschieten.
Reems hand spande zich.
Nooit meer. Nooit.
Zelfs voor jou niet, Reem.
Nick voelde zijn benen niet meer. Ze leken onafhankelijk van zijn verdoofde brein te werken.
Zijn bovenlichaam vloog, maar zijn weekendtas botste tegen zijn benen en vertraagde zijn onderlichaam. Het leek wel of hij houten klompen droeg in plaats van sportschoenen.
De oostelijke sector lag voor hen.

# 13

Tante Sohad sloeg haar armen om Reem heen en drukte haar tegen zich aan. Vanaf het brede bordes dat langs de voorkant van haar huis liep, een dorpshuis met een gevel van gele steen en met terracotta dakpannen, hadden ze Reems taxi zien stoppen. Ze hadden de passagier herkend toen ze de chauffeur betaalde. Ze stak de smalle straat over naar het hek en liep een oprit op die overschaduwd werd door twee enorme parapludennen met stammen waarop een heel stel krekels luidruchtig zat te tjirpen.
Sohad en haar twee dochters, Maha en Hana, en hun Ethiopische meid, haastten zich naar beneden om haar te verwelkomen; de meisjes waren er het eerst en plantten natte zoenen op Reems wangen.
Sohad kwam vlak achter hen aan, met gespreide armen.
'*Habibti...*'
Ze wilden haar haar eigen tas niet laten dragen. Ze zouden háár waarschijnlijk ook nog hebben gedragen als ze dat hadden gekund.
'Eindelijk thuis, schat. Welkom.'
Sohads dochters gaven Reem een hand, huppelden opgewonden aan weerskanten van haar naar de voordeuren en trokken haar mee.
Voor de lunch was er *moutabal* en *hommous* alsmede *tabouli* en Reems lievelingsgerecht, *fatteh*, een gerecht dat in Syrië en Jordanië populair is. Voor Reem was het een onweerstaanbaar palet van pittige mediterrane smaken: knoflook, gegrilde aubergines, kikkererwten en yoghurt.
En het beste van alles, er werden geen nieuwsgierige vragen gesteld.
Geen vragen.
Geen preken.
Geen overdreven aandacht.
Ze zaten in de achtertuin onder de wijnranken, in de zonnevlekjes.
Tante Sohads krachtpatser van een echtgenoot was er niet, tot onuitgesproken opluchting van alle aanwezigen, ook van Sohad zelf. Hij was in Tripoli, voor zaken. Hij had zijn eigen vervoerbedrijf en handelde in cement. Hoe

rijker hij werd, hoe drukker hij het kreeg. Dat kwam Kerims vrouw en dochters heel erg goed uit.
Reem had het gevoel dat ze graag genoten van wat zijn werk opleverde, maar nog meer als ze dat konden doen zonder de aanwezigheid van de man die dat mogelijk maakte.
Als hij er was, waren zijn luide stem en heerszuchtige manier van doen in het hele huis hoorbaar, dan commandeerde hij zijn vrouw en dochters, bedienden en aanhang, en waren de kamers vol vreemden. Dan moest er voortdurend eten en drinken zijn voor al die zakenvrienden.
Vandaag werd de lunch afgerond met koffie en chocolaatjes.
Er was sprake van vrienden, van het dorp, van die-en-die sjeik en zijn van het rechte pad geraakte nakomelingen, van een recent huwelijk in een naburig dorp, en de twee meisjes vertelden van hun school en het excentrieke gedrag van hun docenten. Ze hadden het over hun favoriete films, over Michael Jacksons nieuwste tophit, 'Beat it'.
Tienerpraat.
Er werd niet over politiek gesproken.
Beiroet en de oorlog leken eindeloos ver weg.
En daarna een middagdutje waarbij Sohad in haar favoriete leunstoel zat te dommelen, met de voordeuren wagenwijd open om wat wind te vangen.
Vertrouwde kamers, vertrouwde geuren, vertrouwde vogelenzang vanachter de hoge ramen met de gele luiken. Het geluid van een lopende kraan, sloffen op de tegelvloer, een deur die dichtging, een la die werd dichtgeschoven; Reem kon mensen en wat ze deden volgen door de geluiden die ze voortbrachten.
Ze lag op haar rug in Sohads enorme hemelbed en keek naar het hoge plafond. Ze had alle tijd. Het feest was pas de volgende middag. Ze kon op haar gemak bedenken wat ze zou aantrekken.
Ze dacht aan Nick.
Hoe ze samen hadden gerend.
Reem ging op haar rechterzij liggen, trok haar benen op en legde haar rechterhand onder haar wang. Ze dommelde in terwijl ze aan hem dacht.

Die avond, op de veranda, hielden ze hun stemmen gedempt om Maha en Hana niet te storen, die al naar bed waren.
Reem vroeg: 'Jullie woonden naast ons?'
'Ja, waar je Armenische buren nu wonen. We huurden de flat toen we uit West-Afrika terugkwamen.'

'Dus jullie waren er ook...'
'Toen ze stierven?'
Sohad knikte. 'Ja, kind. We waren erbij.'
'Je weet het nog? Alles?'
'Hoe zou ik het kunnen vergeten?'
'Ik herinner me maar heel weinig,' zei Reem.
'Misschien hoort dat wel zo, schat. Je was nog maar zo klein.'
'Ik zou het me moeten herinneren. Ik wil het me herinneren. Ik ben geen kind meer.'
Sohad keek naar de dochter van haar beste vriendin. De dochter van wijlen haar beste vriendin, en Reem dacht dat ze bijna kon zien wat Sohad dacht – hoeveel kon ze zeggen? Wat voor kwaad kon het nog – na al die jaren?
Maha en Hana lagen in bed, hopelijk te slapen.
Sohad en Reem zaten op de schommelbank op de veranda. De ijzeren hekken aan het eind van de oprit waren dicht. Reem rook jasmijn en het muggenwerende middel – een chemisch middeltje dat langzaam aan hun voeten brandde, sliertjes bitterblauwe rook die de insecten weg hielden.
Sohad had Reems kopje al gelezen.
Het koffiedik werd tegen de zijkanten van het kopje gespoeld dat dan ondersteboven op zijn schoteltje werd gezet om uit te lopen. Waarna de lezer – in dit geval Sohad – de vormen en kronkels ontcijferde.
Draken en olifanten, bankbiljetten en grimassen. Vrienden en vijanden, minnaars en geesten, engelen en een fortuin aan goud.
Zij, Reem, zou reizen. Ze zou zelfs fortuin maken.
Ze zou zoveel bereiken. Ze zou haar ambitie waarmaken.
O, zeker.
'Geen knappe buitenlander?'
Ze barstten in lachen uit.
'Vertel het me,' zei Reem, weer ernstig. 'Alsjeblieft.'
'Wat weet je nog?'
Reem fronste en joeg een mug weg.
'Het is verwarrend.'
Sohad wachtte.
'Het zijn maar beetjes. Beelden. Zoals stukjes van een foto, scènes uit een film die niet in volgorde staan. Door elkaar gegooid. Gecensureerd. Snap je?'
'Ga door.'
'Mijn geheugen speelt me parten. Ik herinner me het gegil. Mijn moeders

gegil.' Reem keek de nacht in en kneep haar ogen een beetje dicht alsof ze het zich probeerde voor te stellen. 'Ik herinner me dat ze huilden. Mijn zusjes.'

'Je hoeft dit niet te doen, schat –'

'Ik wil het.'

Ze zwegen even.

'Ik zag de gewapende man,' zei Reem. 'Ik herkende hem. Ik hoorde de schoten. Afzonderlijke schoten. Bam-bam-bam-bam. Zo klonk het.'

'Waar was je?'

'Op de trap. Ik denk dat ik op de trap was.'

'En toen?'

In de verte huilde een jakhals, meteen gevolgd door een uitbarsting van gejank en geblaf.

Reem zei: 'Ik zag iemand op de trap boven me. Er was een hek. Daar keek ik door. Ik weet niet precies wat voor hek het was. Ik zag een jongen. Hij kroop de trap op. Met zijn rug naar me toe. Hij had een gestreept T-shirt aan. Ik kon zijn rug zien, een hand, de smerige zolen van zijn blote voeten. Ik wist niet waarom, maar ik wilde dolgraag met hem praten, alleen dat kon ik niet. Het kwam aanvankelijk niet bij me op wie het was. Toen draaide hij zich om en keek naar me. Hij draaide alleen zijn hoofd. Ik zag één oog dat naar me keek. Het keek ernstig. Verdrietig. Zijn blik zei: "Waar ben je? Wat gebeurt er? Ik ben gewond." Toen zag ik dat hij bloedde. Het was Michael –'

Reem zweeg. Ze haalde diep adem.

'Nu moet je ophouden,' zei Sohad.

Ze nam Reems hand in de hare.

Reem schudde haar hoofd en verbeet haar emoties.

'Hij stak een hand uit. Ik stak één arm, en toen de andere, door de spijlen, maar ik kon hem niet bereiken. Ik wist het toen nog niet, maar mijn broertje was stervende. Hij probeerde nog steeds de trap op te kruipen. Alle treden zaten onder het bloed. Zoveel bloed. Ik wist toen nog niet wat dood was. Ik begreep er niets van.'

'*Habibti*...'

'Nee.'

Reem haalde een paar keer diep adem.

'Mijn broertje was negen.'

'Ja.'

'Hij is ontkomen. De moordenaar. De smeerlap heeft ze allemaal één voor één doodgeschoten en hij is ontkomen.'

'Zijn zoon was door Palestijnen doodgeschoten.'
'Dat weet ik wel,' zei Reem, met woede en minachting in haar stem. 'Zijn zoon was een dief.'
Er liepen tranen over haar wangen en ze veegde ze weg met de rug van haar hand.
God, waarom was ze hierover begonnen?
Sohad zei: 'Hij probeerde de Palestijnen om te kopen om de foto van zijn zoon op de muren bij de martelaren te hangen. Dat wilden ze niet. Ze weigerden. Ze hadden de jongen betrapt toen hij een geldkistje van een drukkerij stal en ze namen hem mee een van die kapotgeschoten huizen in – een huis in Barbir dat na een granaatbeschieting was uitgebrand – en ze schoten hem dood. Hij was al een keer gewaarschuwd.'
Reem zei: 'Zijn vader was de plaatselijke slager. Ik zag wie het was. Mijn moeder kocht ons vlees soms bij hem als ze geen zin had om verder over straat te lopen. Hij knoeide altijd met de gewichten en hij had altijd wat vet in de zak van zijn witte schort, en als de klant dan niet goed oplette, knoeide hij met het vlees. Hij was ook een oplichter. Toen zijn zoon werd doodgeschoten, haalde hij zijn kalasjnikov tevoorschijn, kwam naar ons flatgebouw en moordde mijn gezin uit.' Reem keek neer op haar handen in haar schoot. 'We waren geen Palestijnen, maar hij dacht van wel. We waren weerloos. We waren tweede keus. Radicalen. Uit het zuiden. Vrouwen en een ongewapende man vermoorden ging hem gemakkelijk af. Een zacht doelwit. En de smeerlap kwam ermee weg. De lafaard vluchtte. Ze hebben hem nooit gevonden.'
'Jij was bij ons,' zei Sohad zachtjes. 'Je was aan het spelen. Dat bedoelde je met het hek. Om te voorkomen dat onze kinderen – ze waren nog maar peuters – van het balkon zouden vallen, hebben we er een hoog hek voor laten zetten. Daar was je. Op het balkon. Je weet hoe klein die balkonnetjes aan de achterkant zijn.'
'En?'
We hoorden schieten. Het klonk heel hard. Dichtbij. We waren bang. Kerim keek uit het raam. Hij zag de gewapende man. Hij zei dat je alleen buiten was. Ik ging door de keuken naar buiten en greep je en nam je mee naar binnen en sloeg de deur dicht voordat de smerige rotzak jou ook kon vermoorden.'
'Jij hebt me gered.'
Sohad kneep in Reems hand.
'Schat. Ik wilde dat ik jullie allemaal had kunnen redden. Je moeder was mijn allerbeste vriendin. Je weet toch dat je vader je moeder met zijn

lichaam probeerde te beschermen? Ze vonden hem over hen heen liggend, om hen tegen de kogels te beschermen. Hij was een dapper man. Hij heeft gelukkig niet lang genoeg geleefd om hen te zien sterven.'
'Nee, dat wist ik niet.'
Vervolgens omhelsden Reem en tante Sohad elkaar en huilden samen, de christen en de moslim, de één om een moeder die ze zich nauwelijks kon herinneren en de ander om de zuster die ze altijd had willen hebben.

Later die nacht had Reem haar droom.
Ze ging haar woning uit, liep naar de lift, drukte op de knop en wachtte in het donker tot hij ratelend naar haar verdieping kwam. Ze stapte in en zag de lichten flikkeren toen de lift aan zijn beverige afdaling begon. Alleen stopte hij deze keer op elke verdieping, zelfs de begane grond, waar hij nog nooit eerder was gestopt, tenminste niet in de droom. Daarna gingen de deuren open en daar was de foyer, en het hek voor de ingang, en de straat erachter.
Op dat moment werd Reem wakker.
Het hek. Het leek precies op het hek op Sohads balkon waardoor Reem haar broer had zien vermoorden.
'Michael,' zei ze hardop.

De volgende ochtend leende ze een witte katoenen jurk met een blote rug, een geborduurd lijfje en een wijde rok. Hij was van Maha en zat haar als gegoten. Hij was precies goed voor een middagreceptie, daar was iedereen het over eens. En voor het geval de middag overliep in de avond, stond Hana erop Reem een zwart gevalletje te lenen, een nauwsluitend jurkje van zwarte zijde met lovertjes, en bijpassende hoge hakken. Schitterend, zei Reem dat hij was, en Hana en Maha lachten verrukt toen ze robbedoes Reem haar denim en T-shirt zagen afleggen om zich in een donkere engel te laten transformeren.
'Niemand zal je herkennen,' zei Maha.
'Niet als witte zwaan of zwarte zwaan,' beaamde Hana.
'Van lelijk jong eendje, bedoel je,' zei Reem.
Daarna werden er veel schoenen gepast, er werd lipgloss uitgeprobeerd en eindelijk, na de lunch, namen de meisjes Reem mee naar hun favoriete Koura-kapper. Sohad beweerde dat hij naar Beiroetse maatstaven goedkoop was en toch zoveel beter dan wie nog in de hoofdstad over was, in de westelijke sector althans.

Ze vroegen Reem niet naar het wie of het waar of het waarom.
Ze wensten haar alleen een leuke tijd en dat ze veilig zou terugkomen.
Ze leende een klein cameraatje van Hana, een handig dingetje met automatische instelling en belichting.
'Ik zal een paar kiekjes van het feest voor je maken.'
'Heb een heerlijke tijd, *habibti*.'
'Blijf maar niet voor me op.'
'Wees maar niet bang. We zullen het hek open laten.'

Nick zei iets over dat de Kaslik-club eruitzag als Cap d'Antibes.
Reem wist niets van de Franse rivièra, maar zag wel wat hij moest bedoelen; de witte masten van de miljonairsjachten die elkaar in de haven verdrongen, de villa's en chalets achter magnolia en bougainville, de stenen stoepen, de openluchtrestaurants, de dadelpalmen, de enorme zwembaden, de bars bij de zwembaden.
En de mensen.
God sta ons bij, de mensen.
'Oud geld en nieuw geld,' zei Nick.
Het oude geld kleedde zich conservatief, vrouwen in donkere kleuren, mannen in pak met das, en was grotendeels op leeftijd. Mevrouw Nieuw Geld was onnatuurlijk slank en dankzij operaties ogenschijnlijk leeftijdloos. Ze pronkte met nepblond haar, zware make-up, forse Versace en dunne enkelbandjes van goud en parels, en wiebelde precair op hakken die de zwaartekracht tartten; haar partner in zwart (natuurlijk Armani) met goud dat uit de open hals van een polohemd glinsterde, met een gouden Rolex om zijn pols.
Oud of nieuw, ze schetterden tegen elkaar in het Frans.
Het was warm, maar Reem kreeg al kippenvel toen ze het hoorde.
Daar waren ze dan, de mensen die erop stonden om Frans te spreken en de maniertjes na te apen van de voormalige koloniale overheersers van haar land, mensen die zich Foenicisch of gewoon Libanees noemden – maar die nooit zouden toegeven dat ze Arabisch waren.
Ze zwermden om een enorm buffet heen terwijl kelners in witte jasjes met champagne rondgingen, glazen bijvulden en mensen monsieur en madame noemden.
De nieuwste hit van Police, 'Every Breath you Take', was de strijd aan het verliezen om boven honderden mensen uit te worden gehoord die allemaal tegelijk zo hard mogelijk stonden te praten.
Reem zag de Protector bijna meteen.

Hij stond alleen, met zijn benen uit elkaar en met een half leeg champagneglas in de hand.
Zwarte broek, zwarte loafers, blauw overhemd zonder das, wit katoenen colbert.
Zijn bodyguards – van wie er een stuk of zes in een losse halve cirkel om hem heen stonden – stuurden de nieuwkomers zijn kant uit en mensen mochten alleen het laatste stukje in hun eentje of met z'n tweeën afleggen. Een assistent nam de uitnodigingen één voor één aan en las elke naam hardop voor terwijl de gasten naar voren kwamen.
De bodyguards droegen allemaal marineblauw. Ze hadden heel kortgeknipt haar en droegen een zonnebril. Ze hadden een radio-ontvangertje in het oor. De microfoon, dacht Reem, zou wel achter hun revers zitten.
Ongetwijfeld waren ze ook gewapend.
Opgeleid door Israëliërs.
Hij was onmogelijk rechtstreeks te benaderen, niet nadat haar tas was doorzocht en ze bij de ingang waren gefouilleerd met daarna nog een tweede elektronische controle halverwege de tunnel naar het ontspanningsgedeelte van de club. De gewapende mannen hadden Reems camera bekeken en hem zonder iets te zeggen teruggegeven. Het was precies zoals ze dacht: vrouwen, goedgeklede vrouwen, christelijke vrouwen, stonden boven verdenking – of eronder, afhankelijk van hoe je het bekeek.
El-Hami begroette elke nieuwkomer met een knikje, een handdruk, een glimlach en een woord van welkom.
De bodyguards loodsten de gasten in stevig tempo voorbij.
'Ze hebben echt overal aan gedacht.'
Reem draaide zich om naar de stem. Nick ook.
'Hoe gaat het, jonge Nick? Zou je ons niet eens voorstellen?'
Hij stond achter hen, half tussen hen in. Hij was klein, mollig, zijn donkere haar zat zweterig op zijn hoofd geplakt en zijn hemd hing uit zijn broek. Hij zag eruit of hij het erg warm had.
Hij wachtte niet tot Nick reageerde.
'Wilson. Andrew Wilson. Ik ben bij de ambassade. Wat ben jij een stiekemerd, Nick, om je vriendin geheim te houden, om haar helemaal voor jezelf te houden.'
Reem vond dat Nick een beetje opgelaten en behoorlijk geërgerd keek.
Ze schoot hem te hulp. 'Hoe bedoelt u dat ze echt overal aan gedacht hebben, meneer Wilson?'
'Mijn god,' zei Wilson en keek wellustig naar Reems decolleté. 'Wat een

opluchting om mijn schoolfrans niet te hoeven praten. Ik bedoelde qua beveiliging, juffrouw. Kijk eens naar het dak. Ziet u wat ik bedoel? Ze hebben overal scherpschutters. En camerabewaking. Onze jongen laat niets aan het toeval over.'
Reems ogen volgden Wilsons armzwaai, van de camerabewaking in de dadelpalmen tot het silhouet van een man met een geweer op het dak achter haar.
'Onze jongen?'
'De laatste grote hoop van de blanke man. Jullie volgende president.'
De mijne niet, dacht ze. De mijne mooi niet.
Wilson was dronken. Hij stond onvast op zijn benen en zijn gezicht was vuurrood. Hij was naar voren gekomen, had zich omgedraaid en stond nu tegenover hen. Hij boog zich naar Reem toe, hief een wijsvinger op en bewoog hem dreigend heen en weer.
'U weet toch waar deze jongen zijn carrière is begonnen, hè?' zei Wilson. 'Karantina, zesenzeventig. Hij was een gewone voetsoldaat. Vlak bij de haven. Dat moet je toch weten. Een stuk land dat eigendom was van maronitische monniken.' Wilson stapte opzij, sneed een kelner de pas af, greep een nieuw glas champagne, zette zijn lege glas ervoor in de plaats en kwam weer terug.
Wilson zei: 'Er waren vluchtelingen. Armeniërs. Koerden. Palestijnen. Het gebruikelijke uitschot dat onze jongen en zijn soort zo graag haten.' Wilson nam een grote slok champagne. 'Waar was ik? Ja. De Palestijnen haalden er wat van hun jongens met wapens en ammunitie bij. Ze boden stevig verzet. Verdomd heroïsch eigenlijk, en tot mislukking gedoemd. Libanon is niets dan helden – alleen liggen ze allemaal onder de grond. Ze veranderden de Sleep Comfort-fabriek in een vesting. Sleep Comfort. Dat was me een slaap. Ze weigerden zich over te geven omdat ze al wisten hoe het zou aflopen, wat ze ook deden, niet, juffrouw? Een heel lange slaap.' Wilson goot zijn glas achterover.
'Naderhand lieten ze de pers foto's maken. U zult wel te jong zijn om het zich te herinneren, juffrouw, maar misschien hebt u de foto's in *L'Orient Le Jour* gezien. De falangisten dronken champagne, staand en zittend op de lijken. Foto's van jongens en meisjes die doodsbang hun handen omhoog hielden terwijl de grijnzende falangistische schutters hen onder schot lieten aantreden. Kinderen wier ouders net voor hun ogen waren afgeslacht.'
Wilson keek naar Reem omdat hij een reactie verwachtte. Hij stond heen en weer te zwaaien als de mast van een treiler in een zware storm.

Reem keek nergens naar, uitdrukkingsloos.
Wilson zei: 'Het deed me denken aan foto's van joodse kinderen die door de nazi's werden opgepakt. Maar onze jongen kon het niets schelen. Hij gaf de pers de schuld. Zijn mensen en hij waren trots op wat ze hadden gedaan. O, ja. Een overwinning, noemden ze het. Ze zijn er nog steeds trots op. Weet je dat onze jarige job een foto van zichzelf heeft waarop hij in zesenzeventig in Karantina een fles bubbeltjes opentrekt met op de achtergrond de lijken van burgers? Hij hangt in zijn kantoor. Je kunt zelf gaan kijken. Dat heb ik ook gedaan. En weet je waar dat is, zijn hoofdkwartier? In Karantina natuurlijk...'
Wilson proestte in zijn glas.
'Zes jaar later was el-Hami de falangistische bataljonscommandant in Sabra en Shatila die Elie Hobeika via de radio opriep. Hobeika, die de algehele leiding had, zat toe te kijken vanaf een commandopost in een gebouw in de buurt, samen met zijn bondgenoot uit het zuiden, Ariel Sharon. Onze jongen vroeg Hobeika wat hij met de vrouwen en kinderen moest doen, en Hobeika schreeuwde hem toe dat hij donders goed wist wat hij moest doen en dat hij niet nog eens zo'n stomme vraag moest stellen. Ik zeg je, onze jongen wordt een verrekt goede president. Een waarlijk verzoenende kracht.'
Wilson ging in de houding staan en hief zijn glas in een spottend saluut. 'Op de Protector...'
'We kunnen geloof ik beter in de rij gaan staan,' zei Nick, en nam Reem bij de hand en trok haar weg.
Toen ze buiten gehoor waren, draaide Nick zich naar haar toe.
'Hij dacht dat je een maroniet van deze kant was. Een falangistische voorstander van de harde lijn. Ik hoop dat de ambassadeur hem niet ziet in zijn huidige toestand. Weet je, Wilson haat deze mensen bijna net zo erg als jij.'
Dat was mogelijk, dacht Reem.

Toen ze in de rij stonden, had Reem alle tijd om rond te kijken.
Er liepen wel dertig veiligheidsmensen rond.
Er waren mannen die het strand in de gaten hielden, op de uitkijk voor een nadering uit zee. Ze telde er vier.
Wilson had gelijk. De Protector had niets aan het toeval overgelaten.
Een nadering over land zou net zo vergeefs zijn. De weg liep omlaag naar het kustplateau en alle voertuigen moesten een scherpe draai door een onderdoorgang maken die zwaar bewaakt was, daarna moesten ze het par-

keerterrein over en dan een U-bocht maken om voor de ingang terecht te komen. Waar nog meer jongemannen met harde gezichten, oordopjes en 9-mm Beretta's onder hun lichte colbertjes opendeden en de uitnodigingen controleerden.
Negen.
Mannelijke en vrouwelijke gasten werden korte tijd gescheiden voor een snelle fouillering terwijl hun tassen en handtasjes werden doorzocht, ook met de hand.
Plus vier. Dertien.
Vervolgens liepen bezoekers een bonk moderne beeldhouwkunst voorbij en een brede trap af. Vlak voordat je in de tuin kwam, was er een elektronische scanner van de soort die op luchthavens wordt gebruikt om koffers te controleren. Twee mensen, een man en een vrouw, hanteerden handscanners voor de gasten.
Vanaf de galerij van de tussenverdieping, erboven, werd het hele proces in de gaten gehouden door drie mannen met pompgeweren.
Achttien.
In haar hoofd begon Reem aan haar verslag.
En de scherpschutters buiten, op het dak.
Twintig misschien?
Dertig?
Vraag: overnachtte hij ooit in de club?
Reem wendde zich tot Nick. 'Denk je dat wat Wilson over Karantina zei, klopt?'
'Over zijn rol in het bloedbad?'
'Ik bedoel dat hij daar een kantoor heeft. En de foto's aan de muur.'
'Ik weet het niet van die foto's.'
'Kunnen we erheen?'
'Naar Karantina?'
Nick keek haar verbaasd aan.
'Waarom niet?'
'Het zal wel,' zei hij weifelend.
Ze waren aan de beurt.
Nick gaf zijn uitnodiging af.
'Meneer Nicholas Lorimer en juffrouw Reem Najjar.'
Nick ging eerst.
Ze zag Nick de hand van de Protector schudden.
Toen liep ze zelf naar voren.

In jezusnaam, hij is niet van koninklijken bloede.
De vijand.
Hij stond er potig bij, als een tank, een machtig man die met zijn brede borst en zware armen eerder een bokser dan een politicus leek. Het lange hoofd met achterover gekamd haar draaide naar haar toe, boog toen licht, en hij keek haar aan, alsof hij wilde zeggen: en wat hebben we hier?
Taxerend.
Hoe kon hij zoveel gezichten onthouden?
Dat kon hij onmogelijk.
Hou op met je zorgen maken.
Zijn stem klonk diep en dreunend.
De Protector stak haar zijn hand niet toe. Hij wachtte tot zij dat als eerste zou doen.
'Juffrouw Najjar. Welkom. Dank u voor uw komst...'
De vijand maakte een lichte buiging.
Reem liep door als een slaapwandelaar.
Naderhand besefte ze dat ze hem geen hand had gegeven.
Ze had geen woord gezegd.
Nick stond haar op te wachten.
'Ik denk,' zei Reem, 'dat ik nu dat glas champagne wel wil.'

# 14

Reem wilde met alle geweld kiekjes maken en was steeds op zoek naar een andere achtergrond.
Sylvie en George waren naar hen toe gekomen, hand in hand, en na de gebruikelijke begroeting en het voorstellen haalde Reem het cameraatje tevoorschijn en nam hun foto, van alleen hun tweeën, met de zee als achtergrond. Ze nam er nog twee, en omdat ze nog steeds niet tevreden was, wilde ze dat ze deze keer dicht bij elkaar zouden gaan staan, met hun armen om elkaar heen, met de tennisbanen en de landtong op de achtergrond.
Ze boden aan een foto te nemen van Nick en Reem samen. Reem vond het goed, maar vroeg iedereen om zich om te draaien, omdat ze zei dat ze het hoofdgebouw van de club op de foto wilde hebben.
'Wil je zo lief zijn om er nog een vóór de club te maken?'
Dus dromden ze de voordeur uit en lieten zich nogmaals op de foto zetten, twee keer zelfs, deze keer met twee falangistische lijfwachten met uitgestreken gezichten, in dienst van el-Hami, erbij.
Nick nam drie foto's van Reem alleen, en twee van Reem met Sylvie en George, met telkens een andere achtergrond.
Samen schoten ze een heel rolletje van zesendertig kleurennegatieven vol.
Sylvie van haar kant schonk overdreven veel aandacht aan Reem en complimenteerde haar met haar jurk en haar.
'Jullie moeten allebei vanavond blijven,' zei Sylvie en nam Reem apart om haar te zeggen dat ze best een van de familiechalets mocht gebruiken om zich om te kleden. 'Wij wonen daar boven,' zei ze en wees naar een balkon op de tweede verdieping. 'Niemand zal het erg vinden. Mijn vader blijft niet...'
Tot Nicks verbazing wilde Reem maar wat graag.
De vrouwen gingen samen weg. Sylvie ging Reem haar huis laten zien en hoe ze er moest komen. Ze kon voor de avond een reservesleutel krijgen.
George sloeg Nick op de rug en stelde voor bij een van de bars bij het

zwembad een biertje te gaan drinken. Hij zei dat hij niet zo van champagne hield. Hij kreeg er hoofdpijn van.
De twee mannen hadden elkaar weinig te vertellen. Ze dronken hun koude biertjes in de schaduw en keken naar de mensen die voorbij kwamen.
George vroeg: 'Waar heb je haar gevonden?'
'Reem? We zijn letterlijk tegen elkaar op gelopen.'
'Je bent hier nu, hoe lang – vier weken? Je hebt er ook geen tijd overheen laten gaan.'
Hij klonk jaloers.

Nick had heel wat om over na te denken. De vorige avond, toen Dacre op zijn veranda hun drankjes had ingeschonken, had hij zich verontschuldigd en was hij een paar minuten naar binnen verdwenen en teruggekomen met een wit dossier. Dat gooide hij op tafel.
'Kijk hier eens naar,' zei Dacre, en trok een stoel onder tafel uit en ging zitten. 'Als er niet genoeg licht is, kunnen we naar binnen gaan.'
Nick sloeg de map open. Er zaten drie velletjes papier in, aan elkaar geniet. Op alle drie stonden schuin over het midden twee rode strepen: een schuin kruis, met de strepen diagonaal van de ene hoek naar de andere. Op alle drie de bladzijden stond GEHEIM. Op het bovenste vel of omslag stond Distributie, gevolgd door een enkel acroniem, UKUSZCA.
Aanvankelijk zei het hem niets.
Het tweede vel bevatte gedrukte tekst, verdeeld over vijf paragrafen.
Het derde vel vermeldde de bron: Liaison.
Onderaan was ruimte gereserveerd voor commentaar, maar dat was leeg.
'Kijk eens naar de foto,' zei Dacre.
Er zat een afdruk van 15 bij 20 cm in de map, die Nick bijna over het hoofd had gezien.
Hij liet hem op het tafelkleed glijden.
Een man die in de lens keek, hoofd en schouders.
'Herken je hem?'
Nick staarde naar de afbeelding.
'Hij komt uit het registratiearchief van het ministerie van Binnenlandse Zaken in West-Beiroet – waar de Libanezen zich inschrijven voor hun verplichte identiteitskaart.'
'Ik weet wat het is,' zei Nick.
Hij had de foto opzij gelegd en zat de vijf paragrafen te lezen.
'Het is geen goede gelijkenis,' zei Dacre. 'Hij is onscherp omdat hij is ver-

groot, en hij is jaren geleden met Oost-Duitse film genomen, toen hij een jaar of zeventien was, maar ik weet zeker dat je hem kent.'
'Waarom laat je me dit zien?'
'Ik vond dat je het moest weten.'
Dat was geen antwoord.
'Maar waarom?'
'Hij is toch een vriend van je, Nick? Naar je zelf hebt gezegd, brengen jullie heel wat tijd samen door, zowel onder werktijd als erbuiten.'
'Wat wil je daarmee zeggen? Dat hij gevaarlijk is? Dat ik gevaar loop?'
'Nick, ik zou je dit niet moeten laten zien. Maar ik vind dat je echt moet weten met wie je te maken hebt.'
Khaled keek hem vanaf het glanzende fotopapier aan, een jongere, magerder, ernstige Khaled, met langer, slordiger haar en een baard.
Nick las de vijf paragrafen nog een keer.
Hij deed het rapport en de foto weer in de map en schoof hem Dacre toe.
'Hij is nog altijd mijn vriend,' zei Nick.
'Natuurlijk,' antwoordde Dacre. 'Ik had geen andere reactie van je verwacht. Dat strekt je tot eer.'

Dus Khaled was Khaled Mrabat, een Palestijn.
Geen Libanees.
Volgens het inlichtingenrapport had Khaleds oudere broer, Joseph, in 1979 in de buurt van Sidon een Fatah-eenheid geleid toen de Israëliërs een grote inval hadden gedaan, helemaal tot de rivier de Litani. De operatie was bedoeld om Libanese burgers te 'straffen' voor de aanwezigheid van de Palestijnen in plaats van het op te nemen tegen de Palestijnse strijders die rond Sidon en Tyre lagen. Veel Libanese dorpen werden beschoten en gebombardeerd, waardoor de ongelukkige sjiitische bewoners naar het noorden, naar de hoofdstad, werden gedreven – niet voor het eerst en niet voor het laatst. Zonder bevelen of enig bericht van hun afwezige meerderen boden Josephs jongens weerstand, en Joseph, die tweeëntwintig was, raakte gewond aan zijn benen en werd gevangengenomen.
Israëlische soldaten bonden hem aan een telefoonpaal en hun commandant, een luitenant van de Golani Brigade, schoot hem twee keer van vlakbij met een pistool door het hoofd, één keer in het voorhoofd en één keer in de wang, vlak onder zijn rechteroog.
Het lichaam werd twee dagen later door zijn vader gevonden en geïdentificeerd.

De soldaten plunderden Josephs huis, sleurden zijn vrouw en zijn twee kinderen naar de kelder en sloegen Josephs vader in elkaar. Zijn vrouw werd door meerdere soldaten verkracht.
Josephs vrouw heette Khadijeh. Ze was twintig.
De indringers maakten van de dorpsschool een verhoorcentrum en een groot kompas werd als een pen in het oor van de gevangenen geslagen om hen aan het praten te krijgen.
Khaled ontkwam. Hij nam de benen. Hij verdween maandenlang, maar werd uiteindelijk in de zuidelijke stad Jezzine opgepakt door pro-Israëlische milities, in elkaar geslagen en overgedragen aan de Israëlische veiligheidsdienst, Shin Beth, omdat hij ervan verdacht werd wapenkoerier te zijn, al werden er geen wapens of munitie gevonden.
Omdat Khaled werd verdacht van lidmaatschap van de PLO werd hij veroordeeld tot elf maanden in de door Israëliërs gerunde gevangenis van Khiam, omdat hij pas vijftien was. Gewoonlijk was het vonnis een jaar. Het Israëlische militaire hof had nog geen drie minuten nodig om tot een besluit te komen. Een verdediging was niet toegestaan, en Khaled mocht niet voor zichzelf opkomen, hij mocht alleen schuld bekennen.
En nu werkte hij, met een Libanese identiteitskaart, voor de Verenigde Naties in Beiroet.
Dacre tikte op het dossier. 'Wist je hier iets van?'
'Nee.' Nick dronk met een stalen gezicht zijn gin en tonic.
'Wat is de jonge Khaled van plan? Hierin staat dat hij lid is van een communistische organisatie. De OLCA.'
'Overleven. Zo mogelijk een leuke tijd hebben. Er moeten duizenden jonge Palestijnen en Libanezen zijn die tegen de Israëliërs hebben gevochten – in zesenzeventig, achtenzeventig en tweeëntachtig. Wat mij betreft verandert het niets, noch als zijn vriend, noch als zijn werkgever. Wat die Libanese identiteitskaart betreft, ik weet zeker dat het heel wat Palestijnen is gelukt om er op een of andere manier een te bemachtigen zodat ze kunnen werken en niet in een of ander vluchtelingenkamp hoeven weg te rotten. Heb je die kampen gezien? Daar zitten mensen die al in achtenveertig uit hun huizen zijn verdreven. Die gaan daar dood. En hun kinderen ook, als mensen als Ariel Sharon hun zin krijgen.'
'Nick, het rapport suggereert dat hij nog steeds actief is.'
'Dat is niet bepaald een wereldschokkende onthulling. Ik zou verdomme ook communist zijn als ik in zijn schoenen stond.'
Dacre sprong overeind en begon heen en weer te lopen.

'Volgens onze informatie is de Ustaz aan zijn kant van de stad een grote operatie aan het opzetten. We hebben reden om aan te nemen dat het doelwit de veelbelovende toekomstige president is die jij morgen gaat ontmoeten. El-Hami. We hebben alle hulp nodig die we kunnen krijgen om erachter te komen wat hij van plan is.'
'En jij denkt echt dat Khaled daarbij betrokken is?'
'Ik weet het niet, Nick. Ik weet het werkelijk niet. Misschien kun jij het ons vertellen. Hij moet iets hebben gezegd. Het is niet alleen Khaled. Het zijn mensen zoals hij. Mensen die een aanleiding, een grief hebben, mensen die misschien een betrekkelijk klein rolletje spelen – jij loopt natuurlijk elke dag tegen dat soort mensen op.'
'Het zou moeilijk zijn om niet tegen ze op te lopen.'
'Wil je ons helpen?'
'Je wilt dat ik spioneer.'
'Ik wil dat je je ogen en oren openhoudt. Ik wil dat je het me vertelt zodra je iets ongewoons opvalt. Ben je bereid om ons te helpen, Nick?'

Pas veel later die avond – toen hij met Reem, Sylvie en George pizza zat te eten – kwam het bij Nick op waar UKUSZCA voor stond. Het was nogal duidelijk; de vijf leden tellende inlichtingenclub die de onderschepte berichten verdeelde van een wereldomvattend inlichtingennetwerk: de Verenigde Staten, het Verenigd Koninkrijk, Canada, Australië en Nieuw-Zeeland. De overwinnaars van de Tweede Wereldoorlog, *sans* Frankrijk en de Sovjets. In Engeland betekende het GCHQ (Government Communications Head Quarters, *vert.*), die enorme golfballen in Flyingdales en de koepels boven op Mount Troodos op Cyprus. Wat de herkomst betreft – Liaison zou wel betekenen dat de informatie van een van de niet-UK-partners was gekomen. Die gedachte leidde tot een volgend besef: hoe kon hij het hebben gemist? Khaleds achternaam was Saad. Dat stond tenminste op zijn Libanese identiteitskaart. Nick tekende elke maand een onkostenvergoeding voor ene Khaled Saad.
Wat was dat dan over Mrabat?
Welke naam was echt?
Dacre had beweerd dat de geheimzinnige Ustaz een professional was. Dan moest hij steun uit het buitenland hebben gehad en daar ook zijn opgeleid. Nick was er nog steeds niet van onder de indruk.
'Je tast in het duister, Perry. Het is een gok. En als jij die geheimzinnige Ustaz was, zou je hulp accepteren waar die ook vandaan kwam. Kom dus

niet bij mij aan met onzin over door de KGB opgeleide gangsters.'
'Wil dat zeggen dat je het niet doet, Nick?'
'Dat zei ik niet.'
'Wat zeg je dan wel?'
'Ik zal erover denken.'
'Als het helpt, Nick, we weten van je ouders en hun achtergrond. Wat ons betreft is dat geen probleem. Je vormt geen veiligheidsrisico.'
'Het is nooit bij me opgekomen dat het een probleem zou kunnen zijn. En als dat wel zo was, zou het jullie probleem zijn, niet het mijne.'
Nick had moeite om zijn kalmte te bewaren.
'Hoe lang heb je nodig om een besluit te nemen?'
'Dat weet ik niet, Perry.'
Nick wist niet of hij het ooit wel zou doen.
'Mag ik je antwoord volgende week om deze tijd?'
En daar lieten ze het bij.

'Wat is er, Nick?'
'Niets.'
'Je kijkt of iets je dwarszit.'
Hij danste met Reem bij het zwembad van Olympische afmetingen, waarvan het azuurblauwe water van onderaf werd verlicht. De politici waren vertrokken. Zelfs el-Hami was vertrokken met zijn gevolg van gewapende mannen. De jongeren vermaakten zich bij de muziek van de Eurythmics en Michael Jackson. Reem en Nick schuifelden op zachte voeten het piepkleine dansvloertje rond op Irene Cara's 'What A Feeling'. Er was niet genoeg ruimte om veel rond te springen. Het was trouwens een warme avond.
'Ik wil het ergens met je over hebben.'
'Tuurlijk. Wanneer?'
'Morgen.'
Nu keek zij ongerust. 'Ik moet morgen terug, Nick.'
'Het is zondag. Laten we gaan zwemmen. Dan gaan we 's middags terug. Ik hoop dat we een taxi de grens over kunnen nemen. Ik heb niet zo'n zin in een herhaling van het geren van vrijdag.'
Ze keek naar hem met een glimlach in haar ogen.
'Het zou heerlijk zijn om te gaan zwemmen.'
'Ik dacht dat we Byblos misschien konden proberen.'
'Je bedoelt Jbeil.'

'Dat is hetzelfde.'
'Dat zou ik erg leuk vinden.'
'Er is daar een geweldig visrestaurant.'
De muziek ging over op de hit van vorig jaar: 'Love Is a Stranger.'
Ze liet zich naar hem toe trekken en sloeg haar arm om zijn hals, met haar vingers tegen de achterkant van zijn hoofd.
'Nick.'
Hij kon haar borsten tegen zijn ribben voelen.
'Wat?'
'Dank je.'
'Waarvoor?'
'Voor vandaag. Voor vanavond.'
Ze trok zijn hoofd naar zich toe en deed haar ogen dicht.
Niemand keek.
En als er wel iemand keek, jammer dan.

# 15

Ze zwom voor hem uit en bleef net buiten zijn bereik.
Reem wachtte, liet hem in de buurt komen, en als het dan net leek of hij een hand of een enkel kon grijpen, was ze weer weg, ontglipte ze hem, draaide en kronkelde onder water, schudde hem weer af, keerde zich om en keek hoe hij probeerde haar boven water te vinden.
Nick was sterk, maar onder water was hij geen partij voor Reem.
Ze zwom van de kust af, dook toen onder, gleed door een opening in de rotsbarrière die vijftig meter van het strand lag, en zwom een rondje.
Haar hoofd kwam boven water en ze draaide zich om en glimlachte hem toe.
'Vooruit Nick, waar blijf je nou...'
Na vijf minuten van dit uitdagende krijgertje spelen liet ze zich vangen en naar hem toe trekken, zodat ze tegenover elkaar stonden aan de zeekant van het rif, grote, platte rotsen die maar een paar centimeter boven water uitstaken.
Reem zei: 'Ze kunnen ons vanaf het strand niet zien.'
De vissers die met hun enorm lange hengels op de rotsen stonden, stonden ook met hun gezicht naar zee, maar hun interesseerden een paar zwemmers niet.
Reem hield Nick zachtjes bij de schouders.
'Weet ik,' zei hij.
Ze hield van zijn gespierde borst, nog meer zelfs als ze zich ertegenaan drukte.
Hun kussen hadden de zilte smaak van de zee.
Nick trok haar bikinitopje omlaag.
'Wat stout,' zei ze.
'Maar heel fijn.'
Zijn tong en lippen voelden heet aan na het zeewater.
Opwindend.

Genot en schaamte worstelden met elkaar.
Het was geen krachtmeting. Genot won.
Wat hij deed, liet haar sidderen.
Ze zei: 'Eerlijk is eerlijk. Wie A zegt, moet ook B zeggen.'
Nee, het was te veel.
Reem liet Nick los, trok de bandjes van haar topje met haar duimen omhoog en voordat hij kon reageren, liet ze zich uit de cirkel van zijn armen glijden, onder water zakken, dook diep, volgde de contouren van het zand dat naar de kust opliep en glipte weer tussen de rotsen door.
Toen ze weer boven water kwam, ging ze staan en draaide zich om, om naar Nick te kijken.
Hij lachte en schudde zijn hoofd.
'Ik kan er nog niet uit komen.'
Ze wist waarom.
Ze liep naar de twee plastic ligstoelen die ze van de strandclub hadden gehuurd en pakte een handdoek.
Nick stond nog tot zijn middel in het water.
'Doe maar rustig,' zei ze grijnzend, en droogde haar armen en rug.
Ze hoorden allebei het artillerievuur in het zuiden, in de heuvels boven de hoofdstad, maar geen van beiden zei er iets van.
Van deze afstand leek het niet bedreigender dan een verre, zomerse onweersbui.
Reem vroeg zich af of ze die middag de grens wel over zouden kunnen komen. Zo niet, dan gaf haar dat misschien de kans die ze nodig had om de opdracht – haar eerste echte operatie – uit te voeren die de Ustaz haar had gegeven.

Ze liepen gearmd om het kruisvaarderhaventje heen en klommen naar de Frankische burcht die op Romeinse fundamenten was gebouwd. Ze gingen naar het Romeinse amfitheatertje en Nick was verrukt van de Etruskische reliëfs en Foenicische tombes die voor de oorlog gedeeltelijk waren opgegraven.
De ene beschaving leefde en stierf op de ruïnes van haar voorgangers.
Nick stak Reem zijn hand toe om in een ondergrondse ruimte af te dalen waarin een Foenicische sarcofaag stond, en ze hield hem vast en strengelde haar vingers door de zijne.
'Reem...'
Ze draaide zich om.

'Kunnen we verkering hebben? Ik bedoel officieel?'
Ze glimlachte, maar schudde haar hoofd.
Zijn vraag kwam niet onverwacht. Ze had over de kwestie nagedacht. Ze wilde Nick niet teleurstellen. Maar ze wilde hem ook geen hoop geven. Dat hij het oprecht meende, van haar gezelschap genoot, haar wilde, daar twijfelde ze niet aan. En eerlijk gezegd mocht zij Nick ook. Het was veel meer dan mogen. Ze vond hem erg aantrekkelijk. Hij maakte het mogelijk dat ze een paar uur vergat dat het oorlog was, dat ze hem gebruikte om haar ideaal te verwezenlijken. Deze angst om het weinige te verliezen dat ze had – deze genoegens die ze samen beleefden, de aandacht die hij haar gaf, dit proeven van een leven dat ze nooit voor mogelijk had gehouden – maakte dat ze zich verzette tegen wat hij wilde, omdat ze wist dat het niet kon werken.
'Het spijt me.'
Wat klonk dat onbevredigend, vond ze zelf.
Zijn gezicht betrok.
'Waarom in 's hemelsnaam niet?'
Ze zaten naast elkaar op een grote steen die warm was van de zon en keken uit over de gladde zee.
'Dit is mijn land, Nick. Het is betreurenswaardig, maar het is nu eenmaal zo. Het maakt deel van me uit en ik maak er deel van uit. Ik kan hier niet weg, wat er ook gebeurt. Mijn leven is met Libanon verbonden.' Ze schopte tegen een pol gras. 'Dit is mijn aarde, mijn stof. Zeg je stof? Of grond? Laat ook maar. Hier weggaan, ergens anders zijn, voortdurend verhuizen, ongedurig, zonder een moment rust, denkend aan wat hier is gebeurd – dat zou ik niet kunnen.'
Dat was niet helemaal waar. Weggaan was verleidelijk, heel verleidelijk. Weinig Libanezen die de kans kregen om weg te gaan, konden die weerstaan.
'Maar ik vraag je niet om weg te gaan.'
Ze liet haar hoofd zakken, fronste, staarde naar een sliert bruine miertjes die stoïcijns over de hete aarde marcheerden. 'Nee? Vraag je dat niet? Ga je dan ontslag nemen en je hier vestigen? Een westerling in West-Beiroet? Als je de oorlog overleeft en aan de ontvoerders ontkomt, waar wil je dan van leven, Nick? Zou je hier een baantje nemen tegen een maandloon in Libanese lira waar je nog niet eens een van die lunches van kunt betalen waar je me op trakteert?'
'Zover had ik nog niet doorgedacht.'
Reem legde haar linkerhand in de palm van zijn rechter.
Ze zei zachtjes: 'Dat weet ik, Nick. Natuurlijk heb je niet zover gedacht.

Maar als we officieel verkering hebben, zoals jij dat zegt, betekent het dat een verloving aanstaande is. Daarna een huwelijk. Zo gaat dat bij ons. En dan? Waar gaan we dan wonen? Wil je kinderen, en zo ja, waar zou je die grootbrengen? Hier? Wil je dat? Vraag je me ten huwelijk, Nicholas? Is het dat?'
Reem keek op en keek Nick aan. Hij keek als een kind dat te horen heeft gekregen dat hij geen tweede plak cake krijgt.
Ze was oneerlijk. Wreed zelfs. Dat wist ze. Ze had hem in een hinderlaag gelokt, zijn begeerte gebruikt om hem in verwarring te brengen, om hem zijn kaarten op tafel te laten leggen. Misschien hield hij wel echt van haar – al had hij het woord liefde niet gebruikt. En dat was wel zo verstandig. Misschien was het wel niets anders dan jonge, gezonde lijven in de mediterrane zon.
Misschien.
Maar het zou nooit gebeuren.
Reem kon het niet laten gebeuren.
'Nick?'
'Ja?'
'Ik wil je geen pijn doen. Geloof me alsjeblieft. We moeten leven voor wat we nu hebben. Je had gelijk om niet te ver vooruit te denken. Laten we genieten van wat we hebben en dan zien we wel wat er gebeurt. Laten we in elk geval niets besluiten. Nog niet althans.'

Op de terugweg gingen ze de grote hal van het fort in en de smalle, stenen trap op. Er waren geen leuningen en aan één kant van de trap was een steile wand, met helemaal onderaan puin van blokken kalksteen.
Ze hielden elkaars hand vast en Reem liep voorop. De trap hield domweg op. Hij ging nergens naartoe. Bovenaan draaide ze zich om.
'Lunch,' zei ze.
Hij trok haar weer naar zich toe en deze keer, zonder waarschuwing, kuste hij haar buik, vlak boven haar navel. Reem boog zich voorover en terwijl ze zijn schouders vasthield en zich licht in het hoofd voelde, kuste ze hem stevig en lang op de mond.
Toen ze elkaar loslieten, stond ze onvast op haar benen.
'Ik haat hoogtes.'
Ze gingen samen naar beneden, langzaam, zonder iets te zeggen.

Ze lunchten onder een geel zonnescherm op een betonnen terras dat tussen de rotsen uitstak. Ze begonnen met een salade van wilde rucola en uien met

olijfolie en citroensap, een fles droge witte Ksara, en bestelden gegrilde *sultan brahim* – rode poon. Reem koos de vis zelf, uit een groot aquarium. Ze aten de vis met hun vingers en doopten het eten in kommetjes *taratour*, een saus van gekneusd sesamzaad, knoflook, olie en citroen.
'Gisteren wilde je me iets zeggen,' zei Reem.
Nick knikte met volle mond.
'Wat was dat?'
De kelner was nergens te bekennen. Er waren nog twee tafeltjes met gasten en die waren ruim buiten gehoorsafstand. Um Kalthoum zorgde er trouwens voor dat niemand iets zou opvangen.
'Ik vertrouw je, Reem.'
'O, ja?'
'Stel dat ik je zou vertellen dat me was gevraagd om te spioneren?'
'En?' Reem haalde haar schouders op en pakte haar glas.
'Wat vind je daarvan?'
Ze nam een slokje wijn.
'Nick,' zei ze ongeduldig, 'wij, Arabieren, veronderstellen dat de meeste buitenlanders, vooral de Amerikanen en Engelsen, spionnen zijn. Waarom zou het me verbazen?'
Ze nam nog een slok en zette haar glas neer.
'Dacht je dat ik een spion was?'
'Het was wel bij me opgekomen,' zei ze en gebruikte een reepje brood om een hapklaar brokje vis mee op te nemen en in de *taratour* te dopen.
'En als dat zo was, hoe zou jij dat dan vinden?'
'Wat voor verschil zou het maken hoe ik dat zou vinden, Nick?'
Ze stopte het eten in haar mond en keek hem aan. De zon had Nicks bleke huid dieproze gemaakt.
'Dat weet ik eigenlijk niet. Ik denk dat ik zou willen dat je het goedkeurde, of tenminste dat je het niet afkeurde.'
Ze haalde nogmaals haar schouders op en keek uit over zee, over de rotsen waar het witte schuim afstroomde als de golven zich terugtrokken. Wat waren die Engelsen toch een rare snuiters.
Nick ging door. 'Zou je het niet erg vinden?'
'Het heeft niets met mij te maken.'
'Maar als ik nou zei dat de Engelsen me hadden gevraagd om verslag uit te brengen over mensen in West-Beiroet?'
'Hebben ze je dat gevraagd, Nick?'
Reem was nu wel geïnteresseerd, maar zorgde dat ze het niet liet merken.

Waar wilde hij heen – hadden ze specifiek naar haar gevraagd?
'Ja,' zei hij.
'En?'
Reem wachtte. Nick had zijn zonnebril opgezet, want de schittering van de zon was hel, zelfs onder het zonnescherm.
'Ik heb gezegd dat ik erover na zou denken.'
'En heb je erover nagedacht?'
'Ga je me niet vragen wat ze wilden weten?'
'Doet dat ertoe? Ik denk dat ik dat wel kan raden.'
De kelner kwam de borden halen. Hij zette vingerkommetjes voor hen neer. Ze wilden allebei koffie en Reem vroeg om een tweede fles mineraalwater. Nick stak een sigaret op.
'Raad dan maar,' zei hij toen de kelner weg was.
'Ze wilden van alles weten over je vrienden. De mensen met wie je omgaat. Militante moslims. Palestijnen. Radicalen.' Ze had er een aardig idee van in wie ze geïnteresseerd waren, maar ze wilde ongeïnteresseerd klinken. Verveeld zelfs.
'Om te beginnen kreeg ik een dossier te zien van een collega van me van wie ze zeiden dat hij nog steeds activist was, en daarna zeiden ze dat ze een aanslag in de oostelijke sector verwachtten – op el-Hami.'
'Wie zijn "ze"?'
'Dacre – dat is de militaire attaché.'
'Is hij hun belangrijkste spion?'
'Eigenlijk lijken ze er allemaal bij betrokken. Het zijn er maar drie. En ik heb zo het gevoel dat het de man is die je gisteren op het feest hebt ontmoet – Wilson.'
'Die dronken vent die zoveel praatte.'
Nick knikte. 'Alleen denk ik dat hij maar deed alsof. Ik weet niet waarom.'
'Wie was deze collega?'
'Khaled. Je weet nog wel –'
'En die aanslag?'
'Een zelfmoordaanslag. Door iemand die ze de Ustaz noemen. Het is niet voor het eerst. Dacre had hem al eens genoemd. Hij lijkt in het oosten nogal een obsessie te zijn. De moord op een Franse legerofficier is aan hem toegeschreven, onder andere. Ik zei dat deze Ustaz waarschijnlijk meerdere mensen is, of een volslagen mythe. Ze leken ervan overtuigd dat hij op het punt stond Antoine van zijn troon te stoten voordat hij de kans krijgt om president te worden.'

De koffie kwam.
'Je vindt die mensen van de ambassade aardig, hè, Nick? Je bent graag onder je eigen mensen. Dat is heel normaal. En ze zorgen vast goed voor je, toch?'
'Ik neem aan van wel. Ja.'
'Je zou ze graag een plezier doen en ja zeggen, door ze af en toe wat informatie te geven, enkel om ze tevreden te stellen.'
'Dat is verleidelijk – maar absoluut onverenigbaar met mijn VN-rol. Als Genève erachter zou komen, zou ik de zak krijgen en het zou de hele organisatie in opspraak brengen.'
'Neem je jezelf niet een beetje te serieus? Er zijn vast heel wat hoge VN-mensen die spionnetje spelen, en die zijn er altijd al geweest. Jij gaat niet veel verschil uitmaken.'
'Je hebt natuurlijk gelijk.'
'Stel dat je zei dat je hen niet kan helpen. Wat dan?'
'Dan zou ik gewoon niet meer op de ambassade worden gevraagd.'
Een tweede gedreun van artillerie uit het zuiden.
'Je zou worden – hoe zeg je dat?'
'Uitgestoten.'
'Je zou worden uitgestoten,' zei Reem. 'Zou dat zo vreselijk zijn?'
'Nee, helemaal niet.'
Reem vulde haar waterglas en dronk, met haar ogen op Nick gericht. Het kwam bij haar op dat de situatie allerlei kansen bood. Het was niet zozeer een kwestie van wat Nick vond dat hij wel of niet kon doen, maar hoe zij invloed op hem kon uitoefenen om de juiste beslissing te nemen. Juist voor haar. Juist voor de Ustaz. Juist voor de Zaak.
'Dus wat ga je nou precies doen, Nick?'
'Wat zou jij doen als je in mijn schoenen stond?'
Ze lachte.
'Ik? Maar ik sta niet in jouw schoenen, Nick.'
'Maar als dat wel zo was.'
Hij had erom gevraagd. Hij had het met alle geweld willen weten. Reem kon niet weten of de Ustaz het met haar tactiek eens zou zijn of niet. Het kon niet wachten. Ze moest improviseren en doen wat zij het beste vond. Dat had hij haar altijd geleerd.
'Als ik in jouw schoenen stond, die me hoe dan ook een paar maten te groot zijn...'
'Ja?'

'Dan zou ik beslist ja zeggen.'
'Zou je dat echt?'
'Ja.'
'Waarom?'
'Je kunt dingen verzinnen. Je kunt zeggen dat je niets hebt ontdekt. Je kunt doen of je vergeetachtig bent. Je kunt ze onzin vertellen. Hoe kun jij weten wat zij willen? Mensen worden opgeleid voor dit soort dingen, Nick. Jij bent toch niet opgeleid om te spioneren, hè?'
'Natuurlijk niet.'
Dit was kennelijk niet de reactie die hij had verwacht. Reem vroeg zich af of iemand echt zo vreselijk naïef kon zijn over hoe het er in de wereld aan toe ging. Was het mogelijk? Wilde hij zo graag haar goedkeuring? Of was ook dit maar toneelspel?
'Zeg dan ja, Nick. Zeg ja en laten we het vergeten en van de rest van de middag genieten.'

# 16

'Waar is hij?'

Niemand leek het te weten. In reactie op de vraag waren er zijdelingse blikken gewisseld, mensen haalden hun schouders op – en zwegen.

Nick stormde de gang door en viel het kantoor van de plaatselijke manager binnen. Hij klopte niet, duwde gewoon de deur open en zag dat degene die binnen zat de *as-Safir* zat te lezen, met zijn voeten op zijn bureau.

'Waar is hij? Waar is Khaled?'

Het was maandag. Nick had geen best humeur. Reem en hij waren apart de grens overgestoken en hij had nog geen kans gezien om haar te spreken sinds de avond tevoren. Ze had de nacht in Sylvies chalet doorgebracht en zei dat ze later die dag de grens zou oversteken. Nick had een taxi genomen. Het was rustig. Er waren geen incidenten, maar hij was ongerust om haar. En nu was Khaled niet op zijn werk verschenen. Hij had geen bericht achtergelaten en ze hadden een belangrijke bespreking gemist met een contactpersoon van het Deuxième Bureau.

Nicks binnenvallen werd in het Midden-Oosten slechte manieren gevonden, maar de manager van Nicks VN-kantoor negeerde de misslag van zijn baas met een opgewekt gezicht, haalde zijn voeten van het bureau, vouwde zijn krant dicht en legde hem weg.

Als een volleerd diplomaat kwam hij overeind, trok zijn jasje recht en gaf Nick een stralende glimlach alsof hij, Elias Khoury, de gelukkigste mens op aarde was dat hij door een westerling werd beledigd.

'Meneer Nicholas,' zei hij. 'Welkom.' Hij verhief zijn stem. 'Ramia, twee koffie graag.'

'Waar is hij?'

'Alstublieft. Gaat u zitten. Doe alsof u thuis bent.'

Elias deed de deur dicht zodat niet het hele personeel het zou horen als Nick uit zijn slof schoot.

Nick wilde niet gaan zitten. Hij wilde niet doen of hij thuis was.

'Waar is hij verdomme gebleven?'
Nick had Elias nog nooit zonder pak gezien. Hij verscheen ook nooit op kantoor zonder een anjer in zijn knoopsgat. Hij zag er nooit geagiteerd uit, zelfs niet tijdens de hevigste straatgevechten, en hij behandelde Nick altijd met eerbied, legde de palm van zijn rechterhand over zijn hart ten teken van respect, en als hij een bijzonder nederige rol speelde, klopte hij zichzelf op zijn kruin. Als veteraan van het Arabische legioen in Jordanië had hij in de jaren vijftig als radioluisteraar voor een propaganda-afdeling van het ministerie van Buitenlandse Zaken in Caïro gewerkt voordat hij bij de Volkenbond kwam.
Hij sprak een gebroken mengelmoesje van talen, te beginnen met een afschuwelijk Frans. Of, zoals Khaled nogal onvriendelijk zou zeggen, Elias sprak geen bij de mensheid bekende taal.
'Meneer Nicholas, *je suis toujours à votre service. Toujours.*'
Hij was op zijn verzoenendst, op zijn kalmerendst.
Het moest wel ernstig zijn.
'Een sigaret, M'sieu Nick?'
'Nee. Dank je.'
De oudere man deed de middelste knoop van zijn jasje met dubbele rij knopen los en ging weer zitten.
'Het is zeer betreurenswaardig,' begon hij en zwaaide met zijn nog niet aangestoken sigaret.
'Wat is betreurenswaardig?'
Nick dacht dat hij een beknopt verhaal over Khaleds dronken gedrag te horen zou krijgen, of een verhulde beschrijving van problemen met een meisje.
'Het schijnt dat Khaled gisteravond uit zijn huis is gehaald.'
Nick zakte op een stoel.
'Uit zijn huis gehaald?'
'Opgepakt. Meegenomen.'
'Door wie? Amal? Hezbollah?'
Nick dacht dat het misschien een of andere binnenlandse kwestie was – kleinzielige rivaliteit, een rekening die tussen partijen moest worden vereffend. Khaled kende een boel zonderlingen van wie sommigen het op radicalen hadden gemunt.
Elias spreidde zijn handen en trok zijn wenkbrauwen op. 'Wie weet, meneer Nick?'
'We worden verondersteld vermiste mensen op te sporen en iemand van

ons personeel – een teamleider – wordt zelf ontvoerd? Wat is er aan de hand, Elias? Jij weet alles in deze stad. Daar betalen we je voor. Jij hebt de contacten. Jij kent iedereen die de moeite van het kennen waard is. Wat is er verdomme gebeurd?'
'Ik doe navraag, meneer Nick. Tot dusverre zonder veel resultaat.'
Nick was verre van tevreden. 'Hij is om acht uur niet op zijn werk verschenen – dat is vier uur geleden. Wat heb je ontdekt? Had hij schulden? Zat hij misschien in de problemen om een vrouw?'
Elias stak op zijn dooie gemak zijn eigen sigaret op.
'Ik heb met een buurman gepraat,' zei Elias rustig. 'Via de telefoon. Hij zei dat hij iemand die aan Khaleds signalement voldeed, om drie uur vannacht uit zijn huis had zien sleuren. Het waren drie mannen. Ze waren gewapend. Hij had ze nog nooit eerder gezien.'
'Natuurlijk zegt hij dat. Ze droegen waarschijnlijk een masker.'
'En er zat er nog één in de auto. De chauffeur.'
'Heeft hij een signalement gegeven? De nummerplaten?'
'Helaas niet. Het was een stokoude Mercedes. Hij had geen nummerplaten, zei hij.'
'Verdomme. Een ongeregistreerde gevechtswagen – waarschijnlijk gestolen en inmiddels gedumpt. Wat nog meer?'
'Meneer Nick –'
'Was dit persoonlijk, Elias, of niet? Geld, een familievete…'
'Nee, meneer Nicholas, ik denk van niet.'
De secretaresse kwam binnen met de koffie.
Normaal zou Nick Ramia hebben gevraagd hoe het met haar ging, en had hij naar haar gezin geïnformeerd, maar vandaag niet.
Elias zei: 'Wilt u echt niet roken, meneer Nick?'
'Misschien toch maar wel.'
Elias ging achteruit zitten in zijn leren bureaustoel, legde de toppen van zijn gemanicuurde vingers tegen elkaar en keek hoe Nick aan de Turkse sigaret trok.
'Lekker?'
'Dank je, Elias. Wat kun je me vertellen?'
'U was bevriend met Khaled, toch?'
'Dat zijn we nog steeds, hoop ik. Nou en? Wat maakt dat voor verschil?'
'U weet dus van zijn verleden?'
'Ik heb geruchten gehoord.'
'Ah.' Elias knikte. 'Dus u weet dat hij Palestijn is?'

'Iemand heeft me zoiets verteld.'
'Wist u dat hij in de gevangenis heeft gezeten?'
'Ook dat heb ik gehoord.'
'Daar heeft Khaled iets heel ergs meegemaakt. Hij zat in Khiam – in het zuiden.'
'Wat heeft dat te maken met wat er is gebeurd?'
Elias boog zich voorover en sprak op luide fluistertoon.
'Hij was politiek geëngageerd, meneer Nicholas. *Engagé. Tu compris?*'
'Hij zat bij de PLO, als je dat bedoelt.'
'*Oui, c'est vrai.* Fatah, maar dat was vroeger. Een hele tijd geleden. Ik heb het over nu. Uw vriend is activist. Communist.'
Nick herinnerde zich wat Dacre had gezegd.
En hoe hij, Nick, had gereageerd.
'Niet de Libanese communistische partij, *bien sûr...*'
'Wie dan?'
Zonder erbij te denken drukte Nick de sigaret uit en had er meteen spijt van.
'Ik bedoel de Organisatie voor Libanese Communistische Actie. Ze hebben zich in de jaren zestig afgescheiden van de CP... De CP bleef trouw aan Moskou, maar de OLCA was meer nationalistisch, een marxistisch soort Arabisch nationalisme...'
Nick dacht verwoed na over het geheime dossier dat hij had gezien.
Elias praatte nog steeds.
'Hebt u wel eens van de OLCA gehoord, meneer Nick? Khaled was lid van de OLCA. *Certainement.* Zeker, *mon ami.* Ik weet dit – het is een feit.' Elias sloeg met zijn knokkels op het bureaublad om zijn woorden kracht bij te zetten.
Nick schudde zijn dagdroom van zich af. Hij moest iets doen, en snel ook. Hij zou al het personeel bij elkaar roepen. Ze moesten alles laten vallen. Echt alles. Ze moesten Khaled zien te vinden. Snelheid was geboden. Hij moest dit aan Genève melden, maar hij moest eerst handelen en zich dan pas zorgen maken over het schrijven van rapporten.
'Was, Elias? Hoe bedoel je – "was"?'

Het had iets ongepasts dat Elias bevallig door een berg afval stapte die was vergeven van de ratten met Italiaanse loafers met kwastjes aan zijn voeten en in een grijs pak met een Lanvin-das.
Hij leek te weten waar hij heen moest. Hij aarzelde geen moment.

Het was nog geen anderhalve kilometer van Nicks flat – maar in alle andere opzichten was het een andere wereld.
'Woont hij hier?'
'*Oui. Là-bas.*'
Aan de andere kant van een stuk onland en achter een manshoge berg puin van wat een gebombardeerde school was geweest, stond een rudimentaire ladder – gewoon een plank waar latjes op gespijkerd waren om voor grip te zorgen.
'Voorzichtig, meneer Nick.'
De ladder liep naar een keet, een geïmproviseerde woning van hout en teerpapier die op wonderbaarlijke wijze aan de artilleriebombardementen was ontsnapt en tussen de keukens aan de achterkant van twee restaurants zat ingeklemd, het soort keet waar ze koffie en *manaeesh* – sandwiches van heet brood, olie en oregano – verkochten aan studenten op weg naar de Amerikaanse universiteit.
'Wacht – u laten ze niet binnen.'
Maar Elias lieten ze wel binnen.
Even later wenkte Elias Nick.
Het was een armzalig krot. Er was een rudimentaire toonbank van staal en glas, met een paar oudbakken uitziende croissants onder glas, er was een gootsteen, een druppende kraan, een gasfles, er stonden een paar tafeltjes en stoelen op een stuk oud zeil, en er was nog een achterkamer. Aan één wand hingen krantenknipsels en foto's van Beiroets radicale kunstenaars, musici en zangeressen, de Rahbani's en andere beroemdheden van nationalistische of radicale overtuiging. Een jonge vrouw in verschoten spijkerbroek nam hen zwijgend mee door een gordijn van gekleurde plastic stroken.
'Khaled woonde hier?'
Er stond een gekreukeld bed, er hing een enkele plank, er stond een kruk. Een kleerkast, een kinderbedje.
De vrouw zei iets tegen Elias. Haar gezicht was opgezet van het huilen.
'Wat zegt ze?'
Elias zei: 'Ze zegt dat ze al zijn papieren hebben meegenomen. Ze hebben de boel doorzocht. Ze hebben dingen gebroken en rommel gemaakt en haar bedreigd. Toen hebben ze zijn papieren en hem meegenomen. Ze hadden kalasjnikovs. Ze zegt dat het een zootje was, maar dat ze het al heeft opgeruimd.'
'Wie waren het? Waren het Syriërs?'
Ze schudde haar hoofd toen Elias het vertaalde.

'Geen Syriërs. Niet de *moukhabarat.* Libanezen. Falangisten. Ze noemt ze honden. Hoererende hoerenzonen.' Elias haalde zijn schouders op als om te zeggen dat zij dat had gezegd, maar dat hij er niet voor kon instaan.
'Politie? Leger?'
'Ze zegt van niet. Ze zegt dat het *zaaran* waren – u weet wel?'
'Bandieten.'
'*D'accord.* Uit het oosten. De mensen die door Israël zijn bewapend. Meneer Nick, dit was een ontmoetingsplaats voor vrienden, *tu sais,* mensen die er hetzelfde over dachten. Dichters, musici. Leden van de OLCA. Er zijn heel wat van dergelijke plaatsen. Hoe zeg je dat in het Engels – schuilplaatsen?
'Ja. Schuilplaatsen. En wie is zij?'
Khaled had nooit gezegd waar hij woonde, niet precies. Nick had nooit geprobeerd om erachter te komen. Khaled had het zeker nooit over een vrouw gehad met wie hij samenwoonde.
Nick had het gevoel dat hij heel weinig wist. Dit was de woning van iemand die hij meende te kennen. Iemand met wie hij dronk. Iemand wiens geheimen hij meende te delen. Iemand die hij aardig vond. Jezus, Khaled was een vriend.
Niet was. Is een vriend.
De woning had geen wc.
'Zij? Weet u dat niet? Zij is de eigenaar van het café, meneer Nick. *Elle s'appelle* Aisha. *La femme de* Khaled. Zijn vrouw, ja? Ze is Koerdisch. Zijn grootmoeder past op hun kind tot dit voorbij is. Aisha zegt dat ze op hem zal wachten. Haar zoontje Sami is twee jaar. Ik heb hem gezien. Een lief kind. Hij zal zijn vader missen.'

Je had het internationale comité van het Rode Kruis. Je had de milities van oost en west. Je had het ministerie van Buitenlandse Zaken, het ministerie van Binnenlandse Zaken, het gevreesde Deuxième Bureau – een gevangene van Syrië in de westelijke sector, van Israël en el-Hami's falangisten in het oosten – en dan had je de Franse militaire toezichthouders die gewelddadigheden langs Beiroets Groene Lijn in de gaten hielden. Je had Elias' talloze en niet nader genoemde contacten in de westelijke sector.
Je had het leger, of wat er in de westelijke sector aan leger nog was.
Het kantoor van de premier.
Het presidentiële paleis in Baabda.
Nick wilde met alle geweld dat met allemaal contact werd opgenomen en

dat er daarna iemand van het personeel persoonlijk heen ging.
Tot dusver zonder resultaat.
En dan had je de Syriërs, beweerde Elias.
Het Syrische volk wist veel van de meeste dingen.

De brigadier-generaal die het Syrische contingent aanvoerde, was niet op kantoor. Hij was onbereikbaar. Natuurlijk. En natuurlijk wist niemand waar hij was. Ergens in het zuiden. Misschien in het dorp Marjayoun aan het zuidelijke front, of in Sidon. Iemand anders van zijn kantoor zei dat hij naar Damascus had gemoeten en niet voor vrijdag terug zou zijn.
Nee, beweerde zijn secretaresse, ze wisten niet wanneer hij terug zou zijn.
Nick glimlachte. Het speet hem zeer. Hij kwam ongelegen. Het was allemaal zijn schuld, of de schuld van zijn VN-organisatie.
Hij verontschuldigde zich. Hij zou wachten.
Aanvankelijk zat hij rechtop op een houten bank in de gang van het hoofdkwartier van de brigadier en oefende zijn Arabisch met behulp van een exemplaar van de *an-Nahar*.
Hij werd genegeerd. Niemand schonk hem ook maar de minste aandacht.
Nick rookte onder het wachten. Mensen liepen hem voorbij en keken naar hem en keken weer weg – ze leken hem niet vijandig gezind. Ze leken zelfs geen enkele belangstelling voor hem te hebben.
Nick dacht dat hij op een andere verdieping hoorde roepen of huilen, maar kon het niet goed thuisbrengen.
Voor het eerst in uren dacht hij aan Reem, aan hun weekend in het oosten, aan wat ze tegen hem had gezegd toen hij had gevraagd om een meer open, meer intieme relatie, aan hun zwempartij, hun kussen, aan hun dansen bij het zwembad, hoe hij dat van het spioneren eruit had geflapt. God, wat had hij zich aangesteld, maar het leek haar niet te kunnen schelen. Haar advies om het te doen – meende ze dat echt? Soms wist je het niet goed met Reem.
Ze zou onderhand wel thuis zijn uit de bibliotheek waar ze werkte.
Iemand schudde aan zijn arm.
Even wist hij niet waar hij was. Hij was in slaap gevallen, opgerold op de gelakte planken, met zijn linkerarm als kussen, in een vreemde gang.
Hij keek op zijn horloge. Het was al zeven uur.
'Nicholas Lorimer?'
'Dat ben ik.'
De vreemdeling zag er onberispelijk uit en rook vaag naar aftershave.
Ze gaven elkaar een hand.

'Ik ben Daoud. Deze kant uit, alstublieft. We kunnen op mijn kantoor praten.'
Daoud was kort en slank en vriendelijk. Hij was blond, met licht grijsgroene ogen. Hij droeg een gestreken wit overhemd met korte mouwen en een gestreepte das. Hij zag eruit als een schoolmeester. Hij ging achter het bureau zitten en bekeek Nicks papieren een voor een: zijn Engelse paspoort, zijn verblijfsvergunning, zijn blauwe VN-identiteitskaart in het plastic hoesje.
Hij legde de documenten op een stapeltje aan één kant.
'Zo. Wat kan ik voor u doen?'
'Een collega, een personeelslid van me, wordt vermist.'
Daoud trok een la open en haalde er een pen en een enkel velletje papier uit.
'Naam?'
'Khaled Saad.'
'Nationaliteit?'
'Libanees.'
Zonder aarzeling gezegd. Nick wist dat de Syriërs geen moeite zouden doen voor een vermiste Palestijn. Daar waren er te veel van.
'Godsdienst?'
'Soennitische moslim.'
'Registratienummer?'
Dat had Nick. Hij kende het inmiddels uit zijn hoofd.
'Adres?'
'Rue Sarkis, Ain El Mreisse.'
'Zo – hoe is deze Khaled verdwenen?'
'Hij is ontvoerd.'
Daoud luisterde aandachtig naar het verhaal en maakte af en toe een aantekening. Toen Nick was uitgesproken, stopte Daoud pen en papier weer in de la, deed hem dicht en wendde zich tot Nick. Hij zette zijn ellebogen op het bureau, sloeg zijn handen in elkaar en glimlachte.
'Een sigaret?'
'Graag.'
Daoud schoof hem een pakje van twintig stuks toe. Nick wilde niet nog een sigaret, maar dan had hij iets te doen; het was een manier om aansluiting te krijgen met deze man.
De Syriër stond op en kwam om het zware bureau heen om hem een vuurtje te geven. Hij ging tegen het bureaublad staan en keek op Nick neer.

‘Waarom bent u met deze kwestie naar mij gekomen, meneer…’
‘Lorimer. Omdat u hier enig gezag heeft. Omdat u het leger helpt om de grensovergangen te beheersen. Misschien weet u iets.’
‘U hebt natuurlijk gelijk. We weten inderdaad dingen. Maar omdat we dingen weten, wil dat nog niet zeggen dat we er ook altijd iets aan kunnen doen. Dat is het probleem met inlichtingen – je kunt er niet altijd naar handelen. Begrijpt u?’
Nick dacht van wel.
‘We proberen hier in Libanon te doen wat juist is – voor allebei onze landen. Wij willen vrede. De Libanezen – de meeste Libanezen – verlangen naar vrede. Syrië heeft vrede nodig. Israël wil geen vrede. Amerika wil het ook niet. Engeland ook niet.’
Het was meer een vraag dan een constatering.
‘Ik werk voor de Verenigde Naties.’
Dacres gezicht kwam Nick opeens voor de geest.
‘Ik zal navraag doen.’ Daoud zette zich af van het bureau, liep terug naar zijn eigen stoel en ging zitten, waarna hij het pakje sigaretten doelloos heen en weer begon te schuiven.
‘Ik ben het grootste deel van de avond op kantoor,’ zei Nick. ‘Daarna ben ik thuis te bereiken.’ Hij haalde een van zijn visitekaartjes tevoorschijn, maar Daoud was niet geïnteresseerd.
‘We weten u wel te vinden.’
Dat klonk onheilspellend.
‘Ik wens u geluk, meneer… Lorimer.’
Ze stonden allebei op onder de strenge blik van president Hafez al-Assad.
‘Dank u,’ zei Nick.
Ze gaven elkaar nogmaals een hand.
‘Misschien heeft uw collega iets te verbergen. Als dat zo is, bewijst u hem geen gunst door naar ons toe te komen. Deze Khaled zal u er later niet voor bedanken. Misschien was hij drugssmokkelaar. Misdadiger. Of spion.’
‘Dat geloof ik niet.’
‘Was hij een vriend van u?’
‘Dat is hij nog steeds – hoop ik.’
‘Natuurlijk. Mijn Engels is niet erg goed.’
‘Het is perfect,’ loog Nick.
‘Erg aardig van u.’
Hij is me aan het uitproberen, dacht Nick. Om te kijken of ik iets achterhoud.

Nick wist dat hij met deze mensen nergens zou komen. Hij had vier uur verknoeid, maar hij had het tenminste geprobeerd.
Daoud liep mee naar de deur van zijn kantoor en deed hem voor Nick open.
'Wat denkt u er zelf van, meneer Nick?'
'Ik denk helemaal niets,' zei Nick. 'Niet echt.'
'Ik bedoelde over uw vriend.'
'Hij dacht wel bepaalde dingen. Misschien is dat zijn dood geworden.'
'Misschien wel.'
'Khaled was niet slecht,' zei Nick. 'Hij was aardig.'
Daoud glimlachte. Het was een blik die zei dat hij niets had geloofd van wat Nick had gezegd.
'Linksaf, en dan de trap af. En als u me nog een keer wilt spreken, meneer Lorimer, vraag dan maar naar kolonel Daoud. Of de Prins van de Heuvel. Dat is mijn bijnaam. Hier in de buurt kennen mensen me beter bij mijn bijnaam.' Hij haalde zijn schouders op. 'Ik weet eigenlijk niet goed waarom ze me zo noemen. Maar als u naar de Prins van de Heuvel vraagt, weten de meeste mensen wel wie u bedoelt.'

# 17

Reem liet de kleurenfoto's en de negatieven in hun oorspronkelijke gele envelop zitten en deed er een breed elastiek om, om ze bij elkaar te houden. Ze liet het pakje in haar boodschappentas vallen, een leren geval dat van boven open was. Daarna volgden haar handtas, zonnebril, lippenbalsem en een pakje papieren zakdoekjes.
De tas was erg versleten. Hij zou geen aandacht trekken.
Reem bekeek zichzelf een laatste keer in de spiegel, haalde een kam door haar haren, werkte haar ogenzwart bij.
Haar signaal was bijna meteen beantwoord.
Het was goed om het druk te hebben, om na te denken over de taak die ze moest volbrengen.
Goed om te denken, niet te voelen; om rationeel te zijn, niet sentimenteel.
Ze was nodig. Hoeveel mensen konden dat zeggen? Echt? Haar werk werd gewaardeerd. Wat ze had, wat ze wist – dat alles had de partij nodig.
Waarom, vroeg ze zich af terwijl ze met kleine teugjes haar koffie dronk in het schemerdonker van de woonkamer (vandaag durfde ze de gordijnen niet open te trekken omdat ze geen aandacht wilde vestigen op haar aanwezigheid), moest ze toch steeds denken aan het geluid van de zee, het koele zand onder haar voeten, die ongelooflijk blauwe lucht, de pure schoonheid van het oude Jbeil, en niet in de laatste plaats aan hoe Nicks kussen smaakten en voelden?
Hoe meer ze die herinnering wegdrukte, hoe hardnekkiger ze werd.
Het leek zo echt, zelfs twee dagen later nog.
Zoals hij haar had vastgehouden en zij zich aan hem had vastgeklampt; de intimiteit ervan was zo'n nieuwe ervaring dat ze er 's nachts niet van kon slapen.
In het kruisvaardersfort, op die enge, stenen trap, leunend op zijn schouders, met zijn gezicht tegen haar buik.
Zelfs als ze wel sliep, kwamen de beelden in dromen terug. Hoe ze om het

hardst met hem door het rif zwom, als een waterrat voor hem uit onder water zwom, stiekem naar hem keek toen hij naast haar lag te zonnebaden en die kuitspieren, de sterke schouders, de platte buik, de hoge ribbenkast in zich opnam.
Op dat moment was de droom vertroebeld, tot een nachtmerrie verworden. El-Hami stond op de weg op hen neer te kijken en te zwaaien.
Hij grijnsde, een groteske grimas van pijn, en toen Reem beter keek, zag ze dat hij onder zijn eigen bloed zat.
In haar droom die in een nachtmerrie was veranderd, vroeg ze Nick wat el-Hami zei.
Nick zei iets terug, maar er klonk een geraas in haar oren.
Ze werd naar adem snakkend wakker, in het donker, met de smaak van de dood in haar mond.
Overdag bleven de beelden terugkomen, alsof ze een eigen wil hadden.
De herinnering was tastbaar, had niet alleen een smaak, maar ook een geur; de geur van zonlicht en zeelucht, Nicks zilte lippen, zijn warme lijf, de wijn die ze samen hadden gedronken, de aanraking van zijn vingers.
Lieve hemel, ze leek wel een verliefde tiener.
Reem hield zich voor dat ze niet zo gek moest doen. Het zou allemaal wel weer over gaan. Ja, ze had genoten. Er was geen reden waarom ze het niet nog eens zou doen voordat haar opdracht was voltooid. Andere mensen namen zulke vrije tijd voor lief. Nick zou er waarschijnlijk niet eens bij nadenken – in het westen had iedereen vrije tijd en de middelen om ervan te genieten. Voor hem was het niets bijzonders. Ze was gewoon een zoveelste meisje. Voor Nick, de vijand van haar klasse, was het gewoon een zoveelste weekend, een zoveelste flirt, een zoveelste ontsnapping.
Niets bijzonders.
Hou op, mens. Hier is het Arabische minderwaardigheidscomplex aan het woord, het zuur van eeuwen vernedering dat aan de ziel vreet.
Houd je aan wat je kent.
Houd je aan je eigen soort.
Ze hoefde alleen maar naar de foto's van haar familie te kijken die naar haar lachten, met de kustlijn van Shikka op de achtergrond.
De kleine Michael.
Zo ernstig.
Soms had ze het gevoel dat hij nog steeds bij haar was, in de flat, en over haar waakte.

Librairie Liban in Hamra had een souterrain en een reeks ruimten die in elkaar overliepen, allemaal vol stellingen met boeken in evenwijdige rijen en tegen de muren.
Een perfecte plaats voor een vluchtig contact.
De boeken waren voornamelijk in het Arabisch met misschien een derde gedeelte in het Frans.
Reem ging naar binnen, bleef staan om haar zonnebril af te zetten, liet hem in de schoudertas vallen en liep langzaam naar beneden. Ze liep van de ene ruimte naar de andere, bleef staan om een enkel boek van de plank te nemen, door te bladeren en de flaptekst en achterkant te lezen voordat ze het weer terugzette. Reem deed dit langzaam, bedachtzaam, en telkens wanneer ze net deed of ze een boek bekeek, hief ze haar hoofd op om de bewegingen van de mensen om zich heen in de gaten te houden.
Kookboeken. Gezondheid. Psychologie.
Niet te vlug.
Doe maar rustig aan.
Een wisseling van zonlicht en schaduw, zwevende stofjes, ergens in een achterkamer het geluid van een fluitende ketel. De geur van Turkse tabak.
Er was nog één andere klant in het souterrain, een mollige vrouw met een hoofddoek en twee kleine kinderen op sleeptouw. Reem was altijd in het zicht van ten minste één verkoper, maar het personeel was totaal niet in haar geïnteresseerd. Ze zetten nieuwe boeken op de planken en droegen dozen naar boven en beneden.
Geen bewakingscamera's.
Helemaal achterin, op de kinderafdeling, vond ze wat ze zocht.
Een bovenste plank met geïllustreerde naslagwerken en kinderencyclopedieën.
Een opening tussen het vijfde en zesde boek van links, twee dikke delen met vrolijk gekleurde stofomslagen.
Hij hield haar in de gaten.
Van terzijde, met een kolossaal en heel kostbaar koffietafelboek over Islamitische wapens en wapenrusting in de hand, draaide de Ustaz zijn hoofd een beetje.
Hij stond bij het raam en de trap aan de voorkant. Het licht viel op zijn hoofd en schouders en spiegelde in zijn leesbril die op het puntje van zijn neus stond. Hij moest haar naar binnen zijn gevolgd, maar ze had hem niet gezien. Hij speelde zijn rol van academicus, gekleed in een katoenen jasje en een grijze broek.

De twee kinderen trokken hun moeder krijsend mee naar een rek met stripboeken. De moeder leek te uitgeput om zich te verzetten of te protesteren. Reems linkerhand verdween in haar tas en haalde er de foto's uit.
Reem duwde het gele pakje in de opening.
Ze draaide zich om en liep langs de planken.
Ze keek niet om.
Loop door.
Rustig.
Vermijd oogcontact, dan zal niemand zich je herinneren.
Toen ze weer buiten stond, overrompelde het felle zonlicht en het lawaai van autotoeters haar zowat. Ze voelde in haar tas naar haar zonnebril en zette hem op. Ze keek naar links, daarna naar rechts, alsof ze zich oriënteerde en probeerde te besluiten welke kant ze op moest. Toen drentelde ze naar het zuiden en keek onderhand in de etalages.
Ze bleef staan en liep weer door, nu eens sneller, dan weer langzamer.
Alsof ze naar schoenen keek.
Een stukje terug, aarzelend.
Voor een lange blik op een heel aardig paar zomersandaaltjes.
Met holle handen om te zien wat er op het prijskaartje stond.
Hemel, ze kostten dertig dollar.
Alles was tegenwoordig in dollars geprijsd nu de Libanese munt in vrije val was geraakt.
Ze liep door, en bleef weer staan.
Schoot opeens naar de overkant, tussen de door granaatscherven doorzeefde auto's door.
De gebarsten trottoirs werden bevolkt door armoedige mannen die loterijbriefjes verkochten en versperd door kraampjes met plastic schoenen en goedkoop speelgoed, venters met een tandeloze glimlach en handkarren met fruit, hele families uit de Bekaa die boodschappen aan het doen waren, geldwisselaars en krantenverkopers en bebaarde vechtersbazen die in gevechtstenue rondstapten en een kalasjnikov bij zich hadden, het drukke verkeer, de taxi's die toeterden om de aandacht van voetgangers te trekken – zoveel beweging, zoveel ogen, zoveel veelbetekenende blikken.
Syrische troepen op de kruising met een RPD-machinegeweer op een tweepoot.
Echt iedereen was een vijand.
Reem liep verder door de blauwige uitlaatgassen en stofwolken.

En hield haar rug in de gaten.
Spiegelend.

Een lucifer die werd afgestreken, het gele binnenlichtje toen het autoportier openging, opnieuw duisternis toen hij dichtging, de geur van leer en sigarettenrook. Haar knieën in een panty, het geluid van het nylon, haar nervositeit toen ze haar rok rechttrok.
De Ustaz, zijn gezicht heel even afgetekend.
Hij had heel wat vragen en veel te zeggen nadat ze verslag had uitgebracht. Ze zaten op de achterbank van een tien jaar oude, groene Mercedes die op de Corniche geparkeerd stond. De Ustaz boog zich voorover en tikte de chauffeur op de schouder. De man stapte uit zonder iets te zeggen of om te kijken en ging tegen de motorkap een sigaret staan roken. Reem kon de punt van de sigaret op en neer zien gaan.
De chauffeur was gewapend. Hij had een pistool in een schouderholster onder zijn leren jasje. Toen hij zich bewoog om achter het stuur uit te komen en zich omdraaide om het portier achter zich dicht te doen, had Reem een glimp opgevangen van de riem over zijn borst die hem op zijn plaats hield.
Er was geen maan. Het was rustig in de stad. Het Libanese leger had, met Syrische hulp, het front langs de Groene Lijn veroverd en het land leek zijn adem in te houden en zich af te vragen hoe lang dit specifieke bestand zou duren. Een paar uur? Een week?
Iedereen wachtte op nieuws van de nieuw gekozen president.
De Protector.
Er was vanavond een mensenmassa op de been die zo veel mogelijk profijt trok van de rust. Mannen en vrouwen kuierden gearmd langs. Jonge fietsers hingen in groepjes rond en andere tieners schoten op rolschaatsen voorbij.
Reem kon de waterpijpen, het gegrilde vlees, de Libanese koffie ruiken, ze hoorde flarden van West-Beiroetse gesprekken, de radio's, het zuchten van een rustige zomerzee.
De Ustaz had een paar kleine veranderingen aan zijn uiterlijk aangebracht. Hij droeg een bril met een zwaar montuur. Hij keek recht voor zich uit en hield de rijen langzaam rijdend verkeer in de gaten.
'Hoe is het met de Engelsman?'
'Lorimer? Prima.'
'Hij vermoedt niets?'

'Ik geloof van niet.'
'Je moet hem iets voor me vertellen, voor zijn vrienden op de Britse ambassade.'
'Zeker.'
'Ben je zelf naar de oostkant gereden?'
'Ik heb Lorimers huurauto geleend, een VW Golf.'
'Heb je daarmee je nieuwe vriendin Sylvie opgezocht?'
'Ja.'
'In je eentje – zonder de Engelsman?'
'Ja, inderdaad.'
De Ustaz zat doodstil met zijn handen plat op zijn knieën en zijn ogen op de buitenspiegel.
Ze dacht dat hij hem zo had afgesteld dat hij de auto's in de gaten kon houden.
'Je bent maandagochtend alleen naar Karantina gegaan?'
'Ik heb Sylvies vader bloemen gebracht als bedankje voor het gebruik van het chalet. Ze wisten niet goed wat ze met mij, de bloemen of de huurauto aan moesten. Daarna heb ik de Golf teruggebracht, zoals afgesproken, en ben per taxi de grens overgestoken.'
'Was hij er?'
'El-Hami? O, ja. Hij had het erg druk. Hij was beleefd, zei dank je wel en ging weer aan het werk. Sylvie was er natuurlijk ook. Ze is een van Antoines assistenten. Ze werkt op kantoor. Daar zijn een stuk of tien persoonlijke assistenten en typistes. Het stond ze niet aan dat ik foto's nam, maar Sylvie schoot me te hulp. Daarom zijn er maar een paar foto's van het hek en een buitenfoto van het kantoor van de Protector.'
Sylvie zou een van de slachtoffers zijn.
Reem had opeens medelijden met haar.
Haar enige gebrek was haar trouw.
Maar bij de gratie Gods –
De Ustaz onderbrak haar gedachten. 'Als er tijd voor is, zou ik graag willen dat je nog een keer naar het oosten gaat. Misschien in het weekend met Lorimer. Ik betwijfel of je het VN-voertuig zult kunnen gebruiken. De Landrover. Maar je hebt genoeg oefening gehad, niet?'
'O, ja. Dat zal geen probleem zijn.'
Een warm gevoel, een snellere hartenklop, een gevoel van prettige verwachting kwam bij Reem op – tegen haar zin. Nog zo'n weekend als het vorige? Het was bijna te mooi om waar te zijn.

Niet doen. Niet eens aan denken.
Het maakte deel uit van de nationale ziekte: kortetermijndenken.
Doe niet zo gek.
Nick was ook de vijand, hield ze zich voor. Hij kon net zomin ontkomen aan de imperialistische driften van zijn land als aan zijn eigen soort. Zijn naïviteit, zijn onwetendheid van de strijd, zijn liberale afkomst, niets van dat alles kon hem redden van zijn plaats in de orde der dingen. En zo hoorde het ook.
Waar sentimentaliteit is, is geen ruimte voor waarheid.
Ze moest zich daar nu niet door laten verblinden.
'Het is een kwestie van dagen.'
'*Akeed.* Natuurlijk.'
'Ik moet je eraan herinneren dat deze tijd – de dagen voor de grote operatie – uiterst gevaarlijk is. Terwijl we ons op onze zet voorbereiden, geven we ons bloot. Iedereen is tegen ons. De falangisten, de zionisten, hun Amerikaanse vrienden, de Britten en de Fransen, zelfs de Syriërs. Begrijp je?'
'Natuurlijk.'
'We moeten de uiterste zorgvuldigheid betrachten. Beroepsmatigheid doet er nu meer toe dan ooit – je moet je aan de regels houden. Je moet extra oplettend zijn.'
'Ja, oom Faiz.'
'Als Lorimer je iets over Khaled vertelt – iets wat hij over zijn verdwijning of zijn weer verschijnen ontdekt – moet ik ervan weten.'
Reem wist dat ze niet moest vragen waarom.
'En dan nog iets. Het is heel belangrijk. En eigenlijk waarom ik je wilde zien. Je hebt ooit gezegd dat, als er een operatie tegen el-Hami zou komen, jij de trekker wilde overhalen. Dat was de uitdrukking die je gebruikte. Weet je nog?'
Reem veegde haar klamme handpalmen aan haar rok af.
Haar hart sloeg een roffel, tromgeroffel bij het schavot.
'Zeg eens, denk je er nog steeds zo over? Of ben je van gedachten veranderd?'
'Er is niets veranderd, Ustaz.'
Zijn toon was geduldig, vriendelijk.
'Het was niet alleen in het vuur van het moment? Wees eerlijk, Reem. Tegenover jezelf en tegenover mij. Het is heel normaal om twijfels te hebben. Als we ze niet hadden, zouden we niet menselijk zijn. Het is geen schande.'

Er kwam een verkeersagent in grijs voorbij. Hij wierp een blik op de auto.
'Nee. Natuurlijk niet.'
Ze was bang. Natuurlijk was ze bang. Daar was niets mis mee. Ze was vaak bang geweest. Moed bestond eruit je angst onder controle te houden, hem te gebruiken. Het had geen zin om dat allemaal met de Ustaz te gaan zitten bespreken. Hij zou ongerust worden als ze niet nerveus was. Alleen domme mensen of mensen zonder enige verbeelding ontbrak het aan die noodzakelijke rilling van angst die de zenuwen en intuïtie scherp houdt. Hoe dan ook, hield ze zich voor, ze kon nu niet meer terug. Dat zou beschamend zijn.
Laf.
De leren zitting kraakte toen hij zich naar haar toe draaide. Hij zat zo dichtbij dat ze de olijfoliezeep die hij gebruikte, kon ruiken.
Hij zei heel rustig: 'Hoor eens, Reem. Je hebt me ook ooit gezegd – meer dan eens, maar dat was een hele tijd geleden – dat je een kwaliteitsoperatie wilde. Weet je nog?'
'Ja.'
'Wil je dat ook nog steeds?'
Reem knikte, maar dat kon hij niet hebben gezien.
Haar keel zat dicht. Ze slikte voordat ze antwoord gaf.
'Ja. Heel erg.'
'Ik wil dat je hier lang en goed over nadenkt, Reem.'
Hij zweeg even.
'Reem?'
'Ja.' Het kwam er schor uit.
'Niemand verwacht dat je een martelaar wordt. Dat weet je best. Ik verwacht het niet van je. De partij verwacht het niet van je. Ik vraag het niet eens van je. Er is geen tekort aan vrijwilligers. Ze staan in de rij. We wijzen negenennegentig procent af. We nemen alleen de besten. We kunnen je niet opdragen om dit te doen. Begrepen?'
Reem haalde diep adem. 'Ja, oom Faiz.'
Was ze niet de beste? Had ze het recht niet verdiend?
'Denk er goed over na. Je hebt een heel leven voor je. Je bent jong. Je bent knap. Je bent intelligent. Je hebt alles om voor te leven. Alles. Je bent in het oosten geweest. Je hebt een dag of twee een leven geleid dat je bijna normaal moet hebben geleken. Je hebt gezien dat het ook anders kan.'
Alles om voor te leven?
Nee, dacht ze. Niet voor mij.

Ik en mijn soort hebben alles om voor te sterven.
'Beloof me dat je er heel goed over na zult denken. Toen je voor het eerst bij me kwam, heb ik mijn uiterste best gedaan om je te ontmoedigen, omdat je vanaf het begin zei dat je een martelaar wilde worden. Ik was wreed. Ik heb je vernederd. Ik heb je beledigd. Ik heb je het laagste soort werk laten doen. Ik heb je dag en nacht laten werken zonder je ervoor te betalen. Je was destijds nog te arm om zelfs maar te eten. Weet je nog? Ik heb alles geprobeerd wat ik kon bedenken om je ervan af te brengen – om je weg te jagen. Ik heb mezelf voorgehouden dat je niet wist wat je vroeg. Ik dacht dat je een romantica was – dat je er niet goed over nagedacht had. Je was het laatste overlevende lid van je familie en wat mij betreft was dat een heel goede reden om te blijven leven. Ik wist dat ik je op andere manieren goed kon gebruiken. Ik had gelijk. Herinner je je de ruzies nog die we hebben gehad?'
Ze kon geen woord uitbrengen.
'Ik heb je onderschat. Ik bied je mijn verontschuldigingen aan. Je bent steengoed in wat je doet. Je bent een natuurtalent. Je bent een van de beste leerlingen die ik ooit heb gehad. In vele opzichten ben je beter dan ik – en mettertijd zul je me in alle opzichten overtreffen. Je zou uiteindelijk mijn positie in de organisatie kunnen overnemen – als je het overleeft. Je kameraden achten je zeer hoog. Denk er goed over na, Reem. Je bent inmiddels als een dochter voor me. Er komen nog andere operaties, andere kansen.'
Bij het woord dochter kreeg Reem opeens zin om te gaan huilen, zo helemaal niets voor haar, een vlaag van zelfmedelijden die ze snel onderdrukte. Ze hield zich voor dat ze alleen maar moe was. Ze gedroeg zich zwak. Het zou een stuk beter gaan als ze eenmaal met de bijzonderheden bezig was, met de praktische kant van het voorbereiden van de aanslag.
Hij had zich weer afgewend en hield in het zijspiegeltje de auto's in de gaten. 'Je hebt de foto's genomen. Je hebt gezien hoe het doelwit werd beschermd. Je hebt het Kaslin-chalet gezien en maandagochtend ben je naar Karantina geweest. Van wat je hebt gezien en van die foto's van je, zul je wel hebben beseft dat degene die el-Hami executeert het niet zal overleven. Deze keer wordt het geen kogel uit een krachtig geweer hoog op een dak, geen pistoolschot van dichtbij, en zelfs geen granaat uit een passerende auto. Niet zoiets gemakkelijks. Dat heb je al door. Ik weet dat je het door hebt. Je hebt het van alle kanten bekeken. Ik ken je te goed, Reem. Het wordt een kwaliteitsoperatie. Met veel slachtoffers. Veel. Ook burgers. Dus denk er goed over na en geef me dan je besluit. Beloof me dat je er goed

over na zult denken en dat je het naar waarheid zult zeggen.'
Naar waarheid?
De waarheid was voortdurend om hen heen.
Haar broer was de waarheid. Haar zusjes. Haar moeder.
Een vader die had geprobeerd hen te beschermen.
Het thuis dat ze nooit had gezien.
'Dat beloof ik.'
Wat kon ze anders zeggen of doen?
Ze maakten een afspraak voor hun volgende ontmoeting.
De Ustaz draaide zijn raampje omlaag.
Hij klonk kortaf. 'Bilal – *yalla*. Ga mee. We zijn klaar.'
De chauffeur gooide zijn derde sigaret weg.
Bilal deed het portier open, wierp een blik om zich heen en ging weer achter het stuur zitten.
Als ze nu niets zei, dacht Reem, kon ze niet meer terug.

# 18

Nick had nog nooit een lijk gezien.
Niet van dichtbij.
Niet in het echt.
Een lichaam op een foto of een scherm stinkt niet.
Anders ook, omdat dit geen vreemde was die ooit in het wasachtige, opgezwollen, mensachtige ding op de metalen tafel had gehuisd.
Er waren twee oudere mannen met een groen plastic schort voor die de lijken voorbereidden voor een bril dragende patholoog. De patholoog praatte onder het werk. Hij was in de dertig, prikkelbaar door slaapgebrek, met donkere kringen onder zijn ogen, en hij sprak in snelle uitbarstingen van informeel Arabisch terwijl hij mes en zaag hanteerde.
Toen de politieman knikte, trok één assistent het laken weg en vouwde het geroutineerd terug zodat een afhangende kaak, de dode, gesmolten ogen als van een vis, de gapende schotwond, de slappe penis, het wasachtige vlees met gematteerd lichaamshaar, de grijsblauwe plekken op borst en dijen, de bebloede voeten zichtbaar werden.
De toppen van de vingers en tenen waren opengereten. Ze zagen er zwart uit in het onverzoenlijke, helle licht van de tl-verlichting.
Nick stond als verstijfd in ruimte en tijd, niet in staat om zich te bewegen, niet in staat om zijn ogen af te wenden. Hij wilde wel, maar om de een of andere reden kon hij niet.
Een stem zei: '*C'est lui?*'
Nick knikte.
'*Oui?*'
'Ja. *Oui.*'
Hij was het. Was het ooit geweest. Nu niet meer.
God helpe hem.
Een andere, diepere stem zei in het Engels: 'Teken. Hier.'
Een vinger wees. Nick zuchtte. De woorden waren in het Arabisch en het

Frans en hij nam niet de moeite om ze te lezen. Hij kreeg de woorden niet goed in beeld. Hij gebruikte de balpen die met een touwtje aan het klembord zat.
Het klembord verdween uit zijn gezichtsveld.
Iemands hand op zijn arm.
Die hem terugtrok.
De arme ziel.
'Ik denk niet dat u wilt blijven als hij aan deze begint,' zei de stem. Bars, maar niet onverschillig.
De stem van een politieman.
'Ga mee, meneer.'
Hij kon maar beter weggaan. Nu. Hij had gedaan wat van hem werd gevraagd. Een van de mannen liep naar het lijk toe dat Nick had geïdentificeerd als het stoffelijk overschot van zijn vriend en collega Khaled Mrabat alias Saad. De man had een scalpel in zijn rechterhand.
'Gas.'
Nick was niet snel genoeg.
Het mes werd op de buik neergelaten – werd er recht in gezet.
Misschien een centimeter. Minder.
Zo scherp dat er niet op hoefde te worden gedrukt.
Er klonk gesis toen de druk afnam. De lucht trilde van de hitte uit het gaatje. Nick strompelde naar de deur met zijn hand voor zijn neus en mond en struikelde bijna over de andere lijken.
Hij rende naar de rand van het parkeerterrein en gaf over onder de haag van evergreen.
De smeris keek opgelaten, dat was alles.

Nick was wakker geworden van de telefoon. Het was nog donker en in zijn verwarring mepte hij het toestel van het nachtkastje. Hij verrekte bijna een spier toen hij over de grond graaide om te proberen het rotding te vinden.
'Monsieur Nicholas?'
Volgens de wekker was het vier uur in de ochtend.
'*Je suis désolé*, M'sieu Nick.'
'Wat?'
'*C'est moi*, Nicholas. Elias, *tu sais. Toujours à votre service.*'
Toujours klote-toujours.
Elias verloor geen tijd. Een kwartier later stond hij met zijn eigen auto voor Nicks flatgebouw en hij was niet alleen. Daoud was bij hem. Toen Elias hen

aan elkaar voorstelde (zich er niet van bewust dat ze elkaar al hadden ontmoet), deed hij zijn metgezel de uitzonderlijke eer aan zijn rechterhand op zijn hart te leggen en tegelijkertijd een klopje op zijn eigen hoofd te geven. Alleen een hoge Syrische *Moukhabarat*-functionaris was, naar Elias' inschatting, zoveel eer waard.
'Jullie kennen elkaar?'
Nick glimlachte en stak zijn hand uit. Daoud greep hem.
'Kolonel.'
'Meneer Lorimer.' Daoud knikte stijfjes. 'Hoe gaat het met u?'
De geheim agent had een escorte meegebracht. Dat bestond uit een oude GAZ-6 met stompe neus, een bemodderde jeep van sovjetmakelij met een canvas dak en de gele cobra van een Syrische legerdivisie op de carrosserie. Er zaten vijf piepjonge Syrische dienstplichtigen in gepropt die er doodmoe uitzagen, met smerige gezichten onder hun helmen en zulke oude kalasjnikovs in hun greep dat het blauw helemaal van het metaal was afgesleten, zodat ze in het gereflecteerde licht wel van zilver leken.
Elias was met zijn eigen auto, een enorme Chevrolet met vinnen.
Daoud zat naast hem.
Nick zat somber in elkaar gedoken op de achterbank.
Hij moest voortdurend gapen.
De jeep vormde de achterhoede.
Elias keek naar hem in het achteruitkijkspiegeltje.
'*Préparez-vous*, M'sieu Nick.'
'Wat? Wat zei je?'
Ze draaiden het terrein van het Amerikaanse universiteitsziekenhuis op en stopten voor het mortuarium.
Ze moesten over en om de lijken heen. Zoveel waren het er. Ze lagen buiten, opgestapeld als brandhout, op identificatie te wachten.
'Een slechte nacht,' zei Daoud in het Engels. 'Het bestand is naar de sodemieter.'
Nick besefte dat hij erdoorheen had geslapen, wat het ook was.

De patholoog verontschuldigde zich. De omstandigheden, zei hij met een glimlachje, waren verre van ideaal. Ze werkten de klok rond, vierentwintig uur per dag. Zelf had hij drie diensten achter elkaar gedraaid. Sommige personeelsleden konden gewoonweg niet op hun werk komen.
De dood was ongeveer vierentwintig uur geleden ingetreden. Omstreeks middernacht de vorige nacht, misschien wat later, maar bijna zeker voor het

aanbreken van de dag. De doodsoorzaak was een schot achter in het hoofd. Een patroon van een groot kaliber, waarschijnlijk uit een pistool, van dichtbij afgeschoten.
Hij had een deel van de schedel weggeslagen.
Het slachtoffer was enige tijd voor hij overleed in elkaar geslagen. Hij had twee gebroken ribben. Hij was gemarteld. Er zaten brandwonden op zijn voeten, op zijn geslachtsdelen, en zijn vingernagels waren uitgetrokken. Vermoedelijk in situ.
Zijn polsen waren nog geboeid toen hij was doodgeschoten.
Gezien de hoek van inslag had hij naar alle waarschijnlijkheid op zijn knieën gelegen toen ze hem hadden afgemaakt. De schutter had iets opzij van hem gestaan en de kogel was vlak achter het oor de schedel van het slachtoffer binnengedrongen.
De patholoog spreidde zijn pianistenhanden en zei tegen Nick: 'Monsieur, als het enige troost is, het was tegen die tijd waarschijnlijk een opluchting.'
Nick zei niets.
Hij dacht: de familie mag het nooit weten.
Tegen de tijd dat Khaleds stoffelijk overschot werd gevonden, was rigor mortis ingetreden en weer verdwenen. Aasvliegen, de eerste van vele zwermen insecten die neerstrijken op een lichaam dat om deze tijd van het jaar buiten wordt achtergelaten, waren al aan het werk gegaan.
Het slachtoffer had zich verzet. Er zat weefsel – niet zijn eigen – onder zijn nagels. Het bloed in zijn mond was van een andere bloedgroep. In dit geval O-positief. Khaled was AB-negatief – vrij zeldzaam.
'Misschien heeft hij zich verzet toen ze hem meenamen,' opperde de politieman, een oudere inspecteur in burger. 'Een hap uit een van de handen van zijn ontvoerders genomen, of misschien uit een oor.'
Dit O-positieve bloed had zijn kleren bevlekt, samen met zijn eigen, overvloediger, lichaamsvocht.
Ze waren met een heel stel. Elias, die zelfs op dit tijdstip hoffelijk was; Daoud, in een zwartleren jack, zich ten volle bewust van de angst die zijn aanwezigheid iedereen, behalve Nick, inboezemde; de naamloze politie-inspecteur, volslagen machteloos, met als enige taak het afstempelen van de papierwinkel (letterlijk); en Nick zelf, zich bewust van zijn gebrekkige Arabisch, pogend de verholen blikken en glimlachjes te interpreteren. Ze rookten allemaal onbeschaamd Elias' dure Turkse sigaretten tot ze op waren. Elias leek het niet te kunnen schelen. Integendeel, hij leek het juist op te vatten als compliment dat hij een goede smaak had. De Syrische soldaten

zaten ongemakkelijk te draaien in hun voertuig. Zonder Daouds toestemming durfden ze geen stap te zetten.
Een van de assistenten kwam uit het lijkenhuis.
'Zijn bezittingen.'
Hij overhandigde een bruine papieren zak.
Nick tekende ervoor. Daoud keek over zijn schouder toe.
De Syriër zei dat een patrouille van zijn troepen Khaled in een afwateringsgreppel in de buurt van Basta had gevonden. Op zijn zij, in foetale houding, met nog geboeide handen, onder blad en afval. De plek was vlak bij de Groene Lijn. Er waren tuinen, lage muurtjes, een paar bomen, hoog gras. Met andere woorden, goede dekking. Het was een buurt waar drugsgebruikers en homoseksuelen kwamen als er niet werd gevochten, zei hij.
Als er schermutselingen waren, zat het er vol scherpschutters.
Niemand zou in een dergelijke buurt alarm hebben geslagen.
Niet 's nachts.
Het was geen buurt waar gezagsgetrouwe burgers kwamen, zelfs overdag niet.
Kreten om hulp, schreeuwen van pijn, het geluid van de genadeslag – het was tegenwoordig niets ongewoons in de stad.
De politie-inspecteur voegde er bot aan toe dat het gangbare tarief voor een moord in Beiroet vijftig Amerikaanse dollar was. Zijn opmerking werd genegeerd.
Daoud vroeg of Nick de plaats wilde zien waar het lichaam was gevonden.
Nick schudde zijn hoofd.
'Nee, bedankt.'
'Mogen mijn soldaten dan weg? Dit zijn de mannen die het lijk hebben gevonden. Hun dienst zit er al een hele tijd op. Misschien wilt u nog met hen praten? Misschien dat ze dat in New York van u verwachten.'
'Natuurlijk mogen ze weg.'
'Geen vragen – weet u het zeker?'
Daoud leek bijna teleurgesteld.
'Nee, het is wel goed, dank u.'
'Meneer Lorimer, ik vroeg u eerder wat u er zelf van dacht. Weet u nog?'
'Misschien is hij wel vermoord door iemand die Palestijnen of radicalen haatte, of Arabieren in het algemeen,' zei Nick. 'Dat zou praktisch iedereen kunnen zijn. Het spijt me.'
'Of misschien was het iets persoonlijks,' zei Daoud. 'Misschien had het iets

met een vrouw te maken.'
'Je martelt iemand niet als je jaloers op hem bent.'
'U hebt gelijk. Waar was u gisteravond?'
'Thuis. Ben ik nu een verdachte, kolonel?'
'Was er iemand bij u die dat zou kunnen bevestigen?'
Nick fronste. 'Nee kolonel. Er was niemand bij me.'
De politie-inspecteur nam geen deel aan deze woordenwisseling. Hij had Daouds rapport. Dat was voldoende.
Hij durfde niets anders te zeggen.
'Bedank de soldaten, wilt u?' zei Nick tegen Daoud. 'Bedank hen namens de Verenigde Naties. Het spijt me dat ze zolang uit bed zijn gehouden.'
'Dat geeft niet,' zei Daoud. 'Het is hun plicht.'
Wilde Nick de nabestaanden op de hoogte brengen en Khaleds bezittingen teruggeven?
Dat was niet veel. Een goedkoop horloge, een kam, het equivalent van zeven dollar en drieëntwintig dollarcent, gerekend naar de wisselkoers van de vorige dag, een paar sleutels, twee balpennen en een pakje kauwgum. Het meest persoonlijke item was een negen karaats gouden ketting met een medaillon met een miniatuurpagina uit de koran.
Geen identiteitskaart, geen rijbewijs.
'Hij had een adresboekje,' zei Nick tegen Daoud. 'Blauw. Met een harde kaft. Daar schreef hij contactpersonen in en zo – adressen en telefoonnummers van mensen die hij bij zijn VN-werk ontmoette.'
Het was nergens te bekennen.

Nick kon Reem die dag niet uit zijn hoofd zetten.
Hij had het te druk om echt aan haar te denken, al vroeg hij zich op een gegeven moment af, vlak na de begrafenis die avond – de meeste begrafenissen werden snel gehouden, en 's avonds, zodat de nabestaanden geen vijandelijk vuur uit het oosten zouden aantrekken – of ze net zoveel aan hem dacht als hij aan haar.
Waarschijnlijk niet.
Maar hij had haar nodig. Hij moest met haar praten. Het was de ergste, de allerergste dag sinds zijn aankomst geweest. De spitsroeden van de Groene Lijn lopen, was niets vergeleken hiermee. Hij wilde er vreselijk graag over praten. Het ironische was dat hij dat met Khaled zou hebben gedaan, toen die nog leefde. Zijn enige goede vriend. Nick zou bij een paar biertjes zijn hart hebben uitgestort in de veilige wetenschap dat Khaled, als hij hetzelfde wilde

doen, altijd op Nick kon rekenen voor een meelevend en kritiekloos oor.
Maar zijn vriend Khaled was dood.
Het was moeilijk.
Nog moeilijker om te accepteren dat Khaled in een armoedige hut had gewoond met een gezin waar hij het nooit over had gehad. Toen ze Khaleds stoffelijk overschot in het graf hadden laten zakken en zijn Koerdische weduwe aan haar haren had getrokken en had gekrijst en zich in de armen van haar ernstige verwanten in allerlei bochten had gewrongen, besefte Nick voor het eerst hoezeer hij zijn vriend miste. En hoe weinig hij van hem wist.
Die middag hadden Elias en hij persoonlijk bloemen besteld bij een bloemenwinkel in Sanayeh die werd gerund door een identieke tweeling met een identieke snor, Baptiste en Claude. Ze kochten zo ongeveer de hele winkel leeg omdat ze bloemen kochten namens het plaatselijke personeel, het regionale management en de VN-secretaris-generaal zelf. Nick had zelf ook nog bloemen gekocht, een tiental mooie gele rozen uit de Bekaa, van zijn eigen geld, en had de tijd gevonden om ze thuis te brengen en in de gootsteen te zetten, vastbesloten om ze later naar Reem te brengen.
Het was te laat om haar op haar werk te bellen.
Haar nummer thuis had hij niet.
Het was Rue 68, het Daouk-gebouw. Dat wist hij wel. Maar Nick wist nog steeds niet zeker op welke verdieping ze woonde. Had ze de vijfde gezegd of de zesde? Had ze eigenlijk wel iets gezegd?
Hij probeerde zich haar voor de geest te halen in het trappenhuis, de nacht van het artilleriebombardement. Hij herinnerde zich dat hij over de benen van haar buren heen naar boven was geklommen, langs de vrouwen en kinderen, door de sigarettenrook, en dat hij over eet- en drinkgerei en dekens heen was gestapt.
Naderhand, toen de begrafenis voorbij was en hij de begrafenisondernemer had betaald, het bedrijf dat de huurauto had geleverd die als lijkwagen had gediend, en mevrouw Saad (of was het Mrabat?) een envelop met geld had overhandigd – de VN-gratificatie van haar man, had hij het tactvol genoemd – liep hij naar huis en sloeg het aanbod van een lift van Elias en andere collega's af. Elias had erop aangedrongen dat hij een taxi zou nemen. Hij had gezegd dat hij dat zou doen, maar hij was het niet van plan. Hij wilde wat ruimte, wat frisse lucht. Hij wilde alleen zijn.
Maar aan de noordkant van Hamra had hij het gevoel dat hij in de gaten werd gehouden. Hij dacht dat hij een gehavende Volvo een hoek om zag gaan, maar toen hij weer keek, was er niets te zien.

Hij hield zich voor dat hij zich dingen verbeeldde.
De winkeliers hadden hun rolluiken al lang laten zakken.
Er was niemand op straat.
Alleen katten en ratten.
In de verte klonken sirenes van politie en ambulance.
Weer een autobom, weer een schietincident.
Weer dat gevoel van ogen die in zijn rug brandden.
Nick keek over zijn schouder. Het was doodstil op straat.
Hij zou zich wel vergissen. Hij was moe, schrikkerig, gespannen van al dat gepraat over de dood, de aanblik van Khaleds naakte lichaam en zijn opengereten vlees en van het zich voorstellen hoeveel pijn hij moest hebben geleden en hoeveel vernedering hij moest hebben ondergaan voordat het voorbij was.
Waarom? Wat hadden zijn beulen gewild?
Hij liep tussen de Zwitserse en Franse ambassade door naar zijn flatgebouw. Hij kon zijn flat en twee van zijn balkons al recht voor zich uit zien. Rechts van hem glansde maanlicht op de helm van een Franse marinier die van zijn ene voet op zijn andere ging staan in een bunkertje op de muur van de ambassade.
Hij had kunnen zweren dat hij voetstappen achter zich hoorde.
Nick draaide zich nog een keer om, maar er liep niemand achter hem.
'Je bent behoorlijk in de war,' mompelde hij binnensmonds. 'Niets wat niet met een behoorlijke nachtrust op te lossen is.'
Toen hij weer in zijn flat was, sloot hij zich er veilig in op, schonk zich een driedubbele Jameson in, liep naar de grootste slaapkamer, schopte zijn schoenen uit, ging op zijn extra grote bed tegen de kussens liggen en hield zich voor dat hij even moest bijkomen. Zijn kleren stonken nog naar ammoniak van het mortuarium. Hij beloofde zichzelf dat hij zich zou opfrissen en omkleden en dat hij Reem ging opzoeken. Hij miste haar.
Dat wilde Nick haar gewoon vertellen.
Alleen en zonder iemand erbij.
Hij viel in slaap terwijl hij aan haar dacht, in gedachten haar glimlach zag en zich voorstelde hoe het zou zijn om te worden gevraagd haar bed te delen.

Pas de volgende ochtend, toen Nick naar beneden ging, naar de parkeerkelder onder het gebouw, zag hij dat zijn Landrover 110 niet op zijn gebruikelijke plaats tegen een van de crèmekleurige muren stond.

Hij stond in de parkeerkelder met de rozen in zijn hand en probeerde te bedenken hoe dit kwam. Zijn parkeerplaats, nummer 5A tussen een rode Ferrari en een zwarte BMW, was leeg. Hij wist dat hij het voertuig de vorige dag helemaal niet had gebruikt. Hij was bijna van begin tot eind passagier geweest in Elias' Chevrolet, die zo onpraktisch was in de nauwe straten van Beiroet. Had hij er gistermiddag gestaan, toen hij met de bloemen terugkwam? Was hij er gisteravond geweest, toen hij doodmoe thuiskwam, bang voor zijn eigen schaduw?
Hij kon het zich niet herinneren.
Hij had niet gekeken.
Waarom zou iemand een Landrover willen stelen, een Defender die hoog op de wielen stond, een witte nog wel, die duidelijk opviel als VN-voertuig? De milities hadden het liefst BMW's en Golf hatchbacks, en de gebruikelijke manier om ze te stelen, was door een bestuurder bij rood licht een geweer tegen zijn hoofd te zetten, hem eruit te gooien en zijn auto en zijn sleutels in te pikken. Hem uit de parkeerkelder stelen was veel moeilijker, en een VN-voertuig zou opvallen in de kapotte straten van Beiroet. Dus waarom zoveel moeite doen? En hoe hadden de dieven hem het terrein af gekregen zonder de elektronische sleutel of de cijfercombinatie om het hek te openen? Misschien dat de conciërge er iets van wist.
Het was niet alleen een kwestie van een gestolen auto. Autodiefstal was in Beiroet heel gewoon. Met het verlies van de Landrover was Nicks zeepbelletje van beschermd buitenlanderschap doorgeprikt. Eerst was het Reem, nu de auto. Hij had het gevoel dat hij onbeschut, kwetsbaar was, dat hij in de maalstroom werd meegesleurd. Zijn VN-paspoort, zijn jeugd en zijn onschuld hadden als voodoo-amulet tegen het kwaad van bezoedeling door deze oorlog gewerkt, maar die magie zou hem nu niet meer beschermen, niet voor zijn gevoel en ook niet voor het gevoel van anderen.
Nick klopte op zijn zakken. Hij had zijn sleutels nog.
Jammer van de rozen. Ze begonnen al te verwelken.
Er kwam nog iets anders bij hem op.
Dat had hij in het ziekenhuismortuarium naar voren moeten brengen. De gedachte, of liever de vraag, was er wel geweest, maar was weer verdwenen bij de aanblik en de stank van wat er van Khaled over was, bij de aanwezigheid van Daoud en de onderdanigheid van Elias. Als Khaled inderdaad geen gelamineerde Libanese identiteitskaart of rijbewijs bij zich had gehad toen hij was gevonden, hoe hadden ze het stoffelijk overschot dan kunnen identificeren als dat van Khaled?

# 19

Reem kon weinig meer doen dan luisteren toen Nick haar vertelde wat Khaled was overkomen. Ze kon niet veel zeggen, in elk geval niets wat zou helpen, en ze redeneerde dat hoe minder ze zei, hoe beter.

Hij had haar geruststelling nodig. Hier in Libanon had ze het gevoel dat zij de leiding had. Van hen tweeën was zij de dominante partner. Zij wees hem de weg. Zij leidde. Dat stond haar wel aan. Zo had ze het 't liefst. In Engeland zouden de rollen ongetwijfeld omgekeerd zijn geweest. Daar zou hij leiden, de gids spelen, zich gedragen als de traditionele man. In zo'n vreemde en onbekende omgeving zou zij de rol van volgzame, van vreemdeling moeten spelen.

Nick was diep geschokt en toen hij haar van zijn bezoek aan het mortuarium vertelde, was hij bijna in tranen. Het was duidelijk dat zijn verdriet over Khaleds dood werd geëvenaard door een toenemend gevoel van afschuw over wat Khaled moest hebben doorstaan in de uren voor zijn dood. Ze wist dat het een vertraagde reactie was. Ze had het al eerder gezien. Nick was behoorlijk overstuur. Hij had ook moeite met het feit dat hij zo weinig van zijn vriend wist, dat Khaled hem zo weinig van zijn privéleven had willen vertellen.

Voorzover dat weinige tenminste waar was.

Waren die verhalen leugens geweest? Of was Khaled echt een rokkenjager met een gecompliceerd en contraproductief liefdesleven? Had hij het allemaal verzonnen om Nick te amuseren tijdens die braspartijen in clubs en bars? Waren de onzekerheid, de verwarring, de hilarische miskleunen, de eindeloze grappen die over hem werden gemaakt, allemaal leugens? Was de relatie, van Khaleds kant bezien, alleen bedacht om een verwaande buitenlandse betaalmeester te amuseren en op afstand te houden? Had Khaled Nick aan het lijntje gehouden en hem afgezonderd door sterke verhalen over zichzelf te verzinnen, door de westerse manier van doen na te apen en net te doen of hij van hun drinkgelagen genoot? Hoe kwam hij aan het geld – had hij loon verpatst dat hij aan zijn vrouw en kind had moeten besteden in het armzalige krot dat hij een thuis noemde? Was Nick zo ongevoelig dat hij niet had beseft dat het karige loon dat Khaled bij de Verenigde Naties verdiende niet genoeg was voor een dergelijke manier van leven, met rondjes geven in Sammy's Bar en andere clandestiene kroegen?

En waarom had hij twee namen?

Hij kon alleen maar zeggen, en dat was de waarheid, dat hij niets van Khaled Saad alias Mrabat wist.

Was de kloof tussen Libanees en westerling zo onoverbrugbaar? Nick was onzeker, maar Reem zag wel dat de hele kwestie hem had gedeprimeerd, zijn zelfvertrouwen had geschaad en zijn gevoel van anderszijn had versterkt. Haar reactie was niet geheel en al meevoelend. Zonder het echt te willen, was ze stiekem blij dat deze vrij zelfvoldane westerling er eindelijk achter begon te komen hoe het voelde om bij een gewelddadig voorval een bijzonder iemand te verliezen.

Reem zei niets over kolonel Daoud, de Prins van de Heuvel, of hoe zij zelf door zijn toedoen had geleden bij haar laatste proef als aspirant-verzetsstrijder.

Vergeleken met Khaleds beproeving was wat haar tijdens haar training was overkomen, kinderspel geweest.

De Ustaz wilde op de hoogte worden gehouden, telkens wanneer ze nieuws van Khaled had, maar ze was nu aan de oostkant met Nick voor wat waarschijnlijk hun laatste keer samen was. Ze kon geen contact opnemen met haar 'oom Faiz'. De telefoon kon ze niet gebruiken. Tenzij ze naar de westelijke sector terugging, zou het nieuws van Khaleds dood moeten wachten tot ze terugkwam.

Ze had Khaled nooit ontmoet. Tot de Ustaz over de kwestie was begonnen, had ze hem nooit met de partij in verband gebracht, maar nu ze op zaterdagochtend met Nick in Jounieh koffie zat te drinken, begon ze het zich toch af te vragen.

Reem wilde niet aan teruggaan denken.

Elk uur dat ze samen hadden, was kostbaar. Ze was vastbesloten om de tijd die hun nog restte zo goed mogelijk te benutten, zelfs als dat inhield dat ze zich niet aan de partijdiscipline hield.

Het was haar laatste weekend.

'Dat vergat ik bijna,' zei Reem.

Ze zette haar koffiekopje neer.

Nick draaide zich naar haar toe.
'Er komt een grote aanval.'
Haar toon was vlak, ongeïnteresseerd.
'Hoe bedoel je?'
'Er komt een militair offensief op Souk al-Gharb. Ken je dat?'
'Nooit van gehoord.'
'Het is een dorp, Nick. Tot dusverre is het ten minste drie keer in andere handen overgegaan. Het is maronitisch – dat was het althans toen er nog mensen woonden. Er wonen er nog steeds een paar. Hoe, dat kan ik me niet voorstellen. Het ligt in de heuvels boven de snelweg, net ten zuiden van Beiroet. Een landbouwgebied. Het is een rug met verscheidene heuvels.' Ze legde een hand met de palm omlaag op tafel tussen hen in, en maakte er toen een vuist van. 'Zoals dit. Een vuist van land met vijf heuvels of gewrichten, het kijkt uit op de kustweg en de zuidelijke voorsteden, en het dorp op de helling van de grootste heuvel is Souk al-Gharb.'
'En waarom vertel je mij dit?'
'Omdat je moet oppassen, Nick. De andere kant zal West-Beiroet onder vuur nemen om het de families van de strijders betaald te zetten. Om hun moreel te schaden. Als vergelding, vooral tegen burgers. Dat doen ze altijd. Een truc die el-Hami van de Israëliërs heeft geleerd. Volgens mij wordt het deze keer heel erg. Je moet in de schuilkelder van je flat gaan slapen en misschien je personeel waarschuwen. Zeg alleen tegen niemand dat ik het je heb verteld.'
'Natuurlijk niet. Wie gaat aanvallen?'
Ze boog zich naar voren en dempte haar stem. 'Onze mensen.'
'Onze mensen?'
God, waarom was hij vandaag zo traag van begrip?
Reem keek om zich heen om er zeker van te zijn dat niemand hen kon horen. Dit was tenslotte Jounieh. Terrein van falangisten en Libanese strijdkrachten. Ze zaten in een restaurant op de eerste verdieping. Het maakte deel uit van een groot complex van glas en beton, Espace 2000, met bioscopen en boetieks. Veel van de winkels stonden leeg met bordjes TE HUUR. De weinige mensen die er ronddwaalden waren kinderen, tieners die naar een vroege voorstelling gingen van een groots opgezette Hollywoodfilm met een Australiër met lang haar in de rol van afvallig geheim agent. Kinderen kregen nooit genoeg van wapens en moorden.
In het restaurant op de eerste verdieping had de dienstdoende kelner liggen slapen op een van de leren banken. Hij leek het niet erg te vinden dat hij

wakker werd gemaakt om koffie en ijs te serveren.
Van een buitenlander kon hij een behoorlijke fooi verwachten.
Nick herhaalde de vraag.
'Hoe bedoel je: onze mensen?'
'Onze mensen in het westen. Wie anders?' Hoe naïef kon Nick zijn na – wat was het: een maand? 'De PSP (Progressieve Socialistische Partij, *vert.*), Amal, de SNSP (Syrische Nationaal Socialistische Partij, *vert.*), de communisten – wat we vroeger de Beweging noemden. Ze gaan posities van het Libanese leger en de falangisten aanvallen, proberen om ze van de heuvelrug te krijgen.'
'Waarom?'
'Omdat we het spelletje van el-Hami willen verpesten. Als hij over een paar weken eenmaal in het presidentiële paleis zit, gaat hij een verdrag met Israël tekenen en een offensief beginnen met luchtsteun van de Verenigde Staten, misschien met rechtstreekse hulp uit het zuiden. Hij zal proberen op te trekken vanaf Souk al-Gharb, de heuvelrug af, om Beiroet doeltreffend van het zuiden van het land af te snijden. Om de snelweg in tweeën te hakken. Om onze isolatie te voltooien. Een grote overwinning voor Amerika's wonderjongen. Isoleer de terroristen, het uitschot van de vluchtelingenkampen, hak ze in de pan.'
'Dus?'
'Dus wil de Beweging – hopelijk met ten minste Syrische luchtsteun – hem voor zijn. Een preventieve aanval noemen jullie het, geloof ik, ergens volgende week of zo, vlak voordat hij het overneemt als president. Ze zullen de falangisten, de Libanese milities en de door christenen geleide legerbataljons van de heuvelrug verdrijven. Een aanval waarbij we ze in de tang nemen, waarbij de Syriërs uit het oosten oprukken met wat Saiqa-strijdkrachten. Je weet wat ik met Saiqa bedoel: Palestijnse eenheden onder Syrisch bevel. Ze gaan proberen om de vijand af te snijden.' Reem zocht met een frons naar het juiste woord. 'Volgens mij noemen jullie het een saillant. Ze gaan proberen om de saillant af te snijden en daarna op te rollen.' Reem maakte een knippend gebaar met haar vingers, als van een schaar, en greep toen naar iets in de lucht, alsof ze een vlieg ving.
'Klopt dat?'
'Een saillant, ja.'
'Dus dat is wat ik je bijna vergat te vertellen.'
Nick was wantrouwig. Hij kon er niets aan doen.
'Hoe weet je dat allemaal?'

'Ik hoorde er mensen over praten. Op mijn werk.'
'Wie?'
'Doet dat ertoe, Nick? Waarom vraag je dat? Je weet waar ik werk, wie het instituut leidt. Je gaat het toch niet aan je Engelse vrienden vertellen, hè?'
'Zit je daarmee?'
'Wat gaan zij ermee doen?'
'Joost mag het weten. Het Londen melden, het in een archief stoppen.'
'Of het el-Hami en zijn vrienden in Tel Aviv en Washington vertellen? Je Engelse vrienden gaan het vast aan de Amerikanen vertellen, hè? Ze vertellen de Amerikanen alles. En de Amerikanen vertellen de mensen in het zuiden alles wat ze weten.'
Nick haalde zijn schouders op. 'Als je niet wilt dat ik iets zeg, Reem, dan zal ik dat niet doen.'
Liegbeest.
Reem staarde uit het raam van het café, opeens afstandelijk. Het was een gevaarlijk spel. Zij volgde alleen bevelen op. Iets van wat ze Nick had verteld – misschien wel het meeste – was ongetwijfeld waar. Goede inlichtingen waren de vijanden van haar land heel wat waard. Maar de leugen zou als vergif in de feiten ingebed zijn.
Kus de hand die je niet kunt bijten en bid God dat hij hem breekt.
Even stelde ze zich el-Hami voor, spartelend op de grond in zijn kantoor, schuimbekkend naar zijn keel grijpend. Langzaam stervend van de pijn. Goed. Het was een fantasie die haar veel genoegen deed, maar meer dan een kinderachtige fantasie was het helaas niet.
'Je moet doen wat jij het beste vindt, Nick. Ik vertel het je omdat ik niet wil dat jou iets overkomt.'
Leugen om leugen.
'Dat is lief van je.'
Zijn gezicht verzachtte zich, hij stak zijn hand over tafel en gaf een kneepje in haar hand. Ze reageerde niet.
God, dit was afschuwelijk. Ze gaf warempel echt om hem. Ze was bezig hem ver de schaduw in te trekken waar mensen als de Ustaz en zij verbleven. Hoe zeiden de Russen het ook weer? Ze hadden een spreekwoord: de snoek heeft tot taak om de karper bij de les te houden. Nick was haar karper, en nog een knappe en begerenswaardige ook. Je weet dat hij het hun zal vertellen, hield ze zich voor. Als hij er afstand van kon nemen en erover na zou denken, zou hij misschien door krijgen waarom ik het hem vertel. Misschien begint hij te twijfelen, zich dingen af te vragen. Maar dit is een wereld waar hij niets van

weet. Niets heeft hem hierop voorbereid. Alle boeken van de wereld zouden het nog niet kunnen.
'Ik wil graag een ijsje,' zei ze. 'Mijn lievelingsijs: het heet Coup Ajami, *mistica*-smaak met amandelen en honing. Het is fataal voor de lijn, maar daar zit ik even niet mee. Ajami – dat betekent Pers in het Arabisch – heeft ook een filiaal in de westelijke sector. Doe je mee? Hebben we er tijd voor?'
'Natuurlijk.'
*Mistica*. Het was waarschijnlijk geen smaak die hij lekker zou vinden.
'Geweldig – ik ben dol op hun ijs. Ze maken het hier in het restaurant. Dank je.' Het klonk haar al te dankbaar in de oren. 'Misschien heb jij liever chocola, Nick, of aardbeienkwarktaart.'
Nick gaf de kelner een seintje.
De Libanese strijdkrachten waren belasting gaan heffen op zaken in de hele oostelijke sector. Het was illegaal, maar wie kon er een eind aan maken? El-Hami was er vast helemaal voor, en misschien streek hij wel een deel van de clandestiene inkomsten op. Het was gewoon een uitgebreide beschermingstruc, afgeperst onder bedreiging met een vuurwapen. Als de rekening straks kwam, zou er een Libanees cedertje op gestempeld staan – als symbool voor de 12 percent militiebelasting, dankzij die smeerlappen en de psychopaat die ze hun leider noemden.
Hoeveel kogels zouden ze met hun koffie en hun ijs betalen?
'Wat heb je precies gehoord, Reem?'
Hij had toegehapt. Goed.
De Ustaz had deze kleine operatie beschreven als een bariumpapje – mensen bij wie maagkanker werd vermoed, werd gevraagd een witte, radioactieve stof in te slikken die op röntgenfoto's te zien zou zijn. Op die manier konden de artsen zien waar het terechtkwam, waar het eruit kwam. Net als een interessant nieuwtje.
Nick had het medicijn ingenomen, precies zoals de Ustaz had gezegd, en zijn kameraden en hij zouden het de hele weg kunnen volgen.

Het was de voorjaarsdag- en nachtevening, het officiële begin van de lente, als dag en nacht even lang zijn. Het werd steeds warmer.
Na heel wat passen en weer uittrekken had Reem een geel zomerjurkje gekozen met een wijde rok en smalle schouderbandjes. Ze had het twee jaar geleden tweedehands gekocht. Echt een koopje. Ze had haar haren opgestoken vanwege de hitte, maar nu maakte ze haar haarspeld los en schudde

haar haren uit zodat ze op haar schouders vielen.
Ze reden door Ashrafiyeh in Nicks gehuurde Honda, richting Broumana, voor hen allebei een bekende route. Toen ze de haarspeldbochten op de hellingen van het Libanongebergte namen, tussen de pijnbomen door, koelde de lucht af en maakte de stank van de stad plaats voor de geur van wilde bloemen.
Er waren twee nieuwe controleposten. De ene was een gezamenlijke aangelegenheid van de Libanese strijdkrachten en de falangisten, de tweede een barricade, bemand door leden van een legerbrigade met christelijke officieren. Beide keren waren de controles oppervlakkig. Eén blik op Reems identiteitskaart en Nicks VN-kaart was genoeg. Het hielp tevens dat de Honda zo duidelijk een auto was die aan de oostkant was gehuurd. Er was ook meer militair verkeer, zag Reem, voornamelijk Amerikaanse trucks uit de Vietnamtijd die infanterie vervoerden, en er waren nieuwe, aarden wallen, waarschijnlijk artillerieposities die in gereedheid werden gebracht om vuursteun te bieden voor hetgeen door de strijdkrachten van el-Hami werd voorbereid.
'Ik heb hier een huis,' zei Nick. 'Alleen voor de zomer.'
Hij klonk een beetje schaapachtig, vond Reem. Misschien was hij bang dat ze zich beledigd zou voelen dat hij voor de zomer iets had gehuurd op vijandelijk gebied. Niet dat ze rechtstreeks iets had gezegd, hun politieke discussies waren zelfs heel algemeen gebleven, en Reem had niet laten merken hoe diep haar gevoelens staken, dat had ze althans geprobeerd. Hij hoefde zich niet schuldig te voelen – de oostelijke sector was voor hen allebei, en om verschillende redenen, een ontsnappingsmogelijkheid en zij had hem aangemoedigd om haar mee hierheen te nemen.
'Waar, Nick?'
'In Ain Saadeh. Ik had eigenlijk voor het hele jaar een villa bij de ceders willen huren, maar ik telde onderweg maar liefst veertien controleposten: twee legers, drie milities, en het duurt veel te lang om heen en terug te komen.'
Hij dacht voor hen beiden.
Ain Saadeh was het volgende dorp, vlak onder Broumana, en de plaats waar ze de vorige keer waren gestopt om van het uitzicht te genieten en waar ze de lichtflitsen van een ver vuurgevecht hadden gezien.
'Zou je het willen zien?'
'Ja, zeker.'
Ze had zonder de minste aarzeling toegestemd.
Als een ongehuwde vrouw met een alleenstaande man van wie ze geen familie was, of met welke man ook, maar vooral met een duidelijk buitenlandse

man, een gemeubileerde huurflat in ging, zou dat thuis niet alleen de tongen in de buurt in beweging brengen, maar het kon de reputatie van de vrouw voorgoed schaden.
Maar dit was de oostelijke sector. Niemand kende Reem hier. Ze zou hier bekend worden vanwege iets heel anders, niet vanwege afspraakjes 's middags met vreemde mannen.
Wat kon het ook schelen.
Wat was er om bang voor te zijn?
Zo moeilijk was het niet.
Eén stap tegelijk, hield ze zich voor.
Bederf het niet door te ver vooruit te denken, door op je horloge te kijken. Denk maar liever helemaal niet.
Nick was haar aan het uitleggen dat zijn leven als buitenlander in West-Beiroet goedkoop was. Hij werd naar westerse maatstaven niet goed betaald, maar het was in harde valuta en hij kon het meeste ervan opzij leggen. Hij betaalde geen belasting. Zijn verblijf en vervoer werden betaald. Hij leefde uitsluitend van zijn onkostenvergoeding.
'Je klinkt schuldig, Nicholas.'
'Dat ben ik ook. Wie zou dat niet zijn? Als je had gezien waar Khaled woonde, zou je er net zo over denken.'
'Ik ben blij voor je, Nick. Niet jaloers. Ook niet boos. Geniet ervan zolang het duurt. En ik weet zeker dat Khaled beter leefde dan velen, en dat hij het met me eens zou zijn als hij ons nu kon horen.'
Hij glimlachte haar toe, dankbaar voor de geruststelling.
Ze vroeg: 'Waarom ben je vandaag niet met je VN-wagen?'
'Hij is gestolen.'
'Gestolen? Weet je het zeker? Waarom zou iemand dat nou doen?'
Het deed haar denken aan waar dit allemaal om ging. Aan wat er voor haar in het verschiet lag nu ze de rol had aanvaard die de Ustaz haar had aangeboden.
'Hij stond geparkeerd onder de flat waar ik woon en de volgende ochtend was hij verdwenen.'
'Wanneer was dat?'
'Twee dagen geleden.'
'Donderdag?'
'Ja, donderdag.'
'Weet je zeker dat je hem niet ergens anders hebt geparkeerd en het bent vergeten?'

'Bedoel je na een van mijn drinkgelagen?'
Ze lachte. 'Zoiets, ja.'
'Ik geloof van niet. Ik hoop tenminste van niet. Ik zou verschrikkelijk voor gek staan als bleek dat ik hem voor een clandestiene kroeg had laten staan. Heel pijnlijk.'
Nick was aan de kant van de weg gestopt.
'Is het hier?'
'Ja. Weet je dit wel zeker, Reem?'
Hij keek of hij bang was dat ze zich zou bedenken, ofwel omdat het in het oosten was, ofwel om wat het voor haar reputatie, haar gevoel van eigenwaarde, zou betekenen.
Ze dacht bij zichzelf dat Nick haar helemaal niet zo goed kende, anders zou hij hebben geweten dat ze niet iemand was die zich gemakkelijk bedacht als ze eenmaal iets had besloten. En ze had besloten.
'Tuurlijk weet ik het zeker,' zei ze. 'Ik wil je vakantiehuis zien. Vooruit.'

Het was een modern gebouw, maar, zoals alle zomerhuizen die te huur zijn, tamelijk Spartaans.
Licht hout, kurken vloertegels, beige muren, rubberplanten in potten.
De dienstdoende manager of wie er ook achter de receptie stond, glimlachte tegen Nick en zei: '*Bonjour.*'
Hij keek wel naar Reem toen hij Nick de sleutel gaf, maar hij stelde geen vragen.
Ze namen de lift naar boven.
Nick keek naar haar. Hij was inmiddels bruin verbrand en zijn haar was helemaal in de war en stond overeind na de rit. Ze zeiden niets. Hij ging haar voor en maakte de deur van nummer 52 open. Toen ging hij opzij om haar binnen te laten.
De deur gaf toegang tot de woonkamer. Er stonden twee effen bruine banken, een lage koffietafel. Rechts was een kitchenette, links een korte gang naar de badkamer en slaapkamer.
Glazen schuifdeuren recht voor hen uit. Nick hielp haar om ze wijd open te zetten en Reem stapte het balkon op. Het was klein. Er was slechts ruimte voor twee stoelen.
Het was of ze boven op een steile rotswand stond. De weg lag recht onder haar. Daarachter liep de berg door pijnbossen en dorpsboomgaarden af naar de kust. De weg verdween in een reeks haarspeldbochten. Reem greep de bovenkant van het hek en boog zich voorover.

De halve wereld was zee, glinsterend in de hete zon, de andere helft was hemel.
'Thee?'
Reem gaf geen antwoord maar draaide zich om en ging weer naar binnen. Er hingen zware, groene gordijnen met een rubber voering om het licht en de hitte buiten te houden.
'Wat is het hel – mogen ze dicht?'
'Tuurlijk.'
Zonder het verblindende zonlicht leek het net of ze onder water waren. Het licht werd gereduceerd tot een doffe gloed. De gordijnen bewogen en Reem kon de koele lucht voelen die de kamer in woei en de geuren van berg en zee meebracht.
Nick zei: 'Ik schenk thee in.'
Reem bleef staan. Wat heeft hij een open gezicht, dacht ze. Als hij fronste van concentratie kwam er een rimpeltje in zijn voorhoofd. Hij fronste nu hij de kopjes uit het kastje boven de gootsteen haalde.
'Laat me eerst de rest van de flat zien.'
Ze liep voor hem uit de gang in. Links lag de badkamer die geen raam had. Piepklein, met donkerbruine tegels, maar er was een bad, en er was water.
'En dit is de slaapkamer.'
Een grote kamer, glazen schuifdeuren, een laag tweepersoonsbed, een ingebouwde kaptafel met spiegel.
Ze stonden samen in de deuropening. Reem draaide zich om. Naar Nick toe. Hij haalde zijn hand door haar haren en kuste haar. Al kussend trok ze hem de kamer in.
'Eén moment.'
Met beide handen trok Reem in een enkele beweging haar jurk over haar hoofd.
Ze wankelden lachend naar het bed en vielen er samen op neer.
Hij kuste haar overal.
Het was zo goed dat Reem dacht dat ze dood zou gaan.
Later deed het pijn, zoals ze had verwacht.
Daarna verdween de pijn en werd het heel snel beter.
Veel beter.

# 20

Reem lag tegen hem aan.
Ze waren allebei naakt.
Toen Nick wakker werd, lag ze te huilen.
Ze lag op haar linkerzij met haar rug tegen zijn borst, hun benen verstrengeld, zijn rechterarm om haar heen, zijn linker helemaal doof onder haar.
Haar kruin lag onder zijn kin.
Ze maakte geen geluid maar hij voelde de tranen die over haar wang liepen en op de knokkels van zijn rechterhand drupten.
De zon was gezakt tot er alleen nog een randje licht onder en aan weerskanten van het gordijn voor de open deur naar het balkon was.
Het werd een stuk koeler.
Hij kuste haar achterhoofd en haar nek.
De geur van haar haren, haar huid, maakte hem weer helemaal opgewonden.
'Reem?'
Haar rechterhand bewoog, vond zijn been, voelde langs zijn dij.
'Gaat het?'
Ze schudde haar hoofd.
'Vertel.'
Weer een hoofdschudden.
Haar rechterhand vond hem en hield hem vast.
'Ik wil dat dit niet voorbijgaat, Nick. Nooit meer. Ik wil dat het zo blijft. Zoals nu. Ik wil je tegen me aan voelen. Je vasthouden – zo.'
Hij voelde een tepel hard worden tegen zijn handpalm.
'Moet het dan voorbijgaan?'
Een knikje. 'Ja.'
'Waarom?'
Stilte.
'Je vertrouwt me niet genoeg om het me te vertellen.'

'Je vertrouwen?'
Ze liet hem los en draaide zich naar hem toe, in één vloeiende beweging. Met de rug van één hand veegde ze haar wang af en haalde haar neus op.
'Reem. Hoor eens. Ik ben niet gek. Naïef, zeker. Onwetend, zeker. Maar je gaat niet alleen met me mee naar de oostelijke sector omdat je van mijn gezelschap geniet. Ik ben nuttig voor je. Ik hoop dat ik nuttig voor je blijf. Ik vind het niet erg om te worden gebruikt. Hoor je me? Het kan me niet schelen. Het kan me echt niet schelen. Maar ik wilde dat je me vertelde wat je van plan bent. Dat ben je me schuldig.'
Ze keek naar zijn gezicht terwijl hij dat zei. Ze keek onderzoekend naar zijn ogen, zijn mond, als een kaartlezer die ergens naar op zoek is, naar een heuvel of een meer. Ze zei nog steeds niets.
'Denk je dat ik een spion ben, Reem? Denk je dat ik, als ik wist wat je van plan was, op een holletje naar de ambassade zou gaan en mijn vrienden er alles van zou vertellen?'
'Zou je dat dan niet doen, Nick? Heb je dat niet al gedaan? Is dat niet wat Engelse patriotten doen als ze samen gin en tonic drinken? Samen dronken worden en geheimen uitwisselen? Ben jij geen patriot? Voor koningin en vaderland? Geloof je daar niet in? Mijn land – goed of fout?'
'Nee.'
'Nee?'
Hij probeerde haar te kussen, maar ze draaide haar gezicht af.
'Waar geloof je dan in?'
'Ik geloof dat jij en ik samen gelukkig zouden kunnen worden.'
'O.' Ze keek hem weer aan. 'Geluk.'
Ze hield hem niet voor de gek. Het was geen sarcasme. Ze keek ernstig en een beetje teleurgesteld. Verdrietig zelfs. Was geluk zo'n vies woord? Ze hadden net gevreeën – twee keer – en hij was zich er heel goed van bewust dat het voor haar de eerste keer was. Toch ontbrak er iets, er miste iets in de manier waarop ze naar hem keek.
'Je hebt al die foto's gemaakt. Je hebt vriendschap gesloten met Sylvie, je bent in aanraking gekomen met mensen die je als vijanden beschouwt en ik heb je niet één keer je eigen mening horen verkondigen. Je was een en al zelfbeheersing. Alsof je een volslagen vreemde was. Toen ben je maandag helemaal in je eentje naar Karantina gegaan en heb je el-Hami opgezocht. Je bent overal met mijn auto heen geweest, oost en west. Dat was het eerste wat je vroeg, of je in mijn VN-Landrover mocht rijden. Nu is hij gestolen. Toeval? Wat ben je van plan, Reem?'

'Wat denk je?'
'Vertel het me.'
'Dat kan ik niet.' De tranen sprongen Reem in de ogen.
'Waarom verdomme niet?'
'Je doet me pijn!'
Hij had haar bij de schouders gegrepen en haar, zonder zich daarvan bewust te zijn, heen en weer geschud.
'Het spijt me. Vergeef me...'
Hij liet haar los.
Nick hield zich voor dat hij het bed zou afhalen, het laken met zijn bewijs eraf zou halen.
'Verdomme, Nicholas Lorimer. Verdomme. Jou vertrouwen is het ergste wat ik je kan aandoen. Het allerergste wat ik je kan aandoen. Dat moet ik je besparen, begrijp je dat dan niet? Snap je dat dan niet?'

Nick trof Dacre na donker in de Beiroet Cellar die helemaal geen kelder was, maar een gelegenheid met smeedijzer, donker hout en harde banken achter een hoge muur.
Er hing de sfeer van een studentenkroeg en het lag aan een van die Ashrafiyeh-straatjes met dure flats. Het was een rustig zijstraatje van de Rue Sursouk: de vergane glorie van Ottomaanse paleizen, verborgen achter een muur van palmbomen en varens, bomen en smeedijzer, met bougainville tot aan de grote balkons; het soort gelegenheid dat zelfs midden in de zomer vochtig en koel leek en 's winters ronduit waardeloos was.
Dacre wilde met alle geweld Alaza-bier uit het flesje drinken, al was hij veel te oud om voor een student uit Oost-Beiroet te worden aangezien, ondanks zijn gele T-shirt, flodderige korte kakibroek en witte sportschoenen.
Hij was wezen tennissen en had geen tijd gehad om zich om te kleden.
'Zo, Nick – wat is er voor nieuws uit het westen?'
Nick vertelde wat hij dacht dat Dacre wilde weten: een beknopte versie van Reems verslag van een op handen zijnde preventieve aanval op Souk al-Gharb. Zakelijk, zonder uit te weiden.
'En van wie heb je het?'
'Zeg maar uit betrouwbare bron.'
'Kun je iets nauwkeuriger zijn?'
'Ik ben bang van niet, nee.'
Tot Nicks opluchting drong Dacre niet aan.
'Het komt aardig overeen met wat we hebben gehoord,' zei Dacre.

Nick dacht: ja, natuurlijk klopte de informatie. Dat was ook de bedoeling, alleen was ze ergens verdraaid. Het enige wat jou echt kan schelen, majoor Dacre, is dat Wilson en jij jullie nieuwe agent in West-Beiroet hebben en dat de kerel eindelijk ergens mee is gekomen. Je wilt het geloven, dus geloof je het.
'Dank je, Nick,' zei Dacre. 'Ja, het is bruikbaar. Een goede bijdrage aan de oogst van deze week. Londen zal er blij mee zijn. Nogmaals bedankt.'
Dacre klapte zijn notitieboekje dicht en liet het in zijn sporttas vallen die onder tafel stond.
Ze kozen allebei salade en de pepersteak. Nick koos er alleen maar voor omdat hij geen zin had om de rest van de kaart te bekijken.
'Ik las in de krant van je vriend,' zei Dacre toen hij hun bestelling had opgegeven. 'Khaled. Ik heb met hem te doen.'
Nick knikte.
'Ik had je gewaarschuwd.'
'Had hem maar gewaarschuwd, niet mij.'
'We hadden uiteraard geen idee...'
'Natuurlijk niet, het spijt me...'
'Is het bij je opgekomen dat jij de volgende zou kunnen zijn?'
Nick dronk zijn bier om geen antwoord te hoeven geven.
'Je bent nogal vaak met Khaled in de stad gezien. Ik heb je toch gezegd dat de kerel OLCA was, niet? Palestijn? Voormalig PLO?'
'En?'
'Je vriendinnetje. Reem. Heet ze niet zo?'
Nicks steak kwam. Dacre wilde zijn steak doorbakken hebben en zou erop moeten wachten.
'Wilson was op een of ander feestje,' zei Dacre. 'Je kent Wilson. Hij heeft een neus voor champagne, zeker als die gratis is.' Hij grinnikte. 'Dat is het – de verjaardag van el-Hami. Je was er met iemand. Wilson zei dat ze – hoe zei hij dat ook weer? – zoet geurend was. Maar hoe zoet geurend ook, Nick, volgens mijn bronnen betekent Reem Najjar narigheid. Ze schijnt ook radicaal te zijn. Een wees, en uit het zuiden. Haar familieleden zijn uit hun huis verdreven tijdens al-Nakba – wat de Arabieren de Catastrofe noemen, de stichting van de staat Israël en de verbanning van honderdduizenden Arabieren. Je weet je vriendinnetjes wel uit te kiezen, hè? Onruststokers die een wrok koesteren. Het zal wel een gave van je zijn.'
De kelner bracht de steak van de majoor. Nick vond dat hij er zwart verbrand uitzag. Maar zo vond Dacre hem kennelijk lekker.

'Heb je partij gekozen, Nick?'
'Ik werk voor de Verenigde Naties, Perry – weet je nog?'
'Je zou niet de eerste romanticus zijn die voor die organisatie werkt en het opneemt voor de benadeelde partij, Nicholas. Niets menselijks is ons vreemd.'
'Nee, Perry, ik heb geen partij gekozen.'
'Misschien wordt dat dan wel tijd, vriend.'
Dacre nam nog een klodder Dijonmosterd. 'Heel anders dan Engelse mosterd,' mopperde hij. 'Je hebt zoveel van dat Franse spul nodig om hetzelfde effect te krijgen.'
'Hoe bedoel je?'
'Je land, Nick. Dat is de enige partij waarvoor een van ons zich zou moeten interesseren.'
'Ik was me er niet van bewust dat de Engelsen in Libanon partij kozen.'
'Je weet heel goed wat ik bedoel.'
'O ja, Perry? Ik wilde dat de Engelsen zichzelf niet zo zagen als ze gezien willen worden, maar zoals anderen hen werkelijk zien.'
'En hoe is dat?'
Hij zit me te paaien, dacht Nick. Hij zei: 'Als een volk van hypocrieten dat zich altijd en eeuwig met de zaken van anderen bemoeit en hun de les leest over hoe ze zich zouden moeten gedragen. Arrogant en neerbuigend.'
Dacre dronk zijn bier op en glimlachte naar Nick.
'Oordeel je niet een beetje hard over ons – en over jezelf?'
'Wat wil je daarmee zeggen, Perry?'
'Alleen dat je keus van vrienden, vanuit het standpunt van iemand als el-Hami, eerlijk gezegd nogal verdacht lijkt.'
'Gelul.'
Nicks gezicht gloeide. Verdomme. Wat wist hij?
Reem en Nick waren amper twee uur geleden uit elkaar gegaan. Nick kon haar nog ruiken: haar huid en haar, het geurtje dat ze gebruikte. Hij miste haar.
Dacre zat zijn steak ijverig, op soldatenmanier, in stukjes te snijden.
'Krijgen jullie, VN-types, verlof, Nick?'
'Een keer per maand – vier dagen op Cyprus, betaald verlof.'
Dit was veiliger terrein.
'En je bent hier nu een maand?'
Dacre sprak met volle mond en keek over Nicks schouder naar nieuwe gasten die binnenkwamen.

Nick keek op zijn horloge.
'Vijf weken, vijf dagen, negen uur en dertig minuten.'
'Zo erg?'
Nick gaf geen antwoord. Hij had geen trek meer. Hij legde zijn mes en vork tegen elkaar en schoof zijn bord weg, met de helft van de steak er nog op. Hij voelde zich onpasselijk. Dat lag niet aan het eten. Met het eten was niets aan de hand. Het lag aan hem. Het was schaamte. Het was schuldgevoel. Het was gastvrijheid aanvaarden in ruil voor achterklap. Dat hij niet de moed had gehad om vanaf het begin nee te zeggen, dat hij zich om de tuin had laten leiden. Ze konden barsten.
Je bent een zielige idioot, Lorimer, en ik weet niet waarom ze zich met je inlaat. Anderzijds weet je het natuurlijk wel, maar je wilt het voor jezelf niet toegeven.
'Dessert?'
'Nee, dank je.'
'Koffie?'
Nick schudde zijn hoofd.
'Volgens mij moet je dat verlof opnemen, Nick. Dat is misschien wel zo verstandig. Tot alles hier een beetje afkoelt. Tot el-Hami in het Baabda-paleis zit en druk bezig is een nieuwe regering samen te stellen en de jonge vrouw die zoveel foto's van zijn hoofdkwartier in Karantina heeft gemaakt en haar Engelse vriendje glad is vergeten. Je kunt maar beter een tijdje uit het oosten wegblijven. Voor je eigen veiligheid.'
'Ik had er niets mee te maken. Ik was er niet eens bij.'
Lafaard.
'Nou, jij hebt haar meegebracht. Met haar gepronkt. Haar rondgeleid. Je weet donders goed wat ik bedoel. Ik hoor dat ze het vakantiechalet van de familie in Kaslik heeft gefotografeerd en toen maandag in Karantina opdook. Laat mij je een goede raad geven, Nick. Neem dat verlof op. En vergeet het meisje.'
Reem vergeten?
Nick voelde zich opgeblazen door het bier. Maar dat was nog niet alles. Het was Dacre op de een of andere manier gelukt om Nick beschaamd te maken. De gal in zijn strot kwam doordat hij van zichzelf walgde, niet door indigestie. Hij voelde zich zowel smerig als boos. Hij had zich als een kind gedragen. Hij was zwak geweest toen hij sterk had moeten zijn. Hij had voor zichzelf moeten opkomen. En voor Reem. Hij moest hier weg. Nu. Nick wilde een tijdje alleen zijn. Hij moest nadenken. Hij bedankte Dacre.

Hij zei al de juiste dingen. Hij stond van tafel op en gaf de ander een hand terwijl hij deed of hij luisterde en instemde met wat zijn gastheer zei over later die week bij elkaar komen.
Natuurlijk. Ja. Klinkt goed. Geweldig.
Hij hoorde er niets van, niet echt.
Er kwam geen later. Niet deze week, noch de volgende.
Nick had zijn besluit genomen.
Hij klopte op zijn zakken, vond de sleutels van de Honda.
Wrong zich achter de tafel vandaan.
En hield de glimlach op zijn gezicht.
Wachtte niet tot de van zijn stuk gebrachte Dacre de rekening kreeg.
Hij moest opschieten, anders moest hij nog overgeven, hier.
Nick zweette als een rund.
'Bedankt, Perry – en het beste.'
Pas toen Nick achter het stuur van zijn huurauto zat af te koelen met de ramen helemaal open en de andere chauffeurs bij de Mercedessen en BMW's van hun werkgevers zag staan roken en kletsen, besefte hij dat hij helemaal was vergeten om te vermelden dat hij zijn Landrover kwijt was.

# 21

Het was smoorheet op straat.
Er hing een verstikkende, smerige, bruine nevel over de stad.
De hitte glinsterde boven de geparkeerde auto's waarmee de trottoirs en pleinen van Beiroet vol stonden. Elke vierkante centimeter leek bezet. Reem slingerde zich tussen het verkeer door en haastte zich te voet door de glinsterende zee van verzengend metaal en glas, zich ervan bewust dat in elk van de geparkeerde voertuigen die en masse aan weerskanten van de straat stonden, een boobytrap kon zitten.
Het was een mogelijkheid.
De ene dag had je geluk, de volgende pech. Je wist nooit wie zou leven, wie zou sterven.
Ze hield een taxi aan, een gele Mercedes uit de jaren zestig, eindeloos overgespoten en opgelapt, en de chauffeur joeg de jongeman die naast hem zat naar de achterbank zodat Reem als enige vrouw de stoel voor zichzelf kon hebben.
'*Ya binti* – daar ga je, mijn dochter,' zei de chauffeur en wachtte tot ze het portier had dichtgetrokken voordat hij gas gaf, hard toeterde en weer invoegde in het drukke verkeer. Het was een grote man, volkomen kaal, met een enorme Groucho-snor. De rug van zijn geruite overhemd was zwart van het zweet.
Een kleine en beduimelde koran bungelde aan het achteruitkijkspiegeltje, samen met een snoer blauwe gebedskralen. Het woord 'Allah' in de stijl die Reem herkende als thuluth sierde het dashboard.
'Waar moet u heen, m'moiselle?'
'Shikka.'
'Zeker.'
Het werd haar laatste nacht in Koura bij tante Sohad en haar dochters Hana en Maha.
Nadat de chauffeur misschien wel een halfuur niets had gezegd, begon hij

weer te praten toen ze de uitdaging van de eerste controlepost van de Libanese strijdkrachten eenmaal achter de rug hadden. 'Volgens mij komt u hier niet uit de buurt.'
Ze wilde hem geen antwoord geven, vanwege de vreemden op de achterbank.
Hij leek te weten wat haar dwarszat.
'Let maar niet op hen,' zei hij en keek in het spiegeltje om zijn andere drie passagiers op te nemen. 'Ze zijn vrij ongevaarlijk – en als ze er iets van zeggen, gooi ik ze eruit, wees dus maar niet bang.'
Hij grijnsde haar toe en Reem glimlachte terug.
'Dat is beter. Zo'n glimlach, dan weet ik dat de zomer vroeg is dit jaar. Vertel eens – u komt uit het zuiden, dochter, heb ik gelijk? Misschien uit Jezzine?'
'Het noorden.'
'Ah, het noorden. Is dat zo?'
Hij geloofde haar niet. Het kwam niet door haar accent. Reem sprak Arabisch zoals iedereen. Ze kon praktisch alles zijn. Palestijns, sjiitisch, maronitisch – ze kon niet in een vakje worden ingedeeld. Ze wist dat ze accentloos sprak. Ze vroeg zich af hoe hij wist dat ze loog. Het leek hem trouwens niet te kunnen schelen. Jezzine was inderdaad een christelijke stad, dus in dat opzicht had hij gelijk.
'Dus u gaat naar huis.'
'Ja.'
'Ik kom uit Akkar,' zei hij. 'Kent u dat?'
Misschien beschouwden mensen uit Akkar iedereen die ergens anders woonde als zuiderling.
'Ik heb ervan gehoord,' zei ze. Het lag helemaal in het noorden, bij de Syrische grens.
Op de volgende hoek stonden twee vrouwen met hoofddoek te kletsen en verwoed te gebaren, zonder op de vele kinderen te letten die aan hun rokken hingen, tot één dreumes, een mollig knulletje met krullend haar, zich losrukte en de straat op stapte.
De chauffeur was snel. Hij sprong op de rem, week uit en kon nog net een tegemoetkomende vrachtwagen ontwijken.
Ze schoten allemaal naar voren.
De chauffeur stak zijn hoofd uit het raampje. 'Let op jullie kinderen, dames!' riep hij. 'Let in godsnaam op ze. Ter wille van ons allemaal.'
Toen ze weer reden, schudde hij zijn hoofd.
'Stomme vluchtelingen...'

Hij wierp een blik op Reem.
'Neem me niet kwalijk, m'moiselle. Ik ben zelf vluchteling. We zijn allemaal op de een of andere manier vluchteling. Christen, moslim, Palestijn, maroniet, Armeniër... Het maakt geen verschil, toch?'
'Dat is waar,' zei een van de mannen op de achterbank.
'God sta hen bij,' mompelde zijn metgezel.
Even later zei de chauffeur tegen Reem: 'Ziet u dat...'
Hij gebaarde met een eeltige hand naar het dashboard. Hij bedoelde niet de koran of de inscriptie. Hij bedoelde een zwart-witfototootje tegen de voorruit. Het was Reem nog niet opgevallen. Aanvankelijk dacht ze dat het de chauffeur zelf was, als jongeman, alleen dan gladgeschoren.
Jonger dan Nick, met eenzelfde uitdrukking.
Onschuldig.
'Mijn zoon. Walid. Mijn oudste. Ik heb nog een zoon en drie dochters.'
'Werkelijk? Dan boft u. Walid ziet er goed uit. Knap.'
'Dat was hij,' zei de chauffeur. 'Dat was hij.' Hij keek recht voor zich uit en zijn lippen bewogen in gebed. Op zijn gezicht stond geen enkele emotie te lezen. Hij hield beide handen aan het stuur, met gestrekte armen, en rechtte zijn rug.
'Walid is de marteldood gestorven. Hij was negentien.'
Reem wist niet wat ze moest zeggen. Moest ze medelijden hebben? Moest ze een vader gelukwensen met de dood van zijn oudste zoon?
Ze voelde een scherpe pijn in haar keel alsof iemand zijn handen om haar hals had gelegd en probeerde haar te wurgen.
Lieve God, niet dit. Niet nu.
De chauffeur boog zich enigszins naar haar toe en zei op zo'n luide fluistertoon dat iedereen het kon horen: 'Ik ben trots op wat hij heeft gedaan, m'moiselle, God hebbe zijn ziel. O, ja ik ben trots. Walid heeft zes van de smeerlappen te pakken gekregen. Zes. Met een RPG.' Hij nam zijn rechterhand van het stuur en hield hem omhoog, met alle vijf vingers, maakte toen weer een vuist en stak zijn duim op.
'Zes. In het zuiden – bij Marjayoun. En het kan me geen donder schelen wat mensen ervan vinden. Wat kunnen ze doen? Me opsluiten voor iets wat mijn Walid heeft gedaan? Me doodschieten? Het heeft zijn moeders hart gebroken. Ze is er nooit overheen gekomen. Ik? Ik ben trots, God vergeve me. Ja. God hebbe zijn ziel. Hij is gelukkig. Hij heeft rust gevonden. Dat weet ik. Onze vijanden zijn niet bovenmenselijk. Het heeft mijn zoon het leven gekost om mij dit eenvoudige ding te laten begrijpen. Kon ieder van

ons er maar zes voor zijn rekening nemen, of maar drie, dan zou deze hele rottige toestand zo voorbij zijn... God hebbe zijn ziel.'
Zijn hand maaide door de lucht en omvatte de pokdalige gebouwen, de smerige straten, het puin, de kapotte trottoirs, de leuzen op de muren, de foto's van de martelaren, de armoede.
Reem luisterde niet meer.
Ze keek weer naar de foto.
Hij was nog maar een jongen.
Een man-kind.
'God zegene hem,' zei Reem ernstig. Ze hield haar gezicht afgewend. Ze wilde niet dat de vader van de jongen haar tranen zou zien.

Reem stond in de schaduw van een brug, een viaduct waarover verkeer richting Shikka afboog. De grote weg splitste zich hier. De linker weg liep naar de havenstad Tripoli, maar Reem ging naar rechts over een weg die omhoog liep, het binnenland in, de uitlopers van Koura in.
Ze stond aan de kant van de weg met haar tas tussen haar voeten.
Haar verstand zei haar dat ze Nick zonder haar roeping nooit zou hebben ontmoet. Dat moest ze goed in gedachten houden. Het zou haar reddingsboei zijn. Anders zou ze nooit met een trucje in Sammy's Bar een ontmoeting met hem hebben geregeld. Dan zou ze nooit met hem naar het oosten zijn gegaan. Dan zou ze nooit met hem zijn gaan zwemmen, of *sultan brahim* met hem zijn gaan eten, weggespoeld met een fles Ksara onder een geel zonnescherm. Dan zou ze el-Hami nooit hebben ontmoet, of zijn jachtclub in Kaslik of zijn hoofdkwartier hebben gefotografeerd. Plicht had hen bij elkaar gebracht. Haar plicht. Ze had Nicks vermogen om haar toegang te verschaffen nodig gehad, dat was alles. Ze zou zeker zijn tweekamerflat in Ain Saadeh niet hebben bezocht en een westerling hebben toegestaan om in zijn bed met haar te vrijen.
Het was de heerlijkste middag van haar korte leventje geweest.
Nee.
Niet aan denken.
Verkeerd.
Ze hield zich voor dat het kwam omdat ze niets te verliezen had.
Reem hoefde zich geen zorgen te maken over haar reputatie of over een maagdelijk huwelijk.
Ze had van het 'normale' leven geproefd. Ze had plezier gehad. Ze had heel eventjes geweten hoe het was om zich vrouw te voelen met een man, zon-

der enige verplichting of schuldgevoel.
Een volgende taxi minderde vaart, een bordeauxrode Mercedes ditmaal. Ze boog zich voorover om tegen de chauffeur te praten terwijl haar linkerhand haar haren uit haar ogen veegde en stapte toen achterin, waar ze haar tas op schoot nam en het ritueel onderging zonder zich er zelfs maar bewust van te zijn wat er werd gezegd. Ze knikte tegen de andere passagiers, een islamitisch echtpaar. De vrouw droeg een *hejab* over haar haren. Haar man zag eruit als een boer. Reem zou uitstappen bij de afslag naar haar dorp. Nou, eigenlijk niet haar dorp. Niet echt. Haar geadopteerde dorp.
Ik kan nu niet meer terug, hield ze zich voor.
Wat ik wil, wat ik voel, doet er niet toe.
Reem probeerde het zich voor te stellen: dat ze terugging naar het westen, de gele handdoek buiten hing en dan – God, hoe kon ze – tegen de Ustaz zei dat ze erop terugkwam. Dat ze er niet mee kon doorgaan. Sorry. Ze ging weg. Voor haar was het voorbij. Hij zou een ander moeten zoeken, een van die vele vrijwilligers over wie hij het had gehad. Ja, het zou voor vertraging zorgen en het speet haar dat ze zijn plannen in de war stuurde. Maar ze kon het niet meer doen.
Ze stelde zich zijn gezicht voor: ernstig, stiekem geschrokken. Hij zou proberen zijn teleurstelling en ongenoegen te verbergen. Hij zou er de tijd voor nemen, zijn woorden met zorg kiezen en proberen redelijk te klinken.
Had hij niet altijd gezegd dat ze zich elk moment kon terugtrekken?
Dat kon ze hem toch niet aandoen.
Of de partij.
Had ze dit niet haar hele leven gewild, sterven voor haar volk, haar land?
Het vijandelijk leiderschap midden in het hart een vernietigende slag toebrengen?
Waar hadden al die jaren van opoffering en strijd anders toe gediend dan om de dood van haar ouders, haar zusjes en haar broer te wreken en vreselijk huis te houden onder haar vijanden vanwege hun diefstal van haar land?
Al het harde werken, al die moeite, al dat stijfkoppig weigeren om afwijzing te accepteren – was dat dan allemaal voor niets geweest?
En hoe kwam dat?
Ze was verliefd geworden. Ze had met een buitenlander geslapen, een Engelse spion, en ze wilde meer, veel meer. Ze wilde het allemaal. Ze wilde met hem mee weg. Ze wilde hem helemaal voor zichzelf hebben. Ze wilde zijn kinderen. Ze wilde een leven om kinderen op te voeden en kleren te wassen en eten te koken.

Reem wilde vrede. Ze wilde wegrennen, ontsnappen.
Dat kon helemaal niet.
Het was belachelijk.
Zielig.
De taxi minderde vaart. Ze stak het geld tussen de voorstoelen door, twee smoezelige bankbiljetten.
Het was de laatste controlepost van de Libanese strijdkrachten.
'Laat maar zitten.'
'Ga in vrede.'
Ze liep wel verder.
Het was maar een paar honderd meter en de zon was onder.
Reem hield zich voor dat ze afscheid had genomen van Nick. Hij had haar nagekeken, wist ze, tot ze uit het zicht was verdwenen. Maar ze had zich niet omgedraaid of omgekeken. Ze was doorgelopen. Ze had niet eens gezwaaid.
Natuurlijk miste ze hem.
Ze hunkerde naar hem.
Nick had de natuurlijke, onbewuste gratie van een wild dier, een beest.
Zijn charme was zijn gebrek aan zelfbewustzijn.
Hij was het helemaal.
Reem had nooit geweten dat een man zo teder kon zijn, ze had nog nooit zo'n sterke behoefte gevoeld om tederheid terug te geven, om deze man in haar armen te nemen, hem in haar hart te sluiten.
Maar dat was nu allemaal voorbij.
Reem hield zich voor dat ze geen lafaard was.
Ze zou niet huilen. Geen traan meer laten.
Reem zwoer het op het graf van haar voorouders.
Op haar dorp.
Op Michael.
Terwijl ze naar de controlepost liep, sloeg ze een kruisje.
Ik zweer het.
Nicholas Lorimer had afgedaan.

Bij de controlepost zagen de Libanese burgerwachten haar aankomen.
Ze zagen haar een kruisje slaan.
Eén van ons.
De gewapende christenen gingen opzij. Ze keken naar haar benen, naar hoe haar lichaam onder haar kleding bewoog. Zelfs hun commandant, een bril

dragende luitenant tweede klasse met een gouden crucifix om zijn hals, kwam naar buiten om te kijken. Eén burgerwacht knipoogde naar zijn kameraad en slaakte een zucht. Toen de luitenant knikte, tilde hij langzaam de slagboom op.
Haar vijanden lieten Reem zonder iets te zeggen door.

# 22

Het was dinsdagochtend. Nick kreeg een telefoontje toen hij papier zat te schuiven en naar radioberichten van schermutselingen rond Souk al-Gharb zat te luisteren.
Hij dacht dat het Reem zou kunnen zijn. Hij hoopte dat ze het zou zijn. Hij had sinds zaterdag, toen ze in de schemering uit Ain Saadeh was vertrokken, geen contact meer gehad. Ze had met alle geweld alleen weg willen gaan, had de lift naar de begane grond genomen, was daarna om het gebouw heen gelopen, had de steile trap naar de weg onder het gebouw langs genomen, en hij had op het balkon staan wachten.
Het was het beste zo, zei ze.
Wees alsjeblieft niet boos, Nick.
We moeten discreet zijn.
Het laatste wat Nick van haar zag, was haar hoofd toen ze achter in een taxi dook.
Ze had niet opgekeken. Ze had zich niet omgedraaid om te zwaaien.
Hij had nog zoveel willen zeggen, maar hij had niet geweten waar hij moest beginnen.
Gisteren, maandag, had hij bloemen naar haar werk gestuurd. Tot dusverre zonder reactie.
Maar ze was het niet. Het was de geheime politie.
'Het is voor u,' zei Elias vanuit de deuropening, met één hand over de hoorn. Elias keek bezorgd. 'Het is de Syrische *moukhabarat*,' voegde hij er fluisterend aan toe. 'Ze vroegen speciaal naar u.'
'Ik neem het hier wel, Elias. Wil je het gesprek overzetten?'
Hij stond op, deed de deur dicht en ging terug naar zijn stoel.
Het telefoontje was op zich niet zo bijzonder, al hadden de telefoonlijnen zelden naar behoren gewerkt. Maar Nick was verbaasd over de identiteit van de beller.
'Meneer Lorimer?'

'Daar spreekt u mee.'
'Met Daoud. Hoe gaat het met u, meneer Lorimer?'
'Heel goed, dank u, kolonel, en met u?'
'*Nashkur Allah.* Heel goed, God zij dank. Meneer Lorimer, u hebt toch gemeld dat u uw VN-voertuig kwijt bent, hè?'
Deze piëteitsvolle woorden van het plaatselijke hoofd van de Syrische geheime politie hadden iets vreemds. Daoud kwam op Nick niet over als iemand die bereid was om veel aan Gods wil over te laten als hij er iets aan kon doen.
'Dat heb ik inderdaad gemeld, kolonel, ja. Bij de plaatselijke autoriteiten. Bij de politie en bij het Libanese ministerie van Binnenlandse Zaken.'
Met andere woorden, hij had het de Syriërs niet verteld.
'Het is mijn plicht om u te vertellen, meneer Lorimer, dat hij is gezien.'
'O ja? Wanneer?'
'Gisteren. Maandag. Hij is waargenomen bij een van onze controleposten.'
'Waar?'
'Aley. Dat zult u wel kennen. Voor de oorlog was het een toeristenplaats. In de Shouf, aan de weg van Damascus naar Beiroet. Uw auto reed naar het oosten, richting de Bekaa. Rond de middag.'
'Ik ken Aley. Waarom hebben uw mannen hem niet aangehouden?'
Nick keek op de kaart aan de muur tegenover hem. Van waar hij zat, kon hij de bochtige weg, de stad Aley, en niet ver ervandaan, op de noordelijke flank, het christelijke dorp Souk al-Gharb zien. Wie Souk al-Gharb in handen had, vormde een rechtstreekse bedreiging voor de route die als een navelstreng van West-Beiroet naar het Syrische achterland liep. Die weg was altijd een doelwit geweest van Israëlische indringers en hun maronitische plaatsvervangers, de falangisten en de Libanese strijdkrachten.
Wat deed de Landrover daar verdomme?
Er was iets heel erg mis.
'Ze hebben uw voertuig aangehouden, meneer Lorimer, maar hij werd niet verdacht. Toen nog niet. De papieren van de chauffeur waren in orde. Onze militairen hadden geen reden om hem vast te houden. Hij is niet doorzocht. Daar hadden ze geen orders voor gekregen. Hij was hun in elk geval niet als gestolen gemeld. Het is een binnenlandse Libanese kwestie. We kunnen ons niet met elke gestolen auto bezighouden. Begrijpt u?'
Wat een onzin.
'Dit was een VN-kwestie, er was niets plaatselijks aan. Wie was de chauffeur?'

Nick klonk niet erg waarderend, zelfs in zijn eigen oren niet.
'Een vrouw, maar ik heb geen naam. Ze hebben geen bijzonderheden genoteerd. Daar hadden ze geen reden voor. Maar ze herinnerden zich haar wel. Een christen, zeiden ze. Libanees. Maar identiteitskaarten kunnen natuurlijk vervalst zijn. Dat komt tegenwoordig veel voor. U heeft niet toevallig enig idee wie het kan zijn geweest, meneer Lorimer?'
'Nee, ik ben bang van niet. Weet u het zeker?'
'Het registratienummer klopt, meneer Lorimer. Er zijn heel wat Range Rovers in Libanon, ze zijn erg populair bij de *zaaran* en de milities. Ze worden het land in gesmokkeld vanuit de Golf. Maar niet zoveel Defenders, geloof ik. Dat is een type dat alleen door uw organisatie en de Engelse ambassade wordt gebruikt.'
Zijn vierkante vorm was ongebruikelijk, dat was waar.
'Waren er passagiers?'
'Niet dat ik weet.'
Zat de Syriër dat uit zijn duim te zuigen?
Daoud zei: 'Ik heb bevel gegeven dat dit voertuig, als het weer bij een van onze controleposten verschijnt, moet worden aangehouden en de inzittende of inzittenden moeten worden vastgehouden om te worden ondervraagd – als u dat wilt. Maar kom niet bij mij klagen als u ontdekt dat uw VN-personeel door Syrische veiligheidsmensen wordt opgehouden en ondervraagd. We proberen u, en het Libanese volk, alleen maar te helpen.'
Zoals het ongenadig beschieten van mensen die zich niet aan de door Damascus uitgevaardigde regels houden.
'Dank u. Ik ben u en de Syrische autoriteiten dankbaar.'
Nick had medelijden met iedereen die werd vastgehouden om te worden ondervraagd, zelfs autodieven.
'Het is geen moeite,' zei Daoud. 'Het is mijn plicht om de Verenigde Naties te helpen.'
Nick begreep er niets van. Was het Reem die de Syriërs achter het stuur hadden zien zitten? Was het echt zijn Landrover? Zo ja, had Reem dan gelogen toen ze zei dat ze in Koura bij vrienden van haar familie ging logeren? Of had ze er de nacht doorgebracht en toen de omweg via het noorden en daarna via de Bekaa-vallei naar het oosten en terug naar Aley genomen, alleen om de Landrover op te pikken? Dat was een lange en vermoeiende reis. En waarom zou ze dan weer naar het oosten gaan? Om niet door gebied van de Libanese strijdkrachten en de falangisten te hoeven? Maar hoe zat het dan met de Syriërs? Die waren net zo waakzaam als de conser-

vatieve christelijke milities en hadden zo hun eigen redenen om guerrillastrijders aan te houden, behalve partizanen die door Damascus werden gesteund. En afgezien van de identiteit van de chauffeur, wat deed de Landrover in de Shouf?
Wat wilde ze trouwens met zijn auto?
Tenzij Daoud het verhaal natuurlijk had verzonnen om hem hetzelfde duidelijk te maken als waarvoor zijn Engelse tegenhanger, majoor Dacre, zich zoveel moeite had getroost. Namelijk dat Nicks verhouding met een jonge vrouw, Reem Najjar, bij de verschillende veiligheids- en inlichtingendiensten bekend was.
Was het alleen dat: een waarschuwing?

Nick had net koffie besteld toen het gebeurde.
Hij wist dat hij die nu niet meer zou krijgen.
De explosie op zich was niets bijzonders.
Er vond er elke twee of drie dagen een plaats.
Het was lik op stuk massamoord. Een bomaanslag hier zette aan tot een bomaanslag daar, daarna weer een aan deze kant, een eindeloze spiraal van vergelding en tegenvergelding waarvan altijd burgers het slachtoffer werden en het doel zo veel mogelijk doden was.
In Libanon, bedacht Nick, had de zin: 'De zelfmoordterrorist komt er altijd door' een speciale weerklank. Ondanks talloze controleposten, de geleidelijke overname van de grensposten langs de Groene Lijn door het leger en de beloften van het speciale veiligheidskabinet van nieuwe, strenge maatregelen tegen militante elementen, leken auto's met explosieven nog steeds hun beoogde doelen te bereiken.
Deze explosie was zo groot, zo vernietigend, dat omroepen hun nieuws van de aankomst van een afgevaardigde van de aartsbisschop van Canterbury in Beiroet om te proberen buitenlandse gegijzelden vrij te krijgen, onderbraken. Er werd geen melding gemaakt van de duizenden vermiste Libanezen.
Nick was één Amerikaanse gegijzelde van evenveel waarde gaan beschouwen als zes West-Europese gegijzelden, en een enkel West-Europees ontvoeringsslachtoffer van evenveel nieuws- en politieke waarde (was dat niet hetzelfde?) als tien Libanezen. Dat maakte één Amerikaans leven gelijk aan hoeveel, zestig Libanese levens?
Te royaal? Misschien klonk een verhouding van één op honderd ongeveer goed.
Hij zette de televisie op zijn kantoor aan, maar er waren nog geen beelden

van de bomaanslag. De cameraploegen waren nog niet ter plaatse.
Deze laatste ontploffing zag er in eerste instantie uit als weer een autobom: de tweeëndertigste klap van de ontploffing, de echo tussen de dicht op elkaar staande huizen en daarna het vallende geluid van instortende muren en ramen, knallen van door de explosie veroorzaakte ontploffingen van benzinetanks van auto's en wat de makers van de bom misschien nog meer aan de cocktail hadden toegevoegd om het effect te verlengen en te vergroten: een paar antitankmijnen, een stuk of wat bommen uit een raketwerper, mogelijk een brisantbom, misschien een van die granaten van VS-makelij die gratis aan Israël waren verstrekt en nu dood en verderf zaaiden tussen de velden en bossen van het zuiden.
Wat het ook was, het gebouw waarin Nicks team was gehuisvest stond ervan te schudden en het bulderend geraas dat wel een halve minuut duurde, werd gevolgd door het gekletter van vallend puin.
Vlakbij.
VN-personeel rende naar de betrekkelijke veiligheid van de gang en gooide inderhaast stoelen om.
Nick bleef waar hij was. Hij luisterde naar het puin dat als honderd hongerige vingers tegen de ramen tikte. De kozijnen schudden hevig van de naschok en hij was blij met de speciale gordijnen om de schok op te vangen.
Toen het geraas wegstierf, gingen verscheidene personeelsleden en hij het balkon op om te kijken.
Stukken heet metaal en vervormde stukjes gesmolten glas knerpten onder hun voeten. Hij trok zijn neus op bij de scherpe brandlucht.
'Verdun,' zei er één.
'Nee, Barbir,' zei een ander.
'Qasqas,' opperde een derde.
Iedereen begon te discussiëren over waar het was. Behalve Nick. Hij keek naar de rook. Aanvankelijk was het een donkere, giftige wolk, helemaal links. Hij breidde zich snel uit langs de hemel. Hij kolkte in een dikke, verticale zuil boven de omringende panden uit, boven de plek van inslag. Hij steeg met grote snelheid, met vulkanische kracht op. Hij veranderde van kleur, van zwart naar grijs naar wit. De zuil nam af tot een schacht van rook, werd hoger, vlakte toen bovenaan af en werd een wolk. De wind boog de rookpluim af en voerde de wolk mee over de stad.
De zon verdween en de vogels in de bomen en struiken rond het gerechtsgebouw begonnen aan hun avondlied, al was het pas 11 over 11 in de ochtend.

Dit alles duurde nog geen twee tot drie minuten.
Overal lag as.
Verdun, bijna zeker.
Op straat klonken galmend sirenes.
Brandweerauto's. Ambulances. Militiemensen. Troepen.
Burgers renden alle kanten op. Sommigen renden naar het epicentrum van de ontploffing toe en anderen er juist vandaan. Ze kwamen op de stoep met elkaar in botsing. Het was een kwestie van temperament. Sommigen werden door gevaar aangetrokken, misschien omdat ze wilden helpen. Anderen waren bang en wilden juist zo gauw mogelijk weg.
Zei iemand Verdun?
Jezus Christus.

Nick rende de hele weg.
Hij sprintte zo hard hij kon.
Toen hij dichterbij kwam, werd de mensenmassa dichter en kwam hij steeds langzamer vooruit.
Hij wrong zich tussen de mensen door, gebruikte zijn armen als een zwemmer, veegde anderen opzij en baande zich met zijn schouder een weg.
Hij verontschuldigde of excuseerde zich niet. Nick kon niets zeggen. Zijn longen deden hun uiterste best om voldoende zuurstof in zijn bloed te krijgen om zijn benen in beweging te houden. Hij was zo nat van het zweet alsof hij net onder de douche uit kwam, maar daar was hij zich nauwelijks van bewust.
Burgerwachten en politiemensen hadden de grootste moeite om de menigte op een afstand te houden. De strijders gebruikten hun geweren, hun vuisten, hun laarzen.
Andere gewapende mannen sprongen op de treeplanken van de ambulances en schoten met hun automatische geweren in de lucht om vrij baan te maken voor de gewonden.
Nick wrong zich door de mensenmassa naar voren en een burgerwacht met een zwarte baard, een spijkerbroek en sportschoenen gaf hem een harde duw tegen de borst. Hij viel er bijna van om. Iemand hielp hem op de been te blijven door zijn arm te grijpen. Anders was hij onder de voet gelopen. Vlak bij hem vuurde een andere schutter – een magere PSP-strijder met een bordeauxrode baret op – vier of vijf salvo's met zijn kalasjnikov. Links van hem jammerde een zestal gesluierde vrouwen; ze verscheurden hun kleren en wierpen zich op het militiekordon om te proberen de plaats van de aan-

slag te bereiken. De burgerwachten sloegen ook hen met hun geweren, zonder zich om hun geslacht of hun verdriet te bekommeren.
Nick kon niet veel zien.
De menigte ziedde van woede, drong tegen het militiekordon, viel terug en drong weer naar voren. Duizenden stemmen werden verheven in woede, in eisen om wraak.
Een aanhoudend, gemeenschappelijk gekreun van woede en angst.
Rook en een enorme berg puin benamen hem het zicht.
De rook brandde in Nicks keel.
Het instituut was ingestort.
De voorgevel leek te zijn ingezakt, waardoor het interieur zichtbaar was geworden. Toen de rook even optrok, vond Nick het net een rotte kies. Hij kon het trappenhuis duidelijk zien, maar het hield ergens op tussen waar de vierde en vijfde verdieping moesten zijn geweest. Iets hoger zag Nick een bureau uitsteken in de lege ruimte van wat een kantoor was geweest; iemands jasje hing aan een deur, en een telefoon bungelde in het niets.
'Laat me erdoor,' zei Nick. 'Laat me erdoor.'
Hij zwaaide met zijn VN-kaart en tot zijn verbazing werkte dat. Hij kon doorlopen, struikelend over het puin.
De doden waren in twee rijen in een zijstraat gelegd.
Niemand hield hem tegen.
De lichamen lagen naast elkaar, alsof ze in de houding lagen. Er stonden twee militaire vrachtwagens met de achterklep omlaag, om de stoffelijke resten van de slachtoffers in ontvangst te nemen.
Een meelevende Amal-militieofficier tilde het dekzeil dat over de lijken lag net ver genoeg op om te laten zien wat van hun gezichten over was.
'Zevenentwintig, meneer, maar het worden er nog wel meer,' zei hij.
Zelfs zo was wat er over was nauwelijks herkenbaar.
Terwijl Nick de rij stoffelijke overschotten langs liep die verzengd, opengereten en verminkt waren, zogen zijn schoenen zich vast in hun bloed.
Ten minste de helft waren vrouwen.
Dat zag hij aan hun kleren, niet aan hun lichamen, die zo onherkenbaar verminkt waren dat ze niet van de mannen konden worden onderscheiden.
'Vertel het in het buitenland,' zei de officier in het Engels tegen hem. 'Vertel de wereld wat hier gebeurt. Vertel het de Amerikanen. Vertel het ze. Alsjeblieft. Zeg dat we geen criminelen of terroristen zijn. Zij hebben ons dit aangedaan. Wij hebben niets gedaan om dit te verdienen. Behalve om om onze rechten te vragen, om ons land, oké? Vertel het ze, meneer. U ziet wat

ze doen. Dit was een bibliotheek die ze hebben aangevallen. Niets anders.'
De officier liep achter Nick aan, nog steeds pratend.
Nick luisterde niet meer.
Reem was er niet bij. Ze was niet onder de doden.
Misschien was ze die ochtend niet naar haar werk gegaan. Misschien had ze zich niet goed gevoeld. Misschien was het waar wat kolonel Daoud had gezegd. Misschien was ze in Aley. Misschien had ze haar reis ergens anders onderbroken.
Zoiets. Wat dan ook. Kon niet schelen wat. Alles was beter dan dit.
God geve dat ze nog in Koura is.
God, maak alsjeblieft dat ze veilig is.
In leven.
Ongedeerd.
Het gaf niet wat ze van plan was.
De officier gaf zijn mannen een bevel en ze begonnen de lijken op te tillen, naar de wagens te dragen en als boomstammen op te stapelen.
Nick wist dat hij de gewonden moest zien te vinden.
Hij wist zeker dat de meesten naar het Amerikaanse universiteitsziekenhuis zouden zijn gebracht. Dat was het grootste en best toegeruste ziekenhuis in de westelijke sector.
Hij wrong zich weer door de menigte, dook onder de arm van een burgerwacht door en baande zich weer een weg, ondanks de protesten.
Televisieploegen hadden ladders neergezet om onbelemmerd te kunnen filmen.
Achter in de menigte stapten nieuwsmensen rond met baseballpetjes op en duidelijke kaartjes op hun borst met PERS erop. Ze staarden naar Nick, een vertwijfelde westerling die de verkeerde kant uit ging.
De doden betekenden niets voor deze voyeurs, dacht hij.
Maar zo zagen de mensen hem ook.
Als een voyeur.
Een spion.
De vijand.
Toen Nick aan de andere kant uit de menigte kwam, begon hij in gestaag tempo te rennen.
Zijn blauwe katoenen overhemd was kletsnat en plakte als een natte dweil aan zijn romp.
Het ziekenhuis was ruim tweeëneenhalve kilometer weg.
Er was nog hoop.

# 23

De drie bibliothecaressen kwamen bij elkaar voor de koffie.
Reem stond over de Damascener tafel gebogen, met de koffiepot in haar rechterhand, en wilde net het zwarte vocht in het eerste van de drie kopjes schenken.
Zubaida stond naast haar, met een schaal *baklawa* die ze net wilde neerzetten.
Dalia zat gewoon te zitten en haar rok over haar knieën te trekken.
Dalia lachte.
Ze vierden het nieuws dat de gekozen president pas over drie weken, misschien een maand, in functie zou treden. Er moest eerst nog een onderhandelingsronde tussen alle partijen in het conflict plaatsvinden.
Reem keek op. Zubaida zei iets.
'Had hij het me maar nooit verteld, dan zou ik –'
Haar mond ging open, haar lippen vormden de woorden. Maar Reem kreeg de rest niet meer te horen. Achter en boven Zubaida zag ze de klok aan de muur.
Negen over elf.
Reem zag het paneel van glazen stenen links van haar uit de muur loskomen en naar het midden bewegen.
Vreemd.
Er klonk geen geluid. Geen waarvan ze zich bewust was. Alleen het witte licht, als een flitslicht van een fototoestel. De stenen leken in het midden van de ruimte te blijven hangen en als grote waterdruppels rond te tuimelen.
Als fonkelende edelstenen die vallen.
Reem kon niet horen wat Dalia zei.

Ze wankelt meer dan ze loopt.
Reem zet haar ene voet voor de andere.

Haar goede schouder, haar rechter, is tegen wat over is van de muur van het trappenhuis.
Ze schuifelt naar beneden.
Eén stap tegelijk. Haar linkervoet eerst.
Ze hoort gekreun.
Gehuil.
Geweeklaag.
Er ontbreken treden. Er zitten gaten in de muur.
Ze tast zich een weg, schuift haar linkervoet naar voren, dan haar rechter.
De trap is kapot, de treden liggen vol puin.
Haar neus, mond en ogen zitten vol rook en stof.
Ze spuwt, hoest. Haar slijm is zwart van het vuil. Haar rechterhand ligt ter hoogte van haar borst over haar lichaam en houdt haar linkerbovenarm stevig vast.
Haar linkerarm doet het niet.
Ze voelt geen pijn.
Reem glijdt voortdurend uit over de rommel. De hal is verdwenen. De voordeur ook. Door de rook en het stof is een massa mensen.
Mensen met rode kielen en helmen.
Die op haar af rennen.
Dame.
Ze wankelt de open lucht in.
Ze vangen haar op.
Ben jij dat, Michael?
Het gezicht van haar broer.
Hou vol, dame.
We krijgen u er wel uit.
Juffrouw, hou vol.
Wat is er veel bloed.
Van mij.
Ze ligt erin, als in een bad.
Hou vol, dame.
Mikey?
Reem ligt op haar rug, in de war, niet zeker hoe ze daar is gekomen, en kijkt naar de lucht, naar de gebouwen die voorbij glijden.
Ze zweeft.
Blauwe lucht.
Eindigt het zo, lieve Michael?

Ze wordt opgetild, gedragen met haar voeten vooruit.
Jezus.
Wat doet het pijn.
Geschreeuw.
Geweervuur, heel dichtbij.
Lege patroonhulzen, nog heet, tollen om haar heen.
Ogen zwaar.
Zo moe.
Michael is er.
Mijn broertje.
Hij glimlacht.
Nog niet, Michael.
Ze voelt dat ze wordt meegenomen.
Weer opgetild.
Neergezet.
Geduwd.
Ze ligt achter in een vrachtwagen.
Alsjeblieft.
De linkerarm onbruikbaar.
Michael, lieverd, ben je het echt?
Niet gaan slapen.
Ik kan nog niet weg, Michael, mijn lief.
Iemand brengt een tourniquet aan.
Gebruikt haar bloed om de tijd op haar voorhoofd te smeren.
Een T en de getallen 11.14.
Ik kom zo. Heel gauw.
Dan zijn we weer allemaal bij elkaar.
Houd mijn hand vast.
Er roept iemand.
Ik ben het. Sorry.
Nog niet, Michael.
Ik moet nog zoveel doen.
Wacht op me.

# 24

'Mama.'
Dr. Nessim nam Nick bij de arm.
'Hierheen.'
'Mama.'
De stervende man stak een arm uit en keek met vage blik langs Nick heen.
'Hierheen. Denk om uw voeten.'
Hij had geen benen.
Nick kon er niets aan doen. Hij moest wel kijken.
Dr. Nessim zei: 'Weet u wat, meneer Nicholas? Iedereen roept om zijn moeder. Het maakt niet uit wat hij is. Moslim, christen, jood, Libanees, Frans, Israëlisch, Syrisch, man, vrouw, soldaat, burger, jong of oud, rijk of arm – het is altijd hetzelfde. Het maakt niet uit. Ze roepen om hun moeder. We zijn allemaal maar mensen. We eindigen het leven zoals we het beginnen.'
'Hij is stervende?'
'Zeker.'
'Kunt u niet iets doen?'
'Voor hem? Nee, niet echt. We hebben gedaan wat we kunnen.'
Er ratelde een brancard voorbij. De twee mannen gingen achteruit voor de rodekruiswerkers. De vrijwilligers renden, voorovergebogen, de zijkanten van de brancard omvat, en duwden het geval met zijn bebloede bundel naar een van de vier operatiekamers.
'Hierheen, meneer Nick.'
Ze waren in de hal. Bomvol mensen, de meesten in witte jassen, allemaal haastig en roepend. 'Hoe bedoelde u – "niet echt"?'
Ze werden ingehaald door gewapende mannen.
'Op tijden als deze, als we worden overstroomd.' Dr. Nessim haalde zijn schouders op. Hij liep nog steeds snel, vlak voor Nick uit, en riep over zijn schouder om zich verstaanbaar te maken. 'Moeten we beslissingen nemen

over mensen. Ze komen binnen. We onderzoeken ze vluchtig. Soms alleen door een oppasser, de verpleegkundige of een leerling-dokter. Als de gewonde te zwaar gewond is...'
Dr. Nessims stem stierf weg. Hij keek Nick hulpeloos aan, met een gezicht dat leek te zeggen: vraag me niet om het voor je uit te spellen. Maar Nick moest het begrijpen. Hij kon het niet verdragen om het niet te weten. Hij had antwoorden nodig. Hij moest aan deze heksenketel van pijn en bloed een soort orde, een soort begrip afdwingen.
Op de binnenplaats was het rustiger. Het was er ook vol mensen, maar zij lagen in rijen op de grond; die was glibberig van het bloed. Overal lag gebruikt verband, als rode spons. Eerstehulpwerkers liepen tussen de gewonden door met flessen water.
'We maken het de zwaargewonden zo comfortabel mogelijk. Ziet u wel? We moeten hen laten liggen. We helpen mensen die een kans hebben. Dat noemen we omgekeerde triage. De zwaargewonden, tja, die laten we hier buiten sterven zodat mensen die een grotere kans hebben, misschien blijven leven. We moeten zuinig met onze middelen omgaan voor degenen die een grotere kans op leven hebben. Begrijpt u?'
'En Reem Najjar?'
Ze liepen snel door een gang. Het bloed was kleverig onder hun voeten.
'Ze is inmiddels geopereerd.'
Nessim legde het uit. Ze dachten dat ze dood was. De rodekruisman had geen polsslag gevoeld. Ze hadden haar bij de anderen op de binnenplaats gelegd. Bij de mensen zonder hoop. Om te sterven. Later misschien, als er nog mensen leefden, zouden ze meer aandacht krijgen.
Nessim had haar herkend. Hij was net aangekomen met een voorraad bloed die hij bij andere ziekenhuizen had gehaald.
Puur toevallig.
Nessim was de plaatsvervangend ziekenhuisadministrateur. Hij was ook Grieks-katholiek. Uit hetzelfde dorp. Zijn ouders althans. Net als Reem had hij zijn thuis nooit gezien. Alleen op foto's. Hij glimlachte, als om zich voor het verlies te verontschuldigen.
'Wij, melchieten, zijn hier en in Palestina een kleine gemeenschap, en ik herkende haar. Ik kom haar soms tegen als ze naar haar werk gaat of op de plaatselijke markt. Ze is bibliothecaresse, toch? Ik weet dat haar ouders een paar jaar geleden zijn overleden. Mijn vrouw kende hen. Goede mensen. Ze gingen naar dezelfde kerk.'
Nick knikte.

'Ik ging bij haar kijken,' ging Nessim door. 'Toen wist ik het zeker. Ik zocht naar een polsslag. Die was heel zwak. Juffrouw Najjar leefde nog – maar ook maar net. Ze had te veel bloed verloren. Veel te veel. Ik tilde haar op. Ik rende met haar naar de operatiekamer. Er was net iemand op de operatietafel overleden en ze rolden hem eraf en ik legde haar erop. Ik vroeg de chirurg om te doen wat hij kon. Hij was erg moe. Hij zei dat ze dood was en dat ik ieders tijd verknoeide. Ik zei dat ze daarnet nog leefde en of hij het alsjeblieft wilde proberen. Ik drong aan. Als ik vijf minuten later was gekomen, zou het te laat zijn geweest.'
Ze waren bij de deur.
'Ze hebben haar opnieuw verbonden en haar een enorme transfusie gegeven – alleen omdat ik erom vroeg. We komen bloed tekort, weet u. Als ze was overleden, zou dat een vreselijke verspilling zijn geweest.'
Nessim wachtte op Nick.
'Hier. Hier binnen. Dit is de verkoeverkamer.'

# 25

Tijd had geen betekenis meer.
Er waren geen uren of minuten. Er was geen dag of nacht.
Reem was niet wakker, maar ze sliep ook niet.
Er was alleen pijn of non-pijn. Pijn was een wereld zoals geen andere; een monsterlijke meester die Reem in zijn verpletterende greep hield, haar van elke gedachte, alle zelfrespect, alle menselijkheid ontdeed. Hij was genadeloos. Hij was onverbiddelijk. Hij reduceerde haar tot een sidderend, snotterend iets dat hing te kronkelen aan de weerhaak die door haar heen stak. Hij maakte haar hulpeloos en dat haatte ze.
Ze kon niets anders doen dan haten. Ze kon er niet aan ontkomen. Ze kon er niet tegen vechten, behalve door te haten. Ze was goed in haten. Nu koesterde ze haar haat, klampte zich eraan vast in haar heel eigen zee van helse pijn.
Die haat hield haar drijvende, zorgde ervoor dat ze zichzelf bleef.
De door medicijnen veroorzaakte afwezigheid van pijn bracht haar perioden van een heerlijk niets, een zinken, een afdrijven naar immense diepten, een van dromen vervuld anderszijn waarvan ze genoot en waaruit ze niet graag weer boven kwam.
Reem zou er alles voor over hebben gehad om deze pijnloosheid te hebben, te houden, te verlengen, haar bescherming te genieten.
Er was in elk geval geen waardigheid.

Ze hoorde stemmen vlak boven haar bed.
Twee mannen.
Ze kon hen ruiken ook.
Eau de cologne, zweet, sigaretten, alcohol en ammoniak.
Mannelijkheid.
Reem kende hen allebei. Ze spraken Engels. De jongere, ongeduldige stem, herkende ze als die van Nick. De diepere, langzamere en zwaarder geaccen-

tueerde toon was die van dr. Nessim.
'Hoe gaat het met haar?'
'We hebben de arm kunnen redden. Het ernstigst was het bloedverlies. Ze is nog steeds erg zwak. Maar we hebben de arm gered. Afgezien daarvan zijn er geen ernstige verwondingen. Ze heeft geluk gehad.'
'Dat is goed. Voortreffelijk.'
'Ze zal u niet herkennen. Ze heeft te veel pijn.'
'Kunt u niet iets doen?'
'O, ja. Natuurlijk. Doen we ook. Tot op zekere hoogte. Ze slaapt veel. Het is eigenlijk een toestand van half slapen, half waken.'
'Slaapt ze nu?'
'Misschien wel.'
'Ben ik het enige bezoek?'
'Nee. Er is een vrouw die haar eten brengt en haar voedt. Soms slaapt ze hier, op de grond, om juffrouw Najjar gezelschap te houden.'
'Wie is het?'
'Salwa – dat is alles wat ik weet. Ze is Koerdisch.'
'Verder nog iemand?'
'Een man. Haar oom, geloof ik. Ik heb hem niet gezien. Hij heeft haar de bloemen en eten gestuurd.'
'Kan ze ons horen?'
'Ik denk van wel, ja. Een paar van die verbanden gaan er met een dag of twee af. De meeste verwondingen zijn vrij licht – afgezien van de linkerarm die een klein, maar diep gat opliep. Het was een glasscherf en die had een ader doorgesneden.'
'Hoort ze ons nu?'
'Dat weet ik niet, meneer Lorimer.'
'Hoe lang moet ze in het ziekenhuis blijven, dokter?'
'Dat hangt ervan af. Ik weet het niet. Dat hangt ervan af hoe snel ze herstelt.'
'Ze zal toch volledig herstellen, hè?'
'Ze is jong. Het zal helemaal van haar instelling afhangen, hoe vastberaden ze is. Maar er is geen reden waarom ze niet weer een normaal leven zou kunnen leiden.'
'Is er iets wat ik kan doen?'
'Ik denk van niet. Haar alleen opzoeken. Patiënten hebben gezelschap nodig. Dat kan alle verschil uitmaken voor hun moreel.'
'Is er iets wat ze nodig heeft maar niet krijgt?'
'Dat zult u haar zelf moeten vragen.'

Ze voelde dat op verschillende tijdstippen verschillende mensen haar hand vasthielden.
Salwa's handen waren klein en sterk, met een ruwe huid van het werken met haar handen – wassen en schoonmaken, koken en strijken, water dragen en voedsel halen op de markt – kortom, het werk van de armen.
Eerlijke handen.
Salwa hield Reems hand stevig vast, met de handpalmen tegen elkaar en haar vingers stijf om Reems rechterhand, als om te voorkomen dat ze zou vallen.
Salwa kwam aan het eind van de middag en gaf haar te eten. Meestal bouillon, en de laatste tijd ook lepeltjes *tabouli*, *moutabal* en *hommous*.
Salwa zei weinig. Ze hielp Reem op de steek. Ze gaf Reem mineraalwater en soms vruchtensap dat ze zelf had geperst. Salwa waste Reem voorzichtig en droogde haar vlug af met een schone handdoek. Ze ging op de rand van het bed zitten en kamde Reems haren om haar af te leiden van de pijn. Ze bracht schone lakens en een kussensloop mee. Ze was Reems persoonlijke verzorgster in een tijd waarin het personeel van de afdeling geen tijd had voor een dergelijke luxe. Salwa was praktisch. Salwa was niet sentimenteel, ze was zakelijk. Ze had het grootste deel van haar familie in de kampen verloren, en haar man, die was gesneuveld bij de verdediging van Karantina.
Ze wist wat pijn was.

De Ustaz kwam doorgaans 's avonds bij Reem op bezoek.
Ze hoorde hem nooit aankomen tot hij op het voeteneind van het bed ging zitten of een stoel mee naar binnen bracht.
Dan was het rustiger, maar niet bepaald verlaten. Vrienden en verwanten sliepen in de gangen. Ze maakten maaltijden klaar, zetten op elk uur van de dag thee of koffie op de balkons en hingen het wasgoed van de patiënten uit het raam. Maar dan waren de meeste radio's tenminste uit en het geklets was tegen middernacht wel zo ongeveer opgehouden.
Zijn handen waren groot, met kortgeknipte nagels.
Er zaten eeltplekken op de palmen, en de vingers waren lang en knobbelig en sterk – te sterk, want soms, als hij Reems rechterhand vasthield, deed hij haar pijn zonder het te willen.
Hij las haar langzaam, aarzelend, voor met zijn diepe stem met zijn West-Beiroetse accent.
Hij was heel rustig en heel geduldig.
Ze vond het 't fijnst als hij gedichten voorlas.
Al-Mutanabi was haar lievelingsdichter.

Ze praatten niet. Ze wisselden gedachten uit door de druk van hun vingers. Dan bedankte ze hem voor zijn voorlezen door in zijn hand te knijpen. Hij bracht haar het mooiste cadeau van allemaal: geruststelling. Hij was er voor haar, al wisten ze allebei dat ze geen nut voor hem had.
Maar ze bezwoer zichzelf dat ze voor hem van nut zou zijn.

Nick. Ze zag op tegen zijn bezoeken en hunkerde er tegelijkertijd naar.
Hij kwam twee keer per dag, steeds rond dezelfde tijd.
's Morgens vroeg; Reem dacht rond zes of zeven uur.
Dan rook hij naar douchegel, aftershave en schoon wasgoed.
Laat; na zijn werk, dacht ze, onderweg naar huis. Om deze tijd rook hij, niet onprettig, naar zweet en sigarettenrook. Soms naar alcohol. Wijn, waarschijnlijk, die hij bij de lunch had gedronken.
Dan stak ze haar rechterhand uit om zijn gezicht aan te raken, de omtrek van zijn kin te voelen – 's morgens zo zacht als een babyhuidje, tegen de avond zo ruw als een kaasrasp – en zijn brede mond, zijn grappige gebroken neus en zijn ogen met hun vreemd lange wimpers. Dan raakten haar vingers zijn keel aan, zijn overhemd, en gingen langs zijn armen omlaag om het springerige haar op zijn onderarm en pols te voelen en ten slotte zijn hand te pakken.
Een sterke hand, niet zo groot als die van de Ustaz, op de een of andere manier korter. Breder, stomper.
Zachter. De handen van een pennenlikker. Iemand die op kantoor werkt.
Hij was afschuwelijk opgewekt. Zij was zo nerveus als een schoolmeisje. Ze wilde dat hij haar op de mond zou kussen en ze wilde het ook weer niet. (Hij kuste haar heel zachtjes op haar ene wang die niet in het verband zat.) Ze wilde het omdat ze wilde weten wat hij voor haar voelde, en ze wilde het niet omdat ze wist dat ze er niet alleen vreselijk uitzag, maar waarschijnlijk net zo smerig rook. Hoe Salwa haar ook waste en boende, niets kon haar bevrijden van de ziekenhuisstank.
God, ze zag er vast vreselijk uit. Al dat verband en het gele spul dat ze op de snijwondjes in haar gezicht smeerden. En de kneuzingen. Bont en blauw. Shit, wat een kleurenschema. Een waar kunstwerk; een Kandinsky die onder het bloed zat. Ze had zich nog nooit zo onzeker, zo kwetsbaar, zo hulpbehoevend gevoeld.
Wat zou hij wel denken?
Goddank dat ze zichzelf niet in de spiegel kon zien, want dan zou ze vast sterven van schaamte.

En dan die allerergste gedachten, in het holst van de nacht, als ze op haar gedeprimeerdst was en overal om zich heen het donker voelde, als ze niet kon slapen van de pijn, het eindeloze gesnurk uit de andere bedden, de hitte, de muggen.
Was er een ander?
Met wie ging hij nu uit?
Hij had met haar geslapen – had zijn Arabische maagdje gehad – en zou het daarbij blijven? Had hij uiteindelijk gekregen wat hij wilde? Was hij al aan het overstappen naar een ander? Waren deze bezoeken alleen uit fatsoen, uit plichtsbesef? Had hij met haar te doen? Had hij medelijden met haar?
Sombere gedachten.
Maar ze wilde helemaal geen medelijden van hem.
Het wachten, daar kon ze niet tegen. Het was altijd beter als hij er was. Hij vertelde haar over zijn werk. Hij vertelde haar over zijn collega's. Hij had zoveel zelfspot en gevoel voor humor dat ze soms zo hard moest lachen dat de hechtingen er pijn van deden.
Hij had het erover dat hij vier dagen vrij moest nemen. Verlof heette dat, betaald door zijn werkgevers. Hij was het aan het uitstellen, zei hij. Hij wilde niet weg, niet nu, nog niet, niet zolang zij nog bedlegerig was. Als ze hem dwongen om met verlof te gaan, zei hij, zou hij liegen en de tijd in het ziekenhuis doorbrengen. Dan kwam hij hier kamperen, net als al die mensen over wie hij heen moest stappen onderweg naar haar afdeling.
Reem wist niet goed of ze hem moest geloven of niet.
Nick zei dat hij zijn verlof zou opnemen als ze weer thuis was, als ze weer op de been was.
Wilde ze met hem mee? Naar Cyprus?
Het zou haar goed doen.
Ja, hij kende de ongeschreven regels. Dat wist hij allemaal wel. Wilde ze er tenminste over nadenken? Alsjeblieft?
Ze kneep in zijn hand.
Glimlachte een scheve glimlach onder het verband.
Ja. Ze zou erover nadenken.
Hield hij van haar?
Ze kon het niet vragen.

De dag dat het meeste verband eraf ging, vierde Reem door Salwa haar haren te laten wassen.
Dr. Nessim had haar verhuisd naar een particuliere kamer met maar vijf

andere patiënten, allemaal vrouwen, allemaal gewond in de oorlog, voornamelijk uit het zuiden en de zuidelijke buitenwijken van Beiroet.
Toen Reem haar bezorgdheid uitte over de kosten, zei Nessim dat ze daar niet over in hoefde te zitten. Dat was allemaal geregeld. Haar oom Faiz had overal voor gezorgd.
'Maak je maar geen zorgen. Je bent hier zo weg...'
Reems linkerarm stak in een vreemde hoek naar buiten, hij zat in een koker van gips en werd gesteund door een geval dat boven haar bed hing.
Het beste was nog dat de pijn zich had teruggetrokken in haar arm en schouder. Hij had niet langer haar hele wezen in zijn greep. Hij had de strijd om het bezit van haar lichaam en geest verloren. Zijn terrein was beperkt tot de plek van haar zwaarste verwonding. Ze kon denken, praten en zelfs korte tijd achter elkaar lezen.
Ze sliep beter.
Ze had nog steeds vreselijke hoofdpijn en ze zag wazig als ze probeerde te veel te doen.
Haar wonden jeukten vreselijk terwijl ze genazen. De hitte hielp ook niet. Ze kreeg honger en dorst. Ze wilde haar bed uit. Ze kreeg de kriebels. Ze maakte ruzie met de vrouw in het bed naast haar. Het was heel kinderachtig: over de beste manier om *makloobeh* klaar te maken, een Syrisch gerecht met aubergine, vlees en rijst.
Ze was rusteloos.
Haar gezicht zag er niet uit. Het was nog steeds verkleurd en opgezet.
Ze zei tegen Nick dat ze eruitzag als een zwaargewicht bokser die acht rondes had gevochten – en had verloren. Ze lachte, en ook dat deed pijn.
Hij zei dat het hem niet kon schelen. Ze was evengoed beeldschoon, hoe erg ze ook in het verband zat.
Geloofde ze dat? Ze wilde het wel.
Diezelfde middag kwam dr. Nessim bij haar zitten en zei hoezeer hij onder de indruk was van haar herstel. Instelling was alles, zei hij.
De uitslagen van haar urine- en bloedonderzoek waren binnen uit het lab.
Waren ze goed?
Even leek Nessim niet te weten wat hij moest zeggen.
Nou, ja. Het hing er helemaal van af hoe je het bekeek, zei hij. Nessim oordeelde nooit. Hij was dokter. Psychiater.
Hij vertelde haar het nieuws heel voorzichtig.

# 26

Het was zo heet dat het asfalt ervan smolt. In het ziekenhuis stonden alle deuren en ramen wijd open.
Nick vertelde haar niet wat er in de krant stond.
Dat zou haar maar van streek maken. Al zou Reem het waarschijnlijk uiteindelijk toch wel van iemand horen.
Ongeveer een week na de bomaanslag citeerde het onafhankelijke West-Beiroetse dagblad *an-Nahar* niet nader genoemde bronnen en berichtte dat de laatste bomaanslag in de westelijke sector was uitgevoerd namens Israël in de veronderstelling dat het instituut een dekmantel was voor de geheimzinnige Ustaz en zijn medemilitanten.
Het verhaal werd opgepikt door de andere media en door buitenlandse journalisten, en een paar dagen later kwam het bestuur van het instituut met een officiële verklaring – vanuit het veilige Tunis – en ontkende enig verband met guerrilla's, terroristen of gewapende groeperingen van welke soort ook.
Wat Reem betreft, zij hield haar nieuws voor zich en vertelde het Nick pas de derde week na de bomaanslag.
Nick bracht wat tijdschriften voor haar mee. Vrouwenbladen. *Vogue*, *Marie-Claire*. Hij dacht dat ze de plaatjes wel leuk zou vinden. Van lezen kreeg ze nog steeds hoofdpijn en er stond niets in over de oorlog.
'We hoeven niet naar Cyprus, weet je. We kunnen heen waar we maar willen.'
'Dat is lief.'
'We zouden naar Italië kunnen gaan.'
'Cyprus is prima.'
'O ja? Jij bent er geweest.'
'Het beviel me wel.'
'Misschien is het te dicht bij huis.'
'Wat is daar mis mee? Ik hou van mijn huis.'

Ze zag er heel wat beter uit. Ze glimlachte naar hem, maar Nick voelde een nervositeit, een onderliggende spanning.
'Wat is er?'
'Niets.'
'Je kunt het me vertellen.'
'Weet ik.'
Ze glimlachte te opgewekt, alsof ze bijna in tranen was. Ze was ergens door van streek.
Nick boog zich naar haar toe.
'Reem...'
'Ja?'
'Vertel het me.'
'Het is niets.'
'Alsjeblieft.'
'Ik wil het je niet vertellen, Nick. Ik vind het fijn als je me komt opzoeken. Ik wil je niet wegjagen.'
'Dat lukt je nooit.'
'Het zal je schokken.'
'Dat denk ik niet.'
'Ik wil het je niet vertellen. Dan ga je er maar over in zitten.'
'Zit jij er dan over in?'
Reem haalde haar schouders op. 'Een beetje. Ik zit er over in dat jij er over in gaat zitten.'
'Ik ga er niet over in zitten.'
'Ik krijg een kind, Nick. Een baby. Wees alsjeblieft niet geschokt of boos.'
Nick was volkomen verbluft. Hij had het gevoel dat hij in zijn buik werd geschopt. Hij werd er onpasselijk van. Maar hij liet het niet merken. Hij hoopte van niet. Het was gewoon niet bij hem opgekomen. Hij deed zijn mond open en wat eruit kwam, klonk onbevredigend, zelfs voor hem.
'Dat is goed. Dat is mooi.'
'Echt?'
'Echt.'
Mooi niet.
'Nick...'
'Ik heb een condoom gebruikt. Ik heb alles goed gedaan.'
'Dat weet ik. Ik verwijt het je niet. Dat soort dingen gebeurt nu eenmaal.'
'Laten we trouwen zodra je hieruit komt.'
'Meen je dat?'

'Natuurlijk meen ik dat.'
'Je bent geweldig.'
'Jij ook.'
'We zijn allebei geweldig.'
Hij sloeg zijn armen om haar heen, voorzichtig om de gewonde arm geen pijn te doen, en kuste haar op de mond, zoals het hoorde. Een lange zoen.
'We gaan trouwen,' zei hij toen ze op adem kwamen. 'Daarna gaan we er een tijdje tussenuit. Ik neem verlof op. We zouden naar Italië en Spanje kunnen gaan. Lijkt je dat niet leuk?'
'Dat zou ik heerlijk vinden,' zei Reem, terwijl ze naar hem keek.
Het was een droom. Een illusie.
'Je meent het, hè?'
'Waarom zou ik het niet menen, Nick?'

Hij zag de man die ze haar oom noemde.
Nick was zachtjes door de gang komen aanlopen. De meeste mensen die daar hadden geslapen, hadden gekampeerd, waren verdwenen. Het was een van die zeldzame en veel te korte tijden van rust.
Dr. Nessim had Nick verteld van een incident, de vorige dag. Er waren twee gewapende mannen binnengekomen, op zoek naar de dokter van een van hun vrienden die op de operatietafel was overleden. Ze hadden over de dokter heen gebogen gestaan terwijl hij aan het werk was, en toen de man overleed, dreigden ze hem te vermoorden.
De twee gewapende mannen waren teruggekomen, uit op wraak. Ze vonden de dokter, die buiten stond te roken, in zijn pauze. Ze gingen hem achterna, de afdelingen over. Uiteindelijk sloten ze hem in. De onfortuinlijke dokter was uit het raam gesprongen, via de buik van een patiënt. Van de tweede verdieping. Hij brak een been toen hij neerkwam.
Het goede nieuws was dat de boeven er genoegen mee namen. Een gebroken been, besloten ze, was voldoende.
Nick keek om de hoek van de deur. Daar, naast Reem, zat een vreemdeling. Hij zat kaarsrecht en onbeweeglijk, met zijn handen op zijn knieën en zijn gezicht in de schaduw. Wat zat hij daar te doen? Te dagdromen? Te bidden? Reems ogen waren dicht.
De oom leek heel geduldig te zitten wachten tot ze wakker zou worden.
Was hij echt haar oom? Als hij zo attent was, waarom had ze het dan niet vaker over hem? Was dit misschien de man over wie de kranten het hadden – de beruchte Ustaz?

Wat moest Nick doen? Het Deuxième Bureau bellen, de veiligheidsdienst van het ziekenhuis of kolonel Daoud erbij halen? Of misschien gewoon naar binnen lopen, zich voorstellen en zeggen: 'Bent u de man die ze de Ustaz noemen?'
En wat zou er dan met Reem gebeuren?
Nick zou geen van deze dingen doen.
Hij bleef waar hij was en keek.
Reems bezoek had heel kort, grijs haar. Ascetisch. Net een priester, vond Nick.
Na een paar minuten ging Nick weer weg, op zijn tenen.
Hij vroeg zich af of Reem, of misschien dr. Nessim, deze 'oom Faiz' van Reems zwangerschap had verteld, en of de oom wist wie de vader was.

Pas vijf dagen later hadden ze het weer over Reems zwangerschap.
'Wil jij wel een baby, Nick?'
'Natuurlijk wel.'
'Wil je wel vader worden?'
'Graag zelfs.'
'Dat zeg je niet alleen om mij een plezier te doen?'
'Ik wil jou een plezier doen. Maar ik zeg het niet om je een plezier te doen.'
'Op wat voor wereld gaan we dit kind zetten, Nick?'
'Een rotwereld.'
Reem had haar rechterhand, haar goede hand, op haar buik.
Ze zei: 'Wat voor leven wordt dat?'
'Beter dan geen leven.'
'Weet je het zeker?'
'Tuurlijk weet ik het zeker.'
'Ik weet het niet zo zeker.'
'Doe niet zo raar. We zullen heel gelukkig zijn en ons kind zal ook gelukkig zijn.'
'Ik wil niet weg, Nick.'
'Dat hoeft ook niet.'
'Om het kind moeten we wel.'
'Daar hebben we het nog wel over.'
'Denk je dat het een jongen is of een meisje?'
'Dat kan me niet schelen.'
'Echt niet? Kan het je echt niet schelen?'
'Echt niet.'

'Als dat waar is, ben je al te goed.'
'Niemand is zo goed.'
'Jij wel.'
'Mag ik je zoenen?'
'Zo vaak mogelijk.'
Later zei ze: 'Ik ga zaterdag naar huis, Nick.'
Het was donderdag. Nick had Reem al verteld dat hij voor zijn werk naar Sidon moest. Daar was niets aan te doen. Er waren vier huizen geplunderd door het Zuid-Libanese leger en de mannen van de gezinnen waren 's nachts meegenomen. Hij nam de chauffeur van kantoor en Elias mee, en het zou vreselijk heet zijn in het zuiden. Ze zouden een paar dagen weg blijven. Reem maakte zich zorgen over de controleposten en de Israëlische vliegtuigen en artillerie, maar Nick zei dat het rustig was. Er waren vijandelijkheden geweest rond Souk al-Gharb, maar geen groot gevecht zoals Reem had gezegd. Ze zouden maar drie dagen wegblijven, zei hij. Hoogstens vier.
'Maar je komt terug.'
'Natuurlijk.'
'Je zult toch voorzichtig zijn, hè?'
'Ik vind je wel,' zei Nick.
'Nick?'
Hij draaide zich om bij de deur.
'Ik hou van je, Nicholas.'
'Weet ik,' zei hij. 'Ik hou ook van jou.'
'Wat er ook gebeurt,' zei ze, 'dat moet je geloven, hoor.'
'Natuurlijk geloof ik dat.'
'Beloof het me. Wat er ook gebeurt.'
'Ik beloof het.'

Ze moesten de grens over naar het oosten, dan de berg op richting Ain Saadeh en Broumana. Het was dezelfde route die Nick naar zijn flat nam, dezelfde weg die hij met Reem had genomen voor hun romantische ontmoetingen in de cafés en restaurants van Broumana, en voor die middag samen in zijn bed voor de bomaanslag. Elias wilde de airconditioning aan voor Nick, maar Nick zei nee, liever niet. Hij wilde de ramen open, allemaal helemaal naar beneden, zodat hij kon horen wat er om hen heen gebeurde. In de tien weken dat hij nu in Beiroet was, had hij een gevoel voor problemen ontwikkeld, en dat had te maken met luisteren naar de eer-

ste tekenen van een nieuwe schermutseling. Als er een artillerieduel ging komen, wilde Nick het schot horen afgaan voordat het om hen heen terechtkwam.
Ze huurden Ali van Libanon Taxi in voor de klus. Ali, die zelf een zuiderling was, was heel betrouwbaar, heel koel als hij onder vuur lag, al kleedde hij zich opzichtig en was hij een beetje een rokkenjager wiens ogen nogal gauw afdwaalden naar vrouwelijk schoon. Hij zou hen met zijn Volvo Estate naar de andere kant van het druzengebied brengen, en dan zouden ze aan de overkant een andere auto huren.
Ze gingen voor Ain Saadeh van de weg af en namen een afslag naar rechts. Het was op grotere hoogte een stuk koeler, maar dat zou niet lang duren.
De Libanese strijdkrachten hadden hun controleposten verbeterd. Hun militiemensen droegen nu niet alleen Israëlische kogelvrije vesten en Kevlar-helmen, maar ze hadden ook Israëlische geweren. De controleposten waren deze keer ook echt controleposten, niet alleen maar een ketting of een boom over de weg. De milities kozen een bocht in de weg, of een helling, of allebei. Ze gebruikten *chevaux de frise* en betonnen antitankhindernissen om een nauwe doorgang te creëren en zetten er een man met een machinegeweer neer om de toegangswegen te bestrijken.
Een eindje van de controlepost waren portakabins neergezet en Ali moest zijn Volvo op een parkeerplaats zetten die speciaal voor dat doel was bestemd.
De idioten haalden een spiegel onder de auto door. Ze keken in de wielbakken, onder de stoelen en in de kofferbak. Ali kreeg te horen dat hij naast zijn auto moest wachten.
Ernaast, niet erin.
Elias en Nick moesten in een portakabin wachten.
Ze moesten blijven staan.
De christelijke gewapende mannen buiten droegen gevechtstenue. Binnen waren het inlichtingenmensen in burger, met een pistool in hun riem, een overhemd met korte mouwen en een stuurse manier van doen.
Elias had geen problemen. Zijn Libanese identiteits- en VN-kaart werden hem zonder een woord teruggegeven.
Nicks paspoort, zijn rijbewijs en zijn VN-accreditatie werden meegenomen naar een ander vertrek.
Het duurde twintig minuten voordat hij ze weer terugkreeg.
Toen ze weer veilig in de auto zaten en over een hobbelige landweg tussen de pijnbomen door de heuvel af reden, lachte Elias.

'Ze mogen u niet, meneer Nick.'
'Is dat zo?'
'Ik ben een christen en kom uit West-Beiroet, maar op mij letten ze niet. Wat hebt u gedaan om ze tegen u in het harnas te jagen, meneer Nick?'
'Niets.'
'Die man naar wie ze uw documenten meenamen, was geen Libanees.'
Nick zei niets.
'Het was een buitenlander. Een Israëliër.'
'Hoe weet je dat?'
'Hij had een van die dingen op zijn hoofd. Hij kopieerde al uw papieren.'
'Een *yamulka*?'
Elias zat op de achterbank. Hij boog zich voorover. 'Dat is het. Een *yamulka*. Hij was een Israëlische *moukhabarat*. Hij was ook gekleed als een Shin Beth. Hemd met korte mouwen, heel los, dat uit zijn broek hing. Mouwen tot bijna op zijn ellebogen. Pistool onder hemd, in broek, aan de achterkant. We hebben in tweeëntachtig en achtenzeventig heel wat van dergelijke mensen gezien. Hij kopieerde alles. Enig idee waarom hij dat zou doen?'
'Geen flauw idee.'
'Misschien denkt hij dat u ergens bij betrokken bent.'
'En?'
'Ze mogen u niet, meneer Nick. Ze kunnen niet veel doen omdat u VN-papieren hebt. Maar het staat hun niet aan wat ze zien. Ze zijn boos. Ze zouden u graag vasthouden. Ze hebben zo'n hongerige blik als ze naar u kijken. Ik heb die blik al eerder gezien. Ze zouden u graag een boel vragen stellen. U hebt hen boos gemaakt, denk ik.'
'Ze mochten de Verenigde Naties toch al nooit, Elias. Nooit.'

Er was een strook niemandsland van acht kilometer. Het was golvend land en een bochtige weg. Het werd weer heter. Het was maar een sintelweg en ze veroorzaakten een enorme stofwolk die hen verzwolg. Het stof drong in Nicks ogen en oren en hij proefde het gewoon.
De voorruit zat vol aangekoekt vuil, behalve waar de ruitenwissers hem schoon hadden kunnen schrapen.
De Syrische controlepost was slordig in vergelijking met die van de Libanese strijdkrachten.
Deze keer hoefden noch de passagiers noch Ali de auto uit. Ali werd om alle papieren gevraagd, en Nick en Elias gaven hem de hunne. Die overhandigde hij daarna door het raampje aan de Syriër. Terwijl de ene soldaat de

identiteitskaarten doornam, hielden de andere twee de reizigers in de gaten. Ze waren niet bijzonder nieuwsgierig.
'*Yalla* – ga maar.'
Een lichte beweging met zijn rechterhand om hen weg te sturen.
De soldaten droegen rode baretten.
Paratroepers, dacht Nick.
Hetzelfde korps dat zo dapper in de wijngaarden en boomgaarden ten zuiden van Beiroet had gevochten toen Israël in 1982 binnenviel. De paratroepers waren maar langzaam uit de weg gegaan, of misschien hadden ze pas opdracht gekregen om zich terug te trekken toen het al te laat was, maar de Israëliërs hadden hen ingehaald. De Syriërs hadden van dichtbij stevig verzet geboden, al waren ze in de minderheid.
Deze soldaten doorzochten de auto niet. Ze noteerden alleen het kenteken. Het feit dat het een taxi uit West-Beiroet was, dat Ali zelf sjiiet was, Elias Grieks-orthodox en dat Nick een buitenlander was met VN-accreditatie was meer dan voldoende om deze jonge soldaten ervan te overtuigen dat de Volvo en zijn inzittenden geen bedreiging vormde.
Toen de Syriërs eenmaal uit het zicht waren, greep Elias de stoel voor hem en boog zich weer voorover.
'We zijn hier vlak bij Souk al-Gharb,' zei hij. 'Daar zijn die Syriërs naar onderweg.'
Elias had gelijk. Vijf minuten later reed Ali bijna tegen de achterkant van een Syrische truck aan. Het was de achterste auto van een lange colonne troepen en artillerie op weg naar het front bij Souk al-Gharb. Nick vond dat Reem er qua timing hopeloos naast had gezeten, maar het zag er wel naar uit dat hier in de buurt een offensief werd opgebouwd, zoals ze had voorspeld.
Ali bracht de Volvo tot stilstand.
Ze zouden wachten tot het stof neersloeg.
Het was nog een uur naar druzenland, zei Ali.
Nick stapte uit, strekte zijn benen, klopte zijn kleren af en stampte met zijn voeten om wat van het stof kwijt te raken. Elias en Nick lachten om elkaar – hun gezichten zaten vol aangekoekt stof.
Ali deelde sigaretten en gebotteld water rond.
Ze lieten de autodeuren openstaan en gingen op de stoelen zitten, met hun benen en voeten naar buiten.
Ali draaide een bandje van Fairuz. Ze zong het geliefkoosde, sentimentele liedje dat Nick altijd weer ontroerde: '*Ya Watani*.'

Jij, mijn land.

*Straten en stegen veranderen*
*Al mijn vrienden zijn weg*
*Alles wat vroeger was*
*Is niet meer*
*Iedereen is ouder geworden*
*Anders*
*Behalve jij, mijn land*
*Dit kleine kind.*

Het zou wel door het stof zijn gekomen. Niet specifiek hun stof, maar de enorme stofwolken die waren opgeworpen door het Syrische militaire konvooi onderweg naar het front.
Het moest mijlenver zichtbaar zijn geweest, besefte Nick.
Want op dat moment sloegen de eerste mortieren in.
In elkaar gedoken in een drainagegreppel in de droge, rode aarde langs de kant van de weg, met zijn wang tegen de wortels van een hoge boom, herinnerde Nick zich dat hij Reem had vergeten te vragen wat hij had willen weten. Was het waar wat de kranten zeiden: dat het instituut een soort uitvalsbasis voor de Ustaz was, en hield dat in dat zij voor hem werkte? Net als Khaled? Was dat wie oom Faiz in werkelijkheid was?

# 27

Reem sloeg haar handen voor haar gezicht en huilde, niet van pijn, maar uit schuldgevoel.
Ze had zich overeind getrokken en was met moeite de puinhoop uitgekomen van wat de bibliotheek was geweest. Ze had een heleboel bloed verloren. Dat was allemaal waar. Ze was instinctief de kapotte trap af gelopen en naar buiten gegaan.
Het instinct om te overleven, had Nessim het genoemd.
Te overleven – alleen om te sterven?
Ze kon er met haar verstand niet bij.
Vanuit het standpunt van een overlevende was het krankzinnig.
Ze had niet aan haar vriendinnen gedacht.
Hoe had ze zo egoïstisch kunnen zijn?
Zubaida had domweg geluk gehad. Een zwaar boek was van een bovenste plank gevallen en in zijn val op de een of andere manier opengeslagen. Het had haar neergeslagen, maar haar leven gered. Het was als een helm, open, over haar schedel gevallen. Ze hadden haar uit het puin gehaald met een paar gebroken ribben. In het boek zelf had een enorme glassplinter gezeten. Een verzameling Arabische dichtkunst had Zubaida, de minst literaire van hun drieën, gered.
Dalia had het niet overleefd. Ze heeft het niet bewust meegemaakt, zeiden ze.
Verpletterd door een betonnen balk.
Arme, allerliefste Dalia. Zo onschuldig. De jongste. Ze was gestorven met een glimlach nog op haar gezicht. Ze was meteen dood geweest. Ze zou niets hebben gevoeld.
Hoe wisten de redders dat? Misschien hadden de rodekruismedewerkers dat wel van iedereen gezegd die was overleden, alleen ter wille van de levenden, een schrale troost voor Dalia's bedroefde verwanten.
Zubaida bracht bloemen naar Reems afdeling, maar geen van beiden kon

iets zeggen. Ze omhelsden elkaar, en huilden, en omdat Zubaida niets beters te doen wist, ging ze iets halen om de bloemen in te zetten, dat ze met water vulde en bij het bed zette. Ze had ook warm eten meegebracht en fatsoenlijke koffie en dat aten en dronken ze samen op, ook zonder iets te zeggen, met Zubaida op het voeteneind van het bed. Wat viel er te zeggen?
Reem kon haar, haar allerbeste vriendin, niet vertellen van het nieuwe leven dat in haar groeide. Dat kon ze gewoon niet. Ze wilde het wel. Misschien zou ze het ooit kunnen. Ze kon het zelf nog nauwelijks bevatten. Zoveel mensen van het leven beroofd, geveld, afgemaakt.
En nu dit.
Een leven gegeven, buiten het huwelijk, uitgerekend aan een vrouw wier leven niet langer van haar was maar aan de strijd was gewijd.
Als er een God was, dan was hij een wrede en eigenzinnige grapjas.
Zou de baby normaal zijn, na wat er was gebeurd?
Zou het kind over al zijn vermogens beschikken, zou het er normaal uitzien?
Geen reden waarom niet, verzekerde Nessim haar.
Bestond de kans dat het ziekenhuis zich vergiste?
Nessim schudde zijn hoofd.
Ze zouden onderzoek doen. Ze zouden de situatie goed in de gaten houden. Maar het belangrijkste was dat ze herstelde, weer op krachten kwam, beweging nam, goed at, goed sliep en dan overwoog wat haar te doen stond. Gecodeerde woorden voor het legaliseren van de situatie. Met andere woorden: trouwen.
Was dat de oplossing?
Arme Nick.
Hij had geen idee waarin hij verzeild was geraakt.

Ze haalden het gips van haar arm, verschoonden haar verband en hielpen haar om zich te wassen. Ze schudde haar helpers af en beweerde dat ze zichzelf kon aankleden, maar ze had de problemen onderschat, en hoeveel tijd het zou kosten. Al met al had ze er een uur voor nodig. Haar arm deed vreselijk pijn. Er was heel wat vlees uit de linker bovenkant gerukt waardoor de triceps bloot waren komen te liggen. Er was een ader gescheurd – vandaar het plotselinge en zware bloedverlies. Het genas nu mooi, maar ze moest nog steeds haar kiezen op elkaar zetten tegen de pulserende pijn. Uiteindelijk liep Reem op zaterdagochtend zonder hulp het ziekenhuis uit, toen het nog vroeg, nog fris was en het gras nog bedauwd was.

Ze hadden haar bed nodig, wist ze. Ze verwachtten een nieuwe stroom slachtoffers.
De kanonnen waren de hele nacht in de bergen in het zuiden tekeer gegaan, ergens in de buurt van Souk al-Gharb, volgens de radio. De Syriërs steunden de gecombineerde strijdkrachten van druzen, Palestijnen, Koerden en Libanese radicalen – een leger van misdeelden – dat over de heuvelrug trok, met vuurkracht. Volgens de radiozenders was el-Hami daar de vorige dag geweest voor een briefing over de verdedigingswerken die door de Libanese strijdkrachten, falangisten en christelijke legereenheden werden bezet, met name twee commandobataljons. Reem wist dat Nick daar langs was gekomen en had de hele nacht, bij elke dreun en inslag van artillerievuur, over hem liggen piekeren.
Nessim bracht haar met de auto naar huis.
Ze kreeg hoofdpijn van het felle zonlicht en ze werd misselijk van de beweging en de uitlaatgassen. Wat was het een opluchting om de schemerige hal van het Daouk-gebouw in te lopen en even tegen de muur te leunen om uit te rusten terwijl Salwa en Nessim haar weinige bezittingen binnenbrachten en de lift lieten komen.
Ze bedankte dr. Nessim voor zijn vriendendienst.
Ze deed haar ogen dicht terwijl de lift haar naar haar verdieping bracht.
Salwa had eten meegebracht en maakte het ontbijt klaar, zette borden en kopjes op tafel: *zaater* en olijven, vers brood en kaas, de koffie was al klaar. Alles was schoongemaakt en afgestoft.
De familie keek haar vanuit hun lijstjes aan.
Michael.
Haar ouders, hand in hand in Shikka, glimlachend.
Haar zusjes, ernstig bij hun afscheid van de middelbare school.
Ze verwelkomden haar terug. Zijn jullie allemaal blij dat ik weer thuis ben?
Ik heb jullie allemaal gemist, lieverds.
Ik was bijna bij jullie gekomen.
Heb maar geduld.
Reem vroeg Salwa om haar te helpen de deur naar het balkon open te schuiven. Ze bedankte haar voor het eten, nodigde haar uit, nee, stond erop dat ze zou blijven ontbijten en toen ze uiteindelijk vertrok, ging Reem naar buiten en bond de gele handdoek op zijn plaats. Het duurde langer met één hand.
Ze was doodmoe. Alleen al thuiskomen was een enorme inspanning geweest. Ze was geschokt dat ze zo verzwakt en zo snel moe was. Haar linkerarm, over haar borst gebonden, deed beurtelings pijn en jeukte. Er was

geen water en geen stroom. Alle ramen en deuren naar de straat stonden open om wat zeewind te vangen, en de gordijnen en zonwering waren dicht tegen de inkijk.
Wat gaven het water en de stroom?
Reem draaide de voordeur twee keer op slot en deed de ketting erop. Ze trok de telefoon in de hal los en ging naar de slaapkamer, waar ze haar schoenen uitschopte, moeizaam haar bloes en rok uittrok en op haar rug ging liggen.
Ze luisterde naar de vertrouwde geluiden van thuis. De autotoeters, de kreten van de venters die hun groenten en fruit aanprezen, de norse stemmen van de Daouk-tweeling die de kruidenierswinkel op de begane grond runde, de schoten in de verte, de moeëzzin die de gelovigen opriep tot gebed.
Wat fijn om weer thuis te zijn.
Ze zou het missen als het zover was.
De Ustaz zou vroeg of laat reageren. Ze kon wachten.
Reem deed haar ogen dicht en sliep.

De vierde auto van de hoek, een oude, groene Peugeot, had korsten van rode roest langs de randen van de deurpanelen. Hij was heel stoffig. Hij had de rode nummerplaten van een geregistreerde taxi, maar de platen zelf waren zo smerig dat de getallen niet te ontcijferen waren. Kortom, een typisch West-Beiroetse auto, waarschijnlijk in bezit van een leraar of een lagere ambtenaar, en nog tweedehands ook. Reem liep er twee keer voorbij, om er extra zeker van te zijn. Identificatie was altijd in drievoud, in dit geval een exemplaar van de *an-Nahar*, een gehavende strohoed en een speelgoedhondje.
Ze hield de auto een paar minuten vanuit een apotheek in de gaten.
Uiteindelijk liep ze er aan de overkant van de straat naartoe, stak op een holletje schuin over, wierp een blik naar rechts en naar links en weer naar rechts en deed toen het portier achter de chauffeur open. Ze trok hem achter zich dicht.
Een stank van muffe sigaretten en een kakofonie van Egyptische popmuziek.
Haar arm klopte, niet aan beweging gewend.
De chauffeur zette de muziek uit.
Hij was jong, had onverzorgde haren en was agressief. Hij wrong zich het verkeer in, reed snel, schoot ergens tussen wanneer hij maar kon, reed over de stoep en zelfs over de middenberm, en claxonneerde voortdurend.

Ze reden snel naar het zuiden, over de Corniche, langs de universiteit, het Rivièra Hotel, het Bain Militaire, de visrestaurants van Raouche.
Reem hield de spiegeltjes in de gaten.
Een motorrijder bleef voortdurend een meter of zestig achter hen. Hij deed geen moeite om zich te verbergen. Hij had een passagier. Het waren allebei mannen, allebei met een T-shirt en een helm die hun gezicht bedekte. De motor stond hoog op de wielen, een van die crossmotoren die heel snel door een verkeersopstopping heen kunnen. Ook goed om een schot mee te lossen door het achterraampje van een auto. De schutter zat er hoog genoeg voor.
Ze draaide zich om op haar stoel en keek langs de strohoed, het speelgoedhondje en de krant door het smerige glas.
'Mensen van ons,' zei de chauffeur.
Reem ontmoette zijn blik.
Hij knipoogde tegen haar.
'Het is in orde. Het zijn mensen van ons.'

De Ustaz keek recht vooruit, de weg over. 'Het doet nog pijn.'
Het was meer een opmerking dan een vraag. Er was een spanning in hem, een lichamelijke alertheid. Een deel van zijn geest leek zijn omgeving in de gaten te houden, zelfs de lucht die ze inademden te keuren.
'Ja,' zei ze. 'Het doet inderdaad pijn, vooral als ik moe ben.'
Een gekko schoot tussen haar voeten door en verdween in een spleet tussen de stenen.
Hij fronste. 'Heb je gevoel in je vingers?'
'Dat is aan het terugkomen. Langzaam, maar –'
'Je zult twee handen nodig hebben.'
'Dat weet ik.'
'Ze zitten ons op de hielen,' zei de Ustaz. 'Het is een soort wedstrijd geworden.'
'Was Khaled een van de onzen?'
De Ustaz knikte.
Dus ze had gelijk. Hij had ook bij de partij gehoord. Hij was in het VN-apparaat geïnfiltreerd en had de Ustaz Nicks persoonlijke gegevens doorgespeeld. Khaled had Nick vanaf het begin geschaduwd, hem van dichtbij in de gaten gehouden, ingeschat of hij nuttig was, met hem gedronken, intimiteiten met hem uitgewisseld. Nick was helemaal geen spion, niet echt, anders had de Ustaz Reems relatie met de Brit nooit zijn zegen gegeven.

Khaled was als dekmantel gebruikt.
Nu was hij dood en ook zij was bijna dood geweest.
Dalia was een ander, onschuldig, slachtoffer.
Een van de hoeveel – zeventien doden en vierentwintig gewonden?
Het aantal vermelde slachtoffers was veel hoger geweest, maar dat was teruggedraaid toen degenen die als vermist en mogelijk dood waren opgegeven, ongedeerd waren opgedoken.
De Ustaz zei: 'Als het een halfuur eerder was geweest, hadden ze mij ook te pakken gehad. Dat was namelijk het doel van de oefening. Ik was het doelwit, Reem. Misschien jij ook wel. Misschien hoopte el-Hami dat hij ons tegelijk kon pakken.'
'Hoe lang hebben we nog?'
De Ustaz trok zijn wenkbrauwen op. 'God mag het weten. Hij zal het opnieuw proberen. Hij moet wel.'
'Ik hou je op, hè? Ik breng jullie allemaal in groter gevaar met dit uitstel. Hoe langer je wacht, hoe gevaarlijker het voor ons allemaal is. Ik breng de operatie in gevaar. Misschien moet ik me maar terugtrekken, het iemand anders laten doen.'
Zeg ja. Alsjeblieft.
Beslis. Geef me een uitweg.
Voor het kind.
'Nee.'
Nee was niet wat ze wilde horen.
'Zeg me de waarheid, oom Faiz.'
'Ik lieg nooit tegen je, Reem. Als ik je om de een of andere reden niet de waarheid kan zeggen, dan zeg ik niets. Dat weet je inmiddels wel. Ik ben bereid om het twee weken te geven. Na die tijd zal hij moeilijker te bereiken zijn. Dan zal hij president zijn en alle bescherming van de staat genieten. Hij zal zich minder verplaatsen en meer tijd in de bunkers onder het presidentiële paleis van Baabda doorbrengen. Dan zal het veel moeilijker te volbrengen zijn.'
Ze zei: 'Ik weet niet of ik met twee weken wel zover ben.'
'Rust uit. Word beter. Eet goed. Slaap. Kom op krachten. Doe je fysiotherapie. Laat mij maar voor je denken en piekeren.' Hij draaide zich naar haar toe. 'Weet je zeker – volkomen zeker – dat je dit nog steeds wilt?'
Reem was nog nooit ergens onzekerder over geweest. Ze piekerde inderdaad, natuurlijk piekerde ze, de hele tijd. Ze was niet bang dat ze er niet klaar voor zou zijn, maar dat ze er wel klaar voor zou zijn.

Maar ze knikte en keek naar haar voeten om hem niet te hoeven aankijken. Ze bedoelde nee en ze zei ja.
Misschien zou het anders aanvoelen als ze goed uitgerust was.
Hij zei: 'De keus is aan jou.'
'Weet ik.'
Instinctief ging haar rechterhand naar haar buik.
'Als je maar enige twijfel hebt...'
Twijfel?
Ze twijfelde aan alles. De bomaanslag had haar vastberadenheid aan het wankelen gebracht. Ze had nieuwe redenen om in leven te willen blijven. Drie, om precies te zijn. De eerste was Nick, de tweede het ongevraagde sprankje leven in haar schoot. De derde was dat ze zo dicht bij de dood was geweest, een haartje van de vergetelheid af. Nu ze de dood voor ogen had gehad, besefte ze voor het eerst hoezeer ze met elke vezel van haar wezen wilde leven en hoe sterk die drang was. Zonder dat ze het wilde.
Reem zei niets tegen de Ustaz over haar zwangerschap.
Net als haar oom Faiz kon ze niet goed liegen zonder dat hij haar pogingen om te huichelen zou doorzien. Ze kenden elkaar te goed.
Maar ze kon blijven zwijgen.

De chauffeur had haar naar de ruïne van het nationale sportstadion gebracht en haar daar afgezet. Het zag eruit als een fort dat door belegeraars was vernield, met gaten in de buitenmuren waar artillerievuur was ingeslagen.
Er waren onderweg twee controleposten, een van de PSP en een van Amal. Toen ze eenmaal op het sportterrein waren, was de chauffeur net lang genoeg gestopt om Reem te laten uitstappen, was toen achteruit gereden, had gekeerd en was snel naar de hoofdstad teruggereden, met doordraaiende banden die stof deden opwarrelen. Reem liep langzaam door wat er nog van de hoofdingang over was naar de atletiekbaan, toen de motor achter haar stopte. Ze keek er niet naar om.
De Ustaz zat alleen op de afgebrokkelde tribune, ongeveer halverwege, aan de overkant. Ze wachtte tot hij naar haar toe zou komen. Ze had noch de kracht noch het uithoudingsvermogen om naar hem toe te klimmen.
Ze gingen op grote blokken metselwerk zitten die lekker warm waren van de zon. De motorrijder en zijn passagier lieten de motor buiten staan, kwamen over de baan naar hen toe en gingen toen uit elkaar. Ze hadden hun helm afgezet. Ze gingen hoog op de tegenovergelegen uiteinden zitten.

'Wie zijn dat?'
'Onze beschermengelen. Onze bescherming. Van nu af aan zullen ze altijd in de buurt zijn tot deze toestand voorbij is.'
De zon ging onder, het licht viel goudkleuring op de atletiekbaan die nu bezaaid lag met puin.
Eén zwaargebouwde man rende rond het deel dat nog intact was en waar bijna geen kapotte stoelen, bakstenen en beton lagen. Hij rende tussen het puin heen en weer. Hij droeg een flodderig sweatshirt en een lange broek.
'Is dat iemand die je kent?'
'Je escorte,' zei de Ustaz. 'Hij heeft de beweging nodig, dat zie je wel. Hij zal je thuisbrengen als we klaar zijn. Hij heet Otman.'
'Ik wil je bedanken. Voor al je hulp in het ziekenhuis. Het eten, de particuliere kamer.'
'Het is niets. Mijn plicht.'
Hij keek haar nog steeds niet aan.
'Nicholas Lorimer is naar het zuiden gegaan,' zei Reem. 'Iets over vier ontvoeringen door het Zuid-Libanese leger.'
'Wat ga je aan hem doen?'
'Doen?'
Eén akelig moment had Reem het idee dat de Ustaz van hun middag vrijen af wist.
Nee toch, niet in het oosten.
Maar hij bedoelde op langere termijn, voor de operatie.
'Moet ik dat nu beslissen?'
'Hoe lang blijft Lorimer weg?'
'Een paar dagen. Maandag terug, zei hij. Misschien dinsdag.'
De hardloper was recht onder hen blijven staan. Hij begon zich op te drukken – vrij halfslachtig, vond Reem.
'Ik vind dat je inderdaad moet beslissen,' zei de Ustaz. Hij draaide zich naar haar toe om haar goed te kunnen aankijken. 'Hoe eerder hoe beter – voor jullie allebei. Wat vind je daarvan?'
Reem dacht dat het antwoord wel op haar gezicht te lezen zou zijn.
Ze kon er niets aan doen.
'Hij moet toch een idee hebben – meer dan een idee – van wat je in je schild voert.'
'Waarom zou hij?'
'Omdat je met zijn Landrover hebt gereden en daarna met de huurauto, je enthousiasme voor de oostelijke sector, de foto's die je in Kaslik en Karan-

tina van el-Hami hebt genomen. Eerst sterft Khaled. Daarna is er een aanslag op je bibliotheek en suggereren de kranten dat het doelwit de man was die ze de Ustaz noemen. Hij moet het nu toch wel door hebben.'
De Ustaz had natuurlijk gelijk.
Reem wilde het alleen niet toegeven.
'Hij heeft niets gezegd.'
'Ik vraag me af waarom, Reem. Ik vermoed dat hij het niet onder ogen wil zien, niet tot hij ertoe wordt gedwongen. Misschien denkt hij dat hij je voor zich kan winnen. Heeft hij je ten huwelijk gevraagd?'
Ze gaf geen antwoord, maar ze wist dat haar zwijgen een bevestiging was.
'Laten we een eindje gaan lopen,' zei hij vriendelijk. 'Vind je het erg?'
De Ustaz hielp haar overeind. Ze leunde op zijn arm.
'Dat wil ik wel,' zei ze. 'Ze zeggen dat lopen goed voor me is.'
Reem wist dat de Ustaz in beweging moest blijven omdat hij bang was voor explosieven. Voor scherpschutters. Voor richtmicrofoons. Hij zou zowel de weg als het stadion voor zijn komst grondig hebben laten uitkammen, maar hij kon zich niet veroorloven al te zelfverzekerd te worden.
Ze vertelde hem dat ze naar het noorden zou gaan, zich gedeisd zou houden, in het dorpsleven zou opgaan.
Voor een week of twee van herstel.
Hij vond het goed.
'Als we elkaar weer zien,' zei de Ustaz, 'zal ik je het wapen laten zien dat we voor je hebben gemaakt, het wapen dat je zult gebruiken als het zover is. Het is heel bijzonder. Dat zul je zien. Pas dan zul je je definitieve besluit nemen. Niet eerder.'

# 28

Nick drukte zich tegen de grond.
Vier mortiersalvo's, snel achter elkaar afgevuurd, ontploften links en rechts op de weg en sloegen aan weerskanten in de bomen en het struikgewas.
Er kwam een regen van blad en twijgen omlaag.
Het voelde heel persoonlijk aan.
De auto, dacht hij, zou wel een doelwit zijn.
'Ga mee.'
Hij wachtte op een pauze in het vuren en rende toen door de greppel, voorovergebogen, om zo ver mogelijk van de taxi af te komen.
Nick rook de springstof, de meedogenloze stank van smeulend struikgewas.
Elias noch Ali volgde zijn voorbeeld. Ook zij lagen in de greppel, maar vlak onder de auto waarvan de deuren nog open stonden. Ze wilden de Volvo eigenlijk niet in de steek laten, alsof die hen op de een of andere manier kon beschermen, of dat ze ermee konden ontkomen. Maar als de mortierbommen door spotters werden geleid, dacht Nick, zaten ze op de verkeerde plaats. Wie daar de weg onder vuur zat te nemen, richtte misschien wel op de taxi.
Hij gebaarde dat ze moesten komen, maar ze negeerden hem.
Hij hoorde de volgende mortieren afschieten – een ploffend geluid toen de mortierploeg zijn wapens spande, de vuurpinnen tegen de mortierbommen sloegen en de projectielen vlak na elkaar uit hun buizen schoten – en gaf zijn poging op.
Hij ging plat liggen.
Het volgende salvo kwam veel dichterbij.
Elke knal vaagde alle gevoel, elke gedachte, weg. Het was alsof een zware hamer op graniet sloeg. De grond schokte en beefde van de klap. Rook, vettig en donkergrijs, steeg traag op van het inslagpunt. Het leek helemaal niet op de inslag van een artilleriegranaat. De klap van de ontploffing was een doffe dreun. De wolk rook en vuil was dicht, vettig, gedrongen – en verspreidde zich traag als een dikke paddestoel.

Een mortierbom zaait dood en verderf in de rondte. Er is geen ontkomen aan. Hij komt recht uit de lucht vallen. Muren, greppels, bomen bieden geen bescherming. Dit waren 82-mm salvo's, met een dodelijk bereik van circa 150 meter.
Het volgende was daar ruim binnen.
Het was het derde van een volgend salvo van vier. De mortierploegen stuurden de salvo's via de weg naar Nick en zijn metgezellen toe, uit de richting waarin ze hadden gereden, van links naar rechts. Het eerste aan hun kant van de weg, het tweede aan de overkant, tussen de eucalyptusbomen, het derde precies midden op de weg, dat een enorme wolk van roodbruin stof en scherpe grijze rook opwierp.
Het vierde ontplofte in de greppel naast de drie mannen.
Jezus. Ze hebben ons vast gezien.
Nick zag de inslag. Hij lag in elkaar gedoken op de rode aarde en klauwde zich erin. Als hij zich erin had kunnen begraven, had hij dat gedaan. Zijn gezicht lag naar rechts, zijn ogen waren open. Hij zag de lichtflits, voelde de schokgolf, zag de greppel verdwijnen en zag en hoorde iets zwarts en puntigs met een hoog, fluitend geluid over zijn hoofd suizen. Hij werd getroffen door rondvliegende brokstukken: stenen, aarde, boombast, houtsplinters.
Hij maakte zich nog kleiner, met stijf dichtgeknepen ogen.
Stilte.
Hij telde. Een. Twee.
Drie.
Het duurde niet lang voordat er antwoord kwam. De mortierploegen ergens in de heuvels achter hem waren niet onopgemerkt gebleven.
Nick was bij tien toen het artillerievuur begon. Nick nam aan dat het de andere kant was, die probeerde de mortieren te lokaliseren en tot zwijgen te brengen.
Eerst de uitgaande. Een serie zware blaffen.
De granaten buitelden door de lucht. Toen ze dichterbij kwamen, maakten ze een geluid ergens tussen een geratel, geschuifel en een luid keelschrapen in.
Ze leken heel laag, alsof ze vlak boven de bomen vlogen.
De granaten ontploften misschien 400 meter achter hen.
Verscheidene enorme explosies, zo dicht op elkaar dat ze één groot gebulder vormden.
Nick kromp in elkaar. Hij kon er niets aan doen. Hij sloeg zijn handen over

zijn oren. Hij klemde zijn kiezen zo hard op elkaar dat zijn kaak er pijn van deed.
Hij wist dat artilleriegranaten naar voren ontploffen en dat de rook opstijgt in de richting van het vuur. Ze waren veilig waar ze zaten als ze bleven liggen – tenzij de schutters hun reikwijdte verkortten en het spervuur terugliep.
Ze zaten tussen twee vuren.
Hij tilde heel voorzichtig zijn hoofd op en keek om, naar links.
Ali lag op zijn rug een sigaret te roken. Hij leek zich nergens om te bekommeren. Hij gaf Nick een onverschillige zwaai en grijnsde zijn witte tanden bloot. Hij maakte een gebaar, een cirkelvormige ruk met zijn rechterhand, met uitgestoken duim en wijsvinger. Dat betekende: 'Hoe gaat het, Nick? Geniet je ervan?'
Na een minuut of twaalf hield het vuren op.
Afgezien van een lang salvo uit een machinegeweer ergens voor hen met een 12.7 mm, dacht Nick, en daarna de scherpe dubbele knal van een kalasjnikov.
Ze bleven nog vijf minuten in de greppel liggen, waarbij de wijzers van Nicks horloge afgrijselijk langzaam vooruit kropen.
In gedachten zag Nick Reems gezicht. Haar gang. Haar glimlach. Hij hield zich voor dat hij vader was, althans binnenkort zou worden.
Ze ging een kind krijgen. Zijn kind.
Er was maar een middag en een moment van hartstocht voor nodig om drie levens voorgoed te veranderen.
Een paar uur lang was hij waarlijk, stralend gelukkig geweest, was hij de oorlog, de Verenigde Naties, het waardeloze en frustrerende werk vergeten. Wat dacht hij verdomme dat hij hier aan het doen was, zich te laten beschieten?
Hoe kon hij zo verrekte stom zijn? Hij miste haar. Hij had nu een reden om te leven. Hij wilde bovenal weer bij haar zijn in de rust van zijn slaapkamer in Ain Saadeh. Ze zou gauw genoeg weer de oude zijn. De wond zou genezen. Hield hij van haar? Ja, hij hield van haar. Kon hij daaraan twijfelen?
Maar was het wel genoeg? Ze waren zo verschillend. Er was zoveel dat hij niet wist.
Ze zouden trouwen. Het had geen zin om daaraan te denken. Het was helemaal geen kwestie van of hij dat wel wilde, of hij daar wel klaar voor was. Het moest gewoon.

Oom Faiz zou zijn toestemming moeten geven – zelfs als hij de ongrijpbare Ustaz was.
Wat was het alternatief? Een abortus in een achteraf straatje?
Geen denken aan.
Het probleem was alleen dat hij eigenlijk zo weinig van haar wist.
Toen Nick weer in de auto zat, nam hij een sigaret aan van Ali.
Het was één ding om radicale opvattingen te hebben. Daar kon hij mee leven. Maar het vreemde gedrag in Kaslik en Karantina was iets heel anders – de foto's, haar fascinatie voor zijn voertuig. Waar kwam het op neer? Ze was ongetwijfeld een activiste, maar was ze het soort persoon waar mensen als Dacre van zouden willen weten, het soort dat el-Hami graag in handen zou krijgen?
Wat voerde ze in haar schild?
Wat probeerde ze te bereiken? Wat het ook was, haar vijanden hadden Khaled te pakken weten te krijgen en daarna haar.

Ze zaten allemaal onder het rode stof, maar hij was het smerigst, hij zat van top tot teen onder. Het zat in zijn haar, in zijn oren, over zijn hele gezicht. Zowel zijn broek als zijn T-shirt leken wel terracotta geverfd. Het vuil zat in zijn handen, zijn nagels waren zwart van het in de grond wroeten. Hij was nog nooit zo bang geweest, zelfs niet op de veerboot uit Larnaca.
Elias gaf hem een vuurtje, met beide handen om zijn aansteker. Nick knikte zijn dank toen hij zijn hoofd naar het vlammetje bracht. Hij probeerde het feit te verbergen dat zijn handen nog beefden.

Ze staken rond de middag te voet de brug over. Het zonlicht was bijzonder fel. De hitte had de wereld alle kleur ontnomen. Ali stond tussen de druzenstrijders en keek hoe zijn passagiers naar het zuiden liepen, over de straatweg, met Nick voorop. Zijn hemd plakte aan zijn rug. Zijn haar stond stijf van een mengeling van stof en zweet.
Doorns bleven aan zijn broek haken. Cicades en krekels sjirpten luid in het hoge gras. Sprinkhanen sprongen weg. Witte vlinders dansten om hem heen.
Beide mannen liepen op open terrein, zichtbaar voor beide kanten.
Een gemakkelijk doelwit.
Ze sjouwden naar een controlepost, een tinnen hut en een hek, bemand door korzelige leden van het door Israël gesteunde Zuid-Libanese leger, grotendeels geleid door maronitische rechtse officieren met als manschappen

voornamelijk onwillige sjiitische moslims. De commandant van de milities was een afvallige Libanese legerofficier die zou worden aangeklaagd wegens desertie en mogelijk verraad als hij ooit zo dom zou zijn om zijn tenten in West-Beiroet op te slaan.
Boven de hut hing aan een mast een rafelige Libanese nationale vlag te kwijnen.
Er stond een zwarte Mercedes op hen te wachten, een enorme S-klasse wagen, een minister waardig, die volgens Elias waarschijnlijk in Beiroet op bestelling was gestolen en naar het zuiden was gestuurd door de automaffia die dat soort dingen regelde. Hij had geen nummerplaten. De chauffeur was een lange jongeman met een gestreept T-shirt, die vroegtijdig kaal werd en zich voorstelde als Michael. Hij werd verondersteld de VN-chauffeur voor het gebied te zijn, maar het eerste wat Nick opviel toen hij in de leren voorstoel ging zitten, was een 9-mm Beretta in het open handschoenenvakje.
'Voor mijn eigen bescherming,' zei Michael.
Het was zijn eigen auto, zei hij.
Een paar minuten later reden ze een sjiitisch dorp voorbij en Michael maakte er een spottende opmerking over.
'Smerige mensen,' zei hij, en wendde zich tot Nick. 'Heel smerige mensen.'
Nick zei: 'Ik zou ook smerig zijn als ik zo arm was.'
Daar had je het. Het fanatisme dat aan het conflict ten grondslag lag, was te zien aan de minachting op Michaels gezicht, de enorme, airconditioned auto met zijn leren zitplaatsen, het automatische pistool, Michaels schone spijkerbroek, zijn merkzonnebril en cowboylaarzen, de armzalige huizen rond een poel stilstaand water.
Geen elektriciteit, geen stromend water. Geen winkel. Geen school.
Smerig?
Kinderen, geiten en kippen doolden rond in de modder.
Vrouwen in het zwart – in de rouw om hun oorlogsdoden – wasten kleren in hetzelfde grauwe, schuimende drab en sloegen de kleren op stenen.
Nicks liberale instincten kwamen borrelend boven, maar hij sprak op luchtige toon.
'Is het niet zo dat een dorp in bezet gebied dat zijn mannen niet opgeeft voor dienst in het Zuid-Libanese leger, geen elektriciteit, water of een dorpsschool krijgt?'
Elias tikte Nick op de schouder. Waarmee hij wilde zeggen: laat het rusten.
Nick sloeg er geen acht op. 'Is het ook niet zo dat in dorpen die weigeren

een gemeenteraad van door Israël aangewezen leden in te stellen, hetzelfde gebeurt? Ze worden krachtig geboycot en krijgen van zonsondergang tot zonsopgang een avondklok opgelegd – waardoor ze geen handel kunnen drijven, hun kinderen niet naar school kunnen sturen, geen producten op de plaatselijke markt kunnen verkopen, niet naar Israël of zelfs naar Beiroet kunnen reizen om te werken? Is het ook niet zo dat het Zuid-Libanese leger de enige echte werkgever is?'
Stilte.
Ze kochten sandwiches met kip en knoflook bij een kraampje langs de weg. Michael wilde Nick niet aankijken. Hij had een volle mond. Hij deed net of hij het niet hoorde.
'Van alle gemeenschappen is in de sjiieten het minst geïnvesteerd, zowel door hun eigen landeigenaren als de staat. Ze hebben de Palestijnen als bevrijders verwelkomd, maar tegen de tijd van de Israëlische verrassingsaanvallen tussen 1970 en 1980, en de invasie van 1982, hadden ze schoon genoeg van de plunderingen door corrupte commandanten in de "staat binnen een staat" van de PLO.'
Elias deelde kartonnen bekertjes met sinaasappelprik rond.
Hij schudde zijn hoofd naar Nick. 'Hou erover op, Nick.'
Nick was niet van plan om erover op te houden.
'Dankzij mensen als Ariel Sharon hebben de Israëliërs de kans verkeken om bondgenoten te krijgen bij hun verovering van Arabisch land. In plaats daarvan werden de sjiieten gearresteerd, gemarteld en werd er met ze gesold. Velen werden zonder proces opgesloten. Op een dag zullen ze, met een beetje hulp, het Zuid-Libanese leger en Israël er hier uitschoppen.'
Michael liet niet blijken dat hij er ook maar een woord van had gehoord. Hij veegde zijn handen af aan een papieren servetje, gooide het weg en slenterde terug naar de auto.
Elias schudde zijn hoofd. 'Michael is een falangist met connecties.'
'Hij kan oplazeren met zijn connecties.'
Hij had stelling genomen, maar wat zou hem en anderen dat kosten? Het was kinderachtig. Stom. Waarom voelde hij zich ertoe gedwongen? Hij wist het eigenlijk niet.

Ze waren onderweg naar het dorp waar de ontvoeringen hadden plaatsgevonden toen ze op een zestal gewapende mannen stuitten die langs de kant van de weg stonden. Niet bepaald uitzonderlijk, bijna gewoon. Toen ze dichterbij kwamen, stapte één gewapende man voor hen de weg op en stak

zijn hand op. Hij had een automatisch geweer onder zijn arm alsof hij tot de Engelse landadel behoorde en een dag ging jagen.
Michael minderde vaart.
'Wie zijn dat?'
Ze droegen geen kentekenen. Elias, die achterin zat, boog zich voorover en keek tussen de voorstoelen door, door de stoffige voorruit. Hij haalde zijn schouders op. Hij wist het niet. De gewapende mannen aan weerskanten van de weg hadden hun AK-47's losgemaakt. Ze richtten hun wapens op de Mercedes. Ze waren in bruin gevechtstenue. Sommigen hadden een baard. Ze zagen eruit alsof ze in de openlucht sliepen. Voor Nick hadden ze het Zuid-Libanese leger, Amal – zo ongeveer iedereen – kunnen zijn.
Nick zei: 'Rij door, Michael. Rij om hem heen.'
Maar Michael negeerde Nick en stopte. Hij draaide zijn raampje omlaag. Er vond een snelle, ernstige woordenwisseling plaats.
'We moeten uitstappen,' zei Elias. Hij leek er gelaten onder. Elias leek te denken dat, als een man een geweer had en dat op hem richtte, het roekeloos was om te proberen erover in discussie te gaan. Michael had zijn portier al open en begon uit te stappen. Verbeeldde Nick het zich maar, of kende Michael deze mensen? Een gewapende man boog zich naar binnen, keek rond en vond het pistool.
'Eruit, eruit,' zei de leider en gebaarde met zijn geweer. Nick zag dat hij een gouden ketting om zijn hals droeg.
De leider stopte Michaels Beretta in zijn eigen broekband.
Elias gehoorzaamde. Nick volgde hem, met tegenzin.
Ze stonden aan de kant van de weg. Twee gewapende mannen doorzochten de auto. De rest dromde eromheen terwijl hun baas – een jongeman, ongeschoren, met een Armalitegeweer over zijn schouder – hun papieren controleerde.
Hij keek naar Nick. Het was een ronduit nieuwsgierige blik. Zijn huid was donker en ruw van de zon en voortdurende bloostelling aan de elementen. Zijn haar was donkerbruin en krullerig. Zijn ogen waren lichtgrijs, verrassend in zo'n verweerde, walnoten teint.
Ze waren van ongeveer dezelfde leeftijd, dacht Nick.
'Engels,' zei Nick. 'Verenigde Naties.'
Elias keek bezorgd.
'Nee,' zei de leider ten slotte in Engels met een zwaar accent. 'Engels, ja. Verenigde Naties...' Hij spuwde, met zijn hoofd opzij. 'Niet Verenigde Naties. Spion. Engelse spion.'

De jongeman blafte een bevel.
De loop van een kalasjnikov werd onder in Nicks rug geramd en hij werd vooruit gedreven. Hij kon er niets aan doen.
Zijn armen werden gegrepen en hij werd gedwongen om zijn handen op zijn hoofd te leggen.
'Lopen.'
De leider gooide de VN-kaarten en Nicks paspoort weg. Uit zijn ooghoek zag Nick ze in het veld terechtkomen.
Elias liep naast hem. Ze sjouwden over een omgeploegde akker. De grond was kurkdroog en zat vol stenen. De commandant ging voorop, de rest liep achter hem aan, maar Nick kon niet omkijken om te zien wat er met Michael was gebeurd.
'Wat gebeurt er verdomme, Elias?'
Meteen gaf iemand Nick met een geweerkolf een keiharde klap in zijn ribben. Nick struikelde, maar het lukte hem om op de been te blijven en door te lopen.
'Kop dicht, verdomme,' zei een gewapende man.
Ze waren uit het zicht van de weg.
Elias en Nick werden in de greppel aan de rand van de akker geduwd.
De tweede greppel die dag.
De gewapende mannen stonden in een halve cirkel op hen neer te kijken.
De commandant zei: 'Liggen.'
Elias begon zich op de grond te laten zakken, maar Nick hield hem tegen door zijn arm te grijpen.
'Nee, Elias,' zei Nick. 'Niet doen.'
'Ik zei liggen!' schreeuwde de commandant. Hij spande zijn geweer en richtte het op Nicks gezicht, met de loop bijna tegen zijn neus.
Nick schreeuwde terug.
'Nee!'
Hij rechtte zijn schouders en richtte zich op. Hij had het vreemde gevoel dat ze, als ze gingen zitten, hurken of liggen, wat dan ook – als ze maar de minste indicatie gaven dat ze bereid waren om zich te onderwerpen, zich te verlagen – op slag zouden worden doodgeschoten, in de rug. Als hij het mis had, hield hij zich voor, als ze hem toch gingen doodschieten, zou hij rechtop sterven, staande, en de smeerlappen aankijken.
'Toe dan,' zei Nick. 'Schiet dan.'
Hij kon nauwelijks geloven dat hij dat zei. Elias was op zijn knieën gevallen. Hij zei snikkend gebeden voor zijn vrouw en zijn drie kinderen.

Nick stak zijn kin vooruit.
Vooruit, klootzakken. Toe dan.
Michaels opmerking over de 'smerige' dorpelingen had iets in Nick losgemaakt. Het was of een stop uit een fles was getrokken die vol zat met de opgekropte woede en frustratie van weken.
Elias zat met dichte ogen, zijn lippen bewogen.
De commandant sprong in de greppel. Nick kon hem ruiken, een walgelijk zoete stank van lichaamsgeur, eau de cologne en sigaretten. Hij voelde hoe de koude loop van de Armalite langs zijn rechteroor ging en daarna tegen het bot er vlak achter werd gezet.
Nicks hart bonkte zo hard dat hij dacht dat het uit zijn borst zou springen. Zweet drupte van het puntje van zijn neus. Het liep koud langs zijn hals. Druppels hingen aan zijn wimpers. Toen hij knipperde, prikte het zoutige nat in zijn ogen.
Toen begreep hij dat angst en pijn niet hetzelfde zijn.
Hij begreep ook dat angst een man tot moord kan aanzetten.
Hij wilde een glas water.
Hij moest plassen.
Nick draaide zijn hoofd. Wat er ook gebeurde, hij was vastbesloten om zijn ogen op het kwaaie gezicht van de commandant te houden.

# 29

Ze maakten een geweldige drukte om haar.
Hoewel Reem het nooit zou toegeven, genoot ze van elk moment. Tante Sohad en haar dochters gaven haar de mooiste kamer en het zachtste bed. Ze wilden van geen nee weten. Ze stonden erop. Ze commandeerden. Ze weigerden om naar Reems protesten te luisteren. Ze lieten een heet bad voor haar vollopen. Ze gaven haar het enige muskietennet waarvan ze zeiden dat er geen gaten of scheuren in zaten. Ze brachten haar meer eten en drinken dan ze op kon. Ze zetten een ligstoel voor haar op het terras. Het beste van alles was dat ze bij haar bleven, haar gezelschap hielden. Stiekem vond Reem het heerlijk om het middelpunt van zoveel bezorgde aandacht te zijn. Ze voelde zich bemind, nodig, en de aandacht die ze haar gaven, leek een verlangen, een behoefte te bevredigen, waarvan ze zich in Beiroet nauwelijks bewust was geweest.
Na een dag of twee, drie begon iedereen minder bezorgd om haar te worden, tot ieders opluchting, ook die van Reem. De hete dagen aan het begin van de zomer kregen een prettig en normaal verloop. Reem was zich er niet van bewust, niet direct, maar er waren bijna meteen duidelijke verbeteringen, een duidelijke bespoediging van haar herstel. Ze kreeg weer kleur. Haar huid ging er weer gezond uitzien. Haar haren gingen weer glanzen. Ze glimlachte meer. De pijn werd minder. Ze at en sliep beter. Ze kwam aan. Ze had dromen, geen nachtmerries.
Reem begon zich te ontspannen.
De dagen vlogen veel te snel voorbij en gingen in elkaar over.
Kon het hele leven niet zo zijn?
Dat kon het wel. Dat was het waarschijnlijk ook. Tot de *abadai* uit de buurt een uniform aantrok en een geweer kreeg en besloot dat hij mensen in naam van het een of andere dogma kon koeioneren, met een vreemde mogendheid of een plaatselijke dictator achter zich die hem elke week een paar dollar en een doos ammunitie gaf.

Aan de rand van het dorp stond daar het bewijs van. Twee huizen waren aan het begin van de oorlog door de falangisten met de grond gelijk gemaakt omdat hun eigenaren of bewoners zich resoluut tegen hen hadden verzet. Eén huizenbezitter was met huis en al door een bulldozer platgewalst.

Aan het begin van de dag liep Reem een halve kilometer naar de dorpsbakker om de platte broden te halen die met hete olie en *zaatar* waren bereid. Ze kon de oregano ruiken terwijl ze erheen liep, met een geleende strohoed achter op haar hoofd tegen de zon. Dan stond ze bij het stenen gebouw in de rij te genieten van de dorpspraat en het gelach en ademde ze de geuren in. Als ze terugkwam, dronken ze samen koffie op de veranda en ontbeten met dadels, zachte kaas, honing, vijgen en het knapperige brood dat Reem in een plastic tas mee terug had gebracht, de nog warme *manaeesh* waar ze dol op was.
Als het hek openstond, stond het huis open voor iedereen: de man die eigenaar was van de garage op de hoek en als makelaar optrad, kwam dan met het laatste nieuws van wie welk stuk land kocht; een andere buurman, de taxichauffeur van het dorp, Ya'oub, bracht Reem soms naar de winkels in het dorp om haar haren te laten doen of om naar de naaister te gaan; of het was de hoofdonderwijzeres van de plaatselijke school, een instituut dat in het hele noorden bekend stond om het aantal beurzen dat de leerlingen kregen om naar de universiteit te gaan. Dan zat iedereen op het terras koffie te drinken en te roken. Sociaal verschil deed er niet toe, evenmin als stand en geloof. Een doctor in de Arabische literatuur kon een levendig gesprek voeren met de plaatselijke klusjesman, een schaapherder kon discussiëren met de plaatselijke tandarts. Wat hen verbond, was de gemeenschap, de taal. Dan trok Reem haar benen onder zich op, zette haar rechter elleboog in de kussens en ademde de warme lucht en de geanimeerde gesprekken in.
Maar naarmate ze beter werd, gingen haar gedachten uit naar de Ustaz en haar opdracht.
Hoe sterker Reem werd, hoe zwakker haar twijfels.
Dat wilde niet zeggen dat Nick was vergeten.
Op een bijzonder vochtige middag nam Ya'oub Reem mee naar Koura, naar het telecomgebouw, waar ze naar Beiroet belde. Ya'oub had buiten in zijn auto gewacht. Later zei hij dat ze wel een halfuur was weggebleven en dat ze maar één gesprek had gevoerd. Hij wist niet met wie ze had gebeld, maar hij beweerde dat ze wel achtentwintig minuten met Beiroet had gesproken. Hij had het uit betrouwbare bron.

Toen hij Reem weer thuisbracht, zei hij, was ze diep in gedachten geweest. Niet opgewekt. Zwijgend.
De waarheid was prozaïscher. Reem had Nicks VN-kantoor in Beiroet gebeld. Ze had zijn rechtstreekse lijn gebeld. Hij ging heel lang over. Er werd niet opgenomen. Ze probeerde het nummer twee keer, zonder resultaat. Ze belde hetzelfde kantoor nog eens, nu naar het algemene nummer, en had een lang en verward gesprek met de telexist, een Armeniër. Hieruit maakte ze op dat Nick nog in het zuiden was, en nee, ze hadden niets gehoord en wisten ook niet wanneer hij terug zou zijn, en nee, sorry, m'moiselle, er was geen manager of verantwoordelijke die ze kon spreken. Ze waren lunchen.
Ze belde zijn flat.
Daar werd niet opgenomen. Ze liet een korte boodschap achter, maar niet haar naam.
'Nick? Is alles goed met je?'
Dan zou hij als hij thuiskwam tenminste weten dat ze aan hem had gedacht, hem had gebeld. Dat ze om hem gaf.
Ya'oub had gelijk toen hij zei dat Reem afwezig was. Nick had maandag, uiterlijk dinsdag terug zullen zijn. Het was nu zaterdag. Toch, hield ze zich voor, was er geen reden voor paniek. Er was naar alle waarschijnlijkheid een heel goede reden voor het oponthoud. Als Nicks VN-collega's – zelfs een eenvoudige telexist – niets wisten, was dat vast goed nieuws.

Als de zon boven het dak uit kwam en zijn hete stralen op de voortuin en het terras richtte, verhuisden de bewoners naar de achterkant, onder een latwerk met wingerd. Ze hadden uitzicht op de boomgaard met vijg, watermeloen, olijf, citroen en dadelpalm.
De Israëliërs waren rond de middag steevast de ongenode gasten – dan verschenen een paar glinsterende F-16's die een dampspoor aan de wolkenloze hemel trokken, gevolgd door twee supersonische knallen als de vliegtuigen door de geluidsbarrière gingen, waarna ze naar zee afbogen om de Libanezen, Syriërs en Palestijnen elke dag even hun gezicht te laten zien.
'Om ons te laten zien wat ze kunnen,' zei Sohad.
Na de lunch buiten, aan een lange schraagtafel met een blauw geruit kleed – iedereen die langskwam, kreeg hun gastvrijheid opgedrongen – dronk tante Sohad altijd koffie en trok zich dan in haar slaapkamer terug voor een siësta. Als Kerim, de oude zuurpruim van een echtgenoot, er een keertje was, zat hij in zijn favoriete leunstoel in de woonkamer in de luchtstroom

die door de open voordeuren binnenkwam en via de kamer met zijn hoge plafond aan de achterkant door de hoge ramen weer naar buiten ging. Dan sliep ook hij binnen een paar minuten en ritselde de krant, die open over zijn buik lag, van zijn gesnurk.

Ook Reem ging slapen. Dan kroop ze onder haar muskietennet en ging op bed liggen dromen.

Het mooie van het huis was zijn eenvoud.

Het was gebouwd van enorme blokken gele steen. De dubbele voordeuren waren heel hoog. Ze gaven toegang tot de betegelde woonkamer. Het plafond daarvan was twee verdiepingen hoog om het in de zomermaanden zo koel mogelijk te houden. De slaapkamers kwamen uit op de woonkamer. Ook die hadden hoge, witgeschilderde deuren. Het waren er vier, drie met een eigen badkamer. Aan de achterkant lag een eenvoudige keuken en was een wc gebouwd. De ramen waren hoog en hadden gele luiken die werden dichtgetrokken als de zon langs de hemel ging.

Het terras werd afgeschermd door hoge rozenstruiken waarin felgroene boomkikkertjes leefden. Er liep een bestrate oprit naar de hoge, gietijzeren hekken. Aan weerskanten van de oprit groeide weelderig gras, en hoge pijnbomen zorgden voor schaduw en er woonden cicades en krekels in.

Langs de marmeren veranda stonden kuipplanten met rode en roze bloemen.

Over hekken en muren hing een overdaad aan paarse bougainville.

Tante Sohad stond elke ochtend bij het krieken van de dag op om haar tuin en de boomgaard te besproeien uit de watertank op het dak die geregeld werd bijgevuld door een elektrische pomp die hem met een dorpsput verbond.

Kerim klaagde dat het huis en zijn omgeving primitief waren. Vooral, ongetwijfeld, voor een man van zijn kaliber. Hij had het er altijd over dat hij ervoor in de plaats een moderne villa wilde bouwen. Tante Sohad schonk er nauwelijks aandacht aan. Het huis en de onderliggende grond waren van haar. Het erge was dat hij niets in te brengen had en zij had niets dan verachting voor zijn ideeën over hoe ze zouden moeten leven.

'Bouw jij je villa maar,' zei ze dan. 'Ga je gang. Bouw jij je betonnen kerstpudding maar. Verspil vooral je geld. Gooi het maar over de balk. Je doet maar. Maar dan niet op mijn grond. Als je maar niet denkt dat ik in je paleis ga wonen, want dat zal ik nooit doen.'

Zolang de impasse duurde, gaf Kerim de voorkeur aan zijn vrijgezellenpenthouse in Tripoli en het gezelschap van zijn waterpijp rokende zakenvrienden. Wat alle betrokkenen prima uitkwam, vooral tante Sohad.

Waren alle huwelijken zo, vroeg Reem zich af.
Een paar weken niets dan romantiek en aandacht, dan het zware werk van het kinderen krijgen en grootbrengen, daarna de gapende kloof van onverschilligheid en steeds minder genegenheid?
Arabische mannen keken ook altijd naar andere vrouwen.
Waren westerlingen net zo? Hielden ze er vriendinnen op na en vonden ze dat ze daar recht op hadden? Was Nick zo? Was het voor iedereen zo?
Ze kon zich niet herinneren hoe haar ouders hadden samengeleefd, hoe ze het ook probeerde. Waren ze gelukkig geweest? Ze was te jong geweest. Het was of ze het verleden had uitgewist. Of misschien was de misdaad die zo'n gewelddadig eind aan het leven van haar familieleden had gemaakt zo traumatiserend geweest dat er nog maar heel weinig ruimte was voor andere herinneringen.

Haar verband mocht eraf.
Een in Duitsland opgeleide dokter die voor de plaatselijke inwoners een dorpskliniek leidde, was onder de indruk.
'Je hebt geboft, jongedame,' zei hij. 'Je bent goed genezen en er is geen enkel teken van infectie.'
Hij weigerde betaling.
Haar linkerhand was weer tot leven gekomen. Reem kon de vingers bewegen. Ze kon een vork oppakken en eten naar haar mond brengen. Ze kon haar eigen bed opmaken.
Ze had zelfs voor op het gazon met Maha en Hana badminton gespeeld, met haar rechterhand, maar toch deed haar linkerarm pijn.
Hij zag er vrij afschuwelijk uit. Ze zou kleren met mouwtjes tot haar elleboog moeten dragen om het ergste te verbergen, of een omslagdoek.
Toen tante Sohad Reem en haar dochters die zondag naar de noordelijke stad Zhgorta reed voor de lunch, vroeg Reem of ze mocht proberen om met de gezinsauto te rijden.
Haar linkerarm voelde stijf aan, en haar linkerpols deed zeer bij het nemen van de haarspeldbochten. Maar het ging wel.
'Ik wist niet dat je kon rijden, Reem,' zei tante Sohad. 'Waar heb je leren rijden?'
'Op Cyprus,' zei Reem. 'Ik heb mijn rijbewijs gehaald toen ik daar mijn Engelse taalcursus deed.'

'Laat me je kopje lezen.'

Tante Sohad en Reem waren alleen op het terras. Ze zaten naast elkaar op de gemakkelijke schommelbank.
Hana en Maha waren naar bed en sliepen al.
Het was bijna middernacht. Reem had tante Sohad geholpen de hekken aan het begin van de oprit te sluiten.
Ze wachtten tot het koffiedik uit het omgekeerde kopje naar het schoteltje was gezakt.
Na een paar minuten tilde tante Sohad het kopje op.
'O,' zei ze, en draaide het kopje in haar handen. 'O.'
'Wat is er?'
'Ik zie een jongeman. Blond. Misschien een buitenlander.' Ze keek op en knipoogde tegen Reem. 'Hij is op je gesteld, Reem. Maar je staat met je rug naar hem toe. Je wordt twee kanten uit getrokken.' Tante Sohad zweeg even, draaide het kopje weer rond, keek erin, fronste. 'Je moet besluiten welke weg je neemt. Je hoofd zegt de ene, je hart de andere. De ene weg is lang, de andere kort. Er is nog iemand anders. Ouder. In de schaduw, zodat ik zijn of haar gezicht niet kan zien. Hij of zij is heel serieus, bijna beangstigend. Hij kijkt toe. Hij zegt niets. Hij wacht af. Hij zal niet tussenbeide komen, maar hij wacht op je.'
Tante Sohad zette het kopje neer.
'Hij beschermt je, de donkere man, maar ik mag hem niet.'
Reem zei: 'Wat nog meer?'
'Een dier. Hij heeft vier poten, maar ik kan niet uitmaken wat het is.'
'Ga door.'
'Het is dwaas. Let er maar niet op.'
'Je ziet eruit of je van streek bent, tante Sohad. Wat heb je nog meer gezien?'
'Niets, kind. Je moet het niet serieus nemen. Kom. Het is laat. Het wordt tijd dat we allebei gaan slapen.'

Toen Reem in bed lag, hoorde ze tante Sohads radio.
Het was de stem van de Egyptische zangeres Asmahan. Reem zei de woorden zachtjes voor zich heen en suste zich in slaap met een liefdeslied.

*'Kom me snel helpen*
*Kijk wat er met me is gebeurd*
*Door jouw liefde.'*

Tegen zondag wist ze wat ze tegen Nick wilde zeggen.

Het was een kwestie van hoe en wanneer. Ze moest het juiste moment kiezen. Het was niet iets wat ze over de telefoon kon zeggen. Of zelfs in een brief.
Reem moest het hem persoonlijk vertellen. Onder vier ogen. Ze oefende het steeds weer in gedachten. Ze zou hem zeggen dat ze van hem hield. Dat ze hem had gemist. Dat ze bij hem wilde zijn. Dat er vóór Nick nooit een ander was geweest, en dat er na hem niemand anders zou komen.
Dat was allemaal waar.
Ze droomde van hem.
Maar ze zou niet met hem trouwen.
Zij kon Libanon nooit verlaten, en hij kon er niet blijven.
Je denkt van wel, Nick, maar het zou heel verkeerd zijn. Je hebt je leven nog voor je. Je kunt nog zoveel doen. Je hebt de wereld zoveel te bieden. Gooi het niet weg. Je zult zien dat ik gelijk heb. Dit land heeft geen toekomst, niet voor jou.
En het kind?
Het speet haar vreselijk. Het was een vergissing. Ze was bij nader inzien toch niet zwanger. Ze had het door haar plaatselijke kliniek in Koura willen laten bevestigen en de uitslag was negatief geweest.
Het spijt me vreselijk, Nick.
Maar het is het beste zo. Echt waar.
Ik ga geen kinderen krijgen. Ik ben vastbesloten. Niet nu. Niet zolang het oorlog is. Niet nu alles zo onzeker is, nu we van het ene moment in het andere leven. Ik kan gewoon niet aan een relatie en kinderen krijgen denken.
Ze vond het vreselijk om tegen hem te liegen.
Maar het was voor zijn bestwil.
Het was de beste manier. Het was de enige manier die ze kende.
Zou hij haar geloven?
Hij had nog steeds niets van zich laten horen.

# 30

Het voertuig dook de weg af en hobbelde de akker over, recht op hen af, met een stofwolk achter zich aan.
Het stopte abrupt, kwam slippend tot stilstand en verdween even in zijn eigen dichte stofwolk. Toen het er weer uit opdook, herkende Nick een Willy's Jeep, de originele jeep, met een canvas dak, twee zweepantennes, een gerafeld Libanees vlaggetje en drie man in uniform, twee voorin en nog een achterin met een helm op en een geweer over zijn knieën.
De hoofdman wendde zich van zijn gevangenen af en liep naar de nieuwkomers toe. Een forse officier in gevechtstenue met een zwarte baret en een zonnebril op zat voorin, naast de bestuurder. Hij knikte Elias en Nick toe en leek een vraag te stellen. Iets, dacht Nick, in de trant van: wie zijn die mensen, verdomme? De hoofdman gaf uitgebreid antwoord. De officier luisterde. Hij zette zijn zonnebril af en keek lang en doordringend naar de gevangenen, terwijl hun belager praatte.
De officier onderbrak de gewapende man door een hand op te steken. Het gebaar was onmiskenbaar. Stop. Genoeg. Hij zette zijn zonnebril weer op. Hij gaf een bevel. Het was kort, abrupt zelfs.
Het was voor Nick te ver weg om te horen wat er werd gezegd.
De jeep schoot achteruit en keerde vlug, waarbij de wielen weer een stofwolk opwierpen. De chauffeur maakte een grote bocht terwijl zijn passagiers zich met beide handen vasthielden. Hij nam met horten en stoten dezelfde weg terug.
De militieman slenterde terug en wierp met elke voetstap een stofwolkje op. Hij had geen haast. Hij keek omlaag, alsof hij diep in gedachten was. Nick hield zijn adem in.
'*Yalla.*'
We gaan.
De commandant zwaaide met zijn arm. Hij keek niet naar Nick of Elias. Zijn mannen namen hun wapens op en draaiden zich om.

Nick en Elias keken hoe ze weggingen. Nick kon het nauwelijks geloven. Hij wilde wel, maar hij dacht dat het misschien een truc was.
Toen de commandant een twaalftal passen weg was, draaide hij zich om en riep: 'Jullie – jullie kunnen gaan. Kom niet terug, Engelsman. De volgende keer...'
Hij haalde een vinger langs zijn keel.
Gesnapt.
De gewapende mannen liepen verspreid over het stoppelveld, met hun krulharige hoofdman in het midden. Elias noch Nick verroerde zich voordat ze uit het zicht waren.
Nick hielp Elias de greppel uit. Ze begonnen terug te lopen.
Michael of zijn Mercedes was nergens te bekennen.

'We waren op het verkeerde moment op de verkeerde plaats, meneer Nick. Dat is alles.'
'Misschien. Maar ik had Michael niet zo moeten opjuinen. Het spijt me. Je had gelijk, Elias. Ik had moeten luisteren. De ellendeling heeft hun waarschijnlijk getipt. Hun gezegd dat ze me een lesje moesten leren, me een toontje lager moesten laten zingen.'
'Dat denk ik niet.' Elias probeerde het stof van de revers van zijn lichtgewicht kostuum te kloppen.
'Wat is er dan met hem gebeurd? Hij heeft niet geprobeerd hen ervan te weerhouden ons mee te nemen.'
'Ik denk dat hij wel wist dat hij zijn mond moest houden. Om geen problemen te krijgen. Ze zullen wel hebben gezegd dat hij weg moest gaan, dat hij moest vergeten wat hij had gezien en gehoord, tenzij hij dezelfde behandeling wilde.'
'Ik dacht dat je zei dat hij connecties had. Wat hebben connecties voor zin als ze niet nuttig zijn? Het eerste wat je gaat doen als we weer op kantoor zijn, is hem van onze lijst schrappen. Geen betalingen meer. Geen onkosten meer. Geen cent VN-geld meer. Goed?'
Elias haalde zijn schouders op.
'Goed?'
Elias was er niet blij mee. Hij zei: 'U bent de baas.'
'Vind je me onbillijk?'
'U krijgt niemand anders die overal binnenkomt, die zoveel bewegingsvrijheid heeft.'
'Hij is ontslagen.'

'Goed.'
'Laten we nog een biertje pakken, dan ga ik een douche nemen en me omkleden en dan gaan we eten. Morgen ga ik terug naar dat dorp.'
'Hebt u gehoord wat ze zeiden?'
'Je hoeft niet mee, Elias.'
Ze hadden hun papieren gevonden en daarna hadden ze een uur gelopen. Een boer gaf hun achter in zijn gehavende Datsun pick-up een lift naar het dichtstbijzijnde dorp – dat niet veel verschilde van het dorp dat Michael 'smerig' had gevonden. Uiteindelijk bereikten ze Jezzine, een aardig christelijk stadje tussen puntige bergtoppen, en vonden een hotel dat open was. Ze schenen er de enige gasten te zijn, al zaten de bar en de eetzaal rond etenstijd vol mannen in pakken en jasjes – plaatselijke zakenlieden en gemeenteraadsleden, zei Elias. De stad lag net buiten door Israël bezet gebied, maar wel onder de invloed ervan. Onderweg, de stad in, zagen ze gepantserde Israëlische troepentransportwagens op het plein bij de kerk staan.
In het hotel leek iedereen naar de radio te luisteren. Stemmen uit transistorradio's klonken door de openbare ruimten en konden door de dunne wanden tussen de slaapkamers worden gehoord. Je kon het nieuws niet missen. Verscheidene radiozenders meldden dat onderhandelingen tussen de partijen waren afgebroken en dat el-Hami een oorlogszuchtige verklaring had afgelegd waarin hij zei dat hij het presidentschap hoe dan ook zou overnemen.
Volgende week, zei hij.
Toen Nick en Elias onder het stof en met verwarde haren in de bar zaten, hadden ze heel wat nieuwsgierige blikken van klanten en personeel getrokken.
'Hoe denkt u er te komen – in het dorp?'
'Ik neem wel een taxi. Ik ga heel vroeg – lang voordat die boeven wakker zijn. Ik ben op tijd terug om samen met jou te ontbijten.'
'En als u wordt gepakt?'
'Ik word niet gepakt.'
'Wie gaat tolken?'
'Ik vind wel iemand.'
'Doe het niet.'
'Er is daar iets aan de hand en het is mijn taak om erachter te komen wat het is.'
'Doe het niet, meneer Nick. Alsjeblieft. Als u gaat, moet ik wel mee.'

'Dat vraag ik niet van je, Elias. Dat verwacht ik niet van je. Jij hebt een gezin. Ik heb eigenlijk liever dat je niet mee gaat. Dan zou ik me maar verantwoordelijk voelen.'
Later, toen Nick op een bultige matras onder een laken lag en door het raam naar de halve maan keek, vroeg hij zich af of hij er eigenlijk wel goed aan deed. Misschien was hij gek. Koppig. Genève zou het niet van hem verwachten. Ze zouden ontzet zijn als ze hoorden wat voor risico's hij van plan was te nemen. Wat zou Reem zeggen? Ze nam zelf risico's. Ze kon er niets van zeggen. Zij was deelnemer, geen waarnemer.
Nicks tas had in de Mercedes gestaan met zijn schone kleren, zijn toilettas, een pocketboek, zijn walkman en drie van zijn lievelingscassettes. Hij had zich zo goed mogelijk gewassen met het piepkleine zeepje uit de badkamer van het hotel, en hij had zijn kleren uitgeslagen en gelucht door ze op de vensterbank te leggen. Hij had zijn onderbroek en sokken in de wastafel gewassen en op de radiator gehangen.
De avondmaaltijd van *shish taouk* en een fles witte wijn hadden hem geholpen om zich te ontspannen.
Hij vroeg de receptie of ze hem wilden wekken.
Nick zei bij zichzelf dat hij er een nachtje over zou slapen.
Hij zou morgenochtend wel beslissen.

Nick werd om precies zes uur gewekt. Hij bleef nog een paar minuten in bed liggen en rolde er toen uit. Hij douchte zich snel, kleedde zich aan en ging naar beneden, naar de receptie. Hij wilde de baliemedewerker net vragen om een taxi voor hem te bellen, toen hij zijn naam hoorde. Toen hij zich omdraaide, zag hij twee mannen op zich afkomen.
'Moet u niet ontbijten, meneer Lorimer?'
Ze hadden op hem zitten wachten. Ze stonden op uit hun stoel in de foyer en kwamen naar hem toe. De eerste, een gezette man in hemdsmouwen met donkere, mediterrane gelaatstrekken, liet zijn identiteitskaart zien.
Het was Ersal, een VN-verbindingsofficier uit het zuiden. Een Turk.
Zijn lange, blonde collega stelde zich voor als kapitein Olson, een Noorse legerofficier en lid van de UNIFIL-vredestroepen, in camouflage-uniform met een Glockpistool in een holster aan zijn middel.
Ze gaven elkaar een hand.
'We hoorden dat je gisteren een beetje gezeur hebt gehad,' zei Ersal. 'Als je nog steeds naar dat dorp wilt, vinden we dat we maar met je mee moesten gaan. Kapitein Olson heeft een paar van zijn mensen meegebracht, dus ik

denk niet dat we onderweg problemen zullen hebben.'
Bij de koffie in de verder verlaten eetzaal verklaarde Ersal zich nader.
Nicks belager van de vorige dag was berucht. Het was een afvallige druus, inlichtingenofficier in het Zuid-Libanese leger. Zijn liefste bezigheid was het bataljon Noorse vredestroepen in de buurt te treiteren, hun patrouilles te beschieten, op hun schildwachten te schieten, met zijn auto op Noorse voetsoldaten in te rijden, en – ging het gerucht, al was het nooit bewezen – te proberen Libanezen te ontvoeren die in het gebied van het bataljon woonden.
'Eigenlijk,' zei Ersal, 'heb ik wel bewondering voor hem. Hij is in zijn eentje een leger op zich. Hij veroorzaakt meer problemen dan de rest van het Zuid-Libanese leger bij elkaar. Hij heeft een uitstekend netwerk van informanten en lijkt iedereen te kennen.'
'Je zult het me wel vergeven als ik je hoge dunk van hem niet deel.'
Zowel Ersal als Olson lachte.
'Hij wilde ons doodschieten.'
Ersals gezicht veranderde. Hij keek doodernstig. 'O, ja. Dat is heel goed mogelijk. Hij zou de gelegenheid hebben aangegrepen als trainingsoefening door het een van zijn rekruten te laten doen. Zo werkt hij namelijk. Maar zijn bevelvoerend officier in die Jeep stak er een stokje voor. Je was buitenlander, westerling en VN-functionaris. Het zou nogal wat problemen hebben gegeven als je koud was gemaakt. Olson heeft de majoor gebeld en hem gezegd dat jouw bloed aan zijn handen zou kleven als jou iets overkwam. Je chauffeur is regelrecht naar het hoofdkwartier van het Noorse bataljon gereden en heeft de zaak aan het rollen gebracht. Daarna is hij naar het hoofdkwartier van UNIFIL in Naqoura gegaan. Michael. Heet hij niet zo?'
Nick knikte.
Hij schaamde zich. Hij had de man verkeerd beoordeeld. Michael mocht dan een akelige godsdienstfanaat zijn, en zijn persoonlijke politiek mocht hem tegenstaan, zijn bezit van een pistool ongepast voor iemand die beweerde dat hij voor de Verenigde Naties werkte, maar hij was beslist geen partij in wat er was gebeurd.
Integendeel.
Hij had het enige verstandige gedaan wat hij onder de omstandigheden kon doen, en dat was heel wat meer dan Nick van zichzelf kon zeggen.

Het was geen dorp. Er stonden een stuk of zes huizen van twee verdiepingen aan een weg. Dat was alles. Het was een nieuwbouwproject dat nooit was voltooid. Sommige panden moesten nog worden gepleisterd en geschilderd. De tuinen waren lapjes kale grond met onkruid.
Zo stond het er al meer dan tien jaar bij, zei Olson.
Er was geen winkel. Geen school. Geen bushalte. Er hing één enkele bovengrondse stroomkabel tussen scheve palen.
Er waren hier geen mannen. Alleen vrouwen en kinderen.
'Ziet u? Daarboven? Daarvandaan hebben ze geschoten.'
Fatima zei dat ze zevenendertig was, maar ze zag er twee keer zo oud uit. Ze was in het zwart. Ze zette koffie voor haar bezoek en kwam toen naar buiten met ingelijste foto's van haar verwanten die waren overleden. Ze liet hun zien waar de tankgranaat een deel van een muur en een balkon had weggeslagen.
Ze keek ook op naar de bergkam, zo'n 400 meter verderop. Nick moest goed kijken om hem te kunnen zien. De voorpost werd alleen gemarkeerd door een rij zandzakken.
'Ze hadden daar een tank. Hij stond er al ongeveer een week. We zouden net gaan eten...'
Fatima wees om beurten naar elk kind.
De tank vuurde twee keer. Dat was meer dan genoeg.
Ali, van veertien, was overleden waar hij op de veranda aan tafel zat. Zijn zusje, Rema, van zeventien, overleed onderweg naar het ziekenhuis. En de jongste, Hussein – zijn lichaam werd doorzeefd door wel zevenenveertig granaatscherven.
Fatima had de röntgenfoto die bij de autopsie was gemaakt en kwam ermee naar buiten om hem aan het bezoek te laten zien. De omtrek van de vijfjarige jongen was duidelijk. Zijn nieren, longen, lever en hart ook – allemaal doorzeefd met de stalen pijlen van een brisantbom zoals door de bezettingsmacht op de West Bank en Gaza werd gebruikt, alsook in Zuid-Libanon.
Het was een paar weken geleden, toen het net warm genoeg was om buiten te eten.
En de mensen ernaast, wilde Ersal weten, wat was er met hen gebeurd?
'Ze kwamen 's nachts. Zes mannen van het Zuid-Libanese leger. Ze namen iedereen van dienstplichtige leeftijd mee. De vader, zijn zwager en zijn twee zonen van zestien en tweeëntwintig.'
'Waar zijn ze nu?'

'In de gevangenis van Khiam.'
Olson krabbelde in zijn opschrijfboekje. Het Internationale Comité van het Rode Kruis zou worden gevraagd om de namen te controleren.
'Dat weet u zeker?'
Fatima wist het niet. Het was een vermoeden. Maar daar werden de meeste van hun mannen vastgehouden – zonder aanklacht, zonder proces, ze werden er in elkaar geslagen en met stroomstoten gemarteld. Voor onbepaalde tijd.
'En de moeder,' vroeg Nick. 'Waar is zij?'
Fatima haalde haar schouders op. Ze was met haar dochters naar familie gegaan.
'Wanneer is dit gebeurd?' Kapitein Olson was nog steeds aan het schrijven.
'Vorige vrijdag.'
'Acht dagen geleden?'
Ze knikte.
'Hoe laat?'
'Wanneer ze ons altijd komen halen. In het donker, voor het licht wordt.'
Nick zei: 'Waarom denkt u dat ze uw kinderen hebben vermoord en uw buren hebben meegenomen?'
Hij gaf Fatima een sigaret en nam er zelf ook een.
'Omdat ze ons hier niet willen,' zei ze. 'Het Zuid-Libanese leger heeft ons bedreigd, en toen we niet verhuisden, schoten ze onze kinderen dood. We verhuisden nog steeds niet, dus namen ze alle mannen mee. Om ons te straffen. Om ons te straffen omdat we proberen te houden wat van ons is. Omdat ze ons land willen hebben. Ze willen ons hele land.'

Op het door vliegen vergeven hoofdkwartier van de vredestroepen in Naqoura, aan de kust, even ten noorden van de Israëlische grens, nam Ersal Nick en Elias mee naar de witte portakabin die als zijn kantoor diende. Hij haalde een dossier tevoorschijn en controleerde de namen van de familieleden die waren gewond door Zuid-Libanees/Israëlisch vuur.
Het klopte allemaal.
Olson had zijn mannen mee teruggenomen naar hun Noorse basis.
'Eén ding dat ze niet noemde,' zei Ersal, terwijl hij cola en sigaretten ronddeelde, 'was dat de dag ervoor een jonge vrouw haar auto door de controleposten van zowel het Zuid-Libanese leger als de Israëliërs reed en zich vlak voor het Israëlische militaire hoofdkwartier hier in de buurt opblies. Zes Israëlische soldaten werden gedood, zeventien gewond. Vijf Libanezen

sneuvelden, van wie drie officieren in het Zuid-Libanese leger. Hier – ik heb een foto van haar in het dossier.'
'Daarmee zeg je dus dat de aanslag op dat huis in het dorp een wraakoefening was.'
'Ja, zoiets,' zei Ersal. 'Een onofficiële wraakoefening, gericht op een burgerdoel en willekeurig uitgekozen. Zo zag het er destijds uit, maar het enige wat de familie kreeg, was een kille verontschuldiging van de Israëliërs – die wij moesten overbrengen aan de dame die je vandaag hebt ontmoet.'
Nick nam de foto van de zelfmoordterroriste op, een glanzende foto van 10 bij 15 cm, gekopieerd uit een krant.
De gelijkenis was opvallend.
Zo jong.
Die ogen. Ze leken zo op die van Reem.
'Wat was het voor iemand?'
'Ze zeggen dat ze eigenlijk nog maar een kind was. Negentien. Studeerde aan de universiteit. Haar hele schooltijd hoge cijfers. Een christen. Grieks-orthodox. Van goeden huize. Mensen met een vrij beroep. In het westen denkt men dat zelfmoordterroristen allemaal arme, onontwikkelde moslims zijn. Dat is gewoon niet waar.'
Nick zette zijn cola neer. Hij voelde zich licht in het hoofd, een beetje onpasselijk.
'Gaat het wel?' Elias keek hem met een bezorgd gezicht aan.
Ersal zei: 'Ik herinner me dat mensen destijds zeiden dat het de eerste grote zelfmoordaanslag was, georganiseerd door de man die ze de Ustaz noemen. Als hij bestaat. Ik ken niemand die hem ooit heeft gezien. Het gerucht gaat dat hij zelfmoordterroristen rekruteert, hun studie betaalt, hen opleidt en alleen de allerbesten selecteert. Hij gebruikt christenen en moslims – uit radicale en linkse kringen. Er hingen vroeger posters die honderdduizend dollar boden voor inlichtingen die tot zijn arrestatie of dood zouden leiden. De meeste zijn sindsdien weggehaald.'
Elias had de foto van de jonge vrouw gepakt en zat ernaar te kijken.
'Wat zonde,' zei hij en gaf Ersal de foto terug.
Nick zei: 'Vind jij dat ook?'
Ersal zuchtte. 'Dat is een moeilijke vraag, Nick. Wat ik er persoonlijk van vind? Laten we zeggen dat ik het een strategische fout vind. Het rechtvaardigt alleen alles wat de andere kant doet: het geeft ze carte blanche om burgerdoelen aan te vallen, om burgerinstellingen te vernietigen. Het zou veel moeilijker voor ze zijn om hun oorlog op Libanese en Palestijnse burgers te

rechtvaardigen als ze het excuus van zelfmoordaanslagen niet hadden. Maar het heeft nog een andere kant die even belangrijk is. Emotie.'
Elias zei: 'Emotie, wat houdt dat in?'
'Je zou het zo kunnen zeggen. De bezetter heeft alles. Hij beheerst het luchtruim. Hij heeft zogenaamd slimme bommen. Hij heeft een supermacht die achter hem staat, wat hij ook doet. Hij is meedogenloos. Hij zal een gewapende helikopter en door de VS geproduceerd Hellfire-antitankgeschut inzetten om op een duidelijk herkenbare ambulance vol kinderen te schieten. Daar hebben westerse media geen belangstelling voor. Die vinden je een terrorist. Je hebt niets. Je hebt alleen je hersenen, je blote handen en een paar chemische middelen die je in een winkel kunt kopen. En je woede. Je probeert iedereen te laten zien dat de vijand niet bovenmenselijk is. Hij bloedt net zo als jouw kennissen en verwanten. Dat bedoel ik met emotie. Het is een kwestie van zelfrespect. Het is een kwestie van waardigheid. Je kunt niet domweg gaan liggen en je keer op keer laten neuken. Dus je doet wat je kunt. Ik keur het niet goed, ik vind het niet leuk, ik kan het niet vergeven, maar ik begrijp het wel. Ik voel er zelfs in mee. Dat is wat ik ervan vind.'
Ersal nam nog een sigaret.
Elias wendde zich tot Nick en zei: 'We hebben er een woord voor als we horen dat er een zelfmoordaanslag heeft plaatsgevonden. Van kind tot grootmoeder is de eerste, instinctieve reactie dezelfde. *Bistehlu*. De vijand heeft het verdiend. Hij heeft het over zichzelf afgeroepen. Hij verdient het. *Bistehlu*.'
Nick stond op, schoof langs Elias heen en probeerde niet op zijn tenen te trappen.
Het voelde aan als een paniekaanval. Zijn gezicht voelde heet aan. Hij transpireerde en zijn hart ging wild tekeer.
'Even een luchtje scheppen. Ben zo terug.'
'Gaat het wel?' vroeg Ersal.
'Ja. Maak je geen zorgen, het gaat prima.'
Het ging niet prima. Niets aan hem voelde prima aan. Buiten was de lucht vol sterren die zo helder waren dat Nick de noodgebouwen van de VN, de met zandzakken versterkte schuilkelders, de grote radioantennes, het prikkeldraad en de golven die wit op het kiezelstrand sloegen, duidelijk kon onderscheiden.
Nick smeet zijn sigaret weg.
Het was duidelijk. Natuurlijk was het duidelijk. Hij wist het al – hoe lang?

Twee weken? Hij had het alleen niet onder ogen willen zien. Reem hoefde niets te zeggen. Hij had de signalen gezien, maar ze niet willen geloven. Hij had ze niet willen geloven. Maar hij moest wel.
Hij moest terug naar Beiroet.

# 31

Reem liet de foto's uit hun lijstjes glijden.
Ze zat op de bank in de zitkamer en hield elke foto zo omhoog dat hij het licht ving. Ze drukte haar lippen op elk figuurtje en veegde het glanzende papier met haar mouw af voordat ze alle foto's in een bruine envelop stopte. Het was een ritueel en heel persoonlijk. Een andere ceremonie zou er niet zijn, zeker niet zo'n belangrijke als deze. Ze nam de envelop mee naar haar slaapkamer en legde hem op de bodem van haar weekendtas die open op haar bed stond. Het was dezelfde tas die ze mee naar Cyprus had genomen; hij zag er nog nieuw uit en was betaald van de onkostenvergoeding waar de Ustaz voor had gezorgd.
Toen ze in de woonkamer terug was, legde ze de lege fotolijstjes voorover.
Vaarwel.
Mama en papa. Selena en May. De jongste, Michael.
Ze leegde haar vaders flessen in de gootsteen.
Het duurt niet lang meer.
Reem maakte een laatste rondgang. Ze ging systematisch te werk, kamer voor kamer. Ze begon hoog met planken en kasten en werkte naar beneden, tot op de parketvloer. Geen rekeningen, geen bankafschriften, geen verlopen spaarbankboekjes, geen kwitanties. Ze deed laden open en dicht. Geen gegevens van de universiteit, geen betaalstrookjes. Geen bibliotheekkaarten. Geen brieven, geen dagboeken. Niets onder matrassen of verstopt in potten of onder een kussen. Geen autosleutels, geen vergeten aantekeningen tussen de bladzijden van de boeken op de planken.
Niets om iemand een naam te geven, verband te laten leggen met haar of haar familie.
Geen spoor. Geen aas voor de gieren die in deze woning zouden neerstrijken – naderhand.
Ik ben de laatste die vertrekt.
Ze pakte drie verschoningen in. Haar mooiste jurk, de gele bloemetjesjurk

met de klokrok en het strakke lijfje. Reem vond dat ze daar maar in dood moest gaan. De jurk die Nick had bewonderd. Platte roze schoenen; aardig maar toch praktisch, en goed om mee te rijden. Een marineblauwe lange broek, twee blauwe spijkerbroeken, drie bloezen met mouwen, een favoriete zijden sjaal (die nam tenslotte geen plaats in en ze kon hem omslaan om haar littekens te verbergen); haar make-up – het allernoodzakelijkste – en genoeg ondergoed. Een blauwe pyjama. Nog een paar pumps, deze keer zwarte.
Ze had zich ervan verzekerd dat er geen labels in zaten.
Salwa zou van de meubels nemen wat ze wilde.
Het mooie Engelse theeservies – dat waarschijnlijk niets waard was – zou naar tante Sohad gaan.
Het was Reems manier om dankjewel te zeggen.
De familiefoto's, de kleren, de make-up, haar weinige sieraden, de echt gouden crucifix – die nam ze allemaal mee op haar reis. Er zou niets van haar leven – niets van betekenis – achterblijven.
Ze keek nog een laatste keer om zich heen. Uitdrukkingsloos. Zonder tranen.
Reem liep achterwaarts naar de voordeur, als een goede infanterieman die zijn rug in de gaten houdt.
Ze trok de deur dicht. Deed hem op slot.
Reem stak de overloop over. Ze drukte op het knopje, en voor het laatst, hield ze zich voor, hoorde ze de oude lift van Amerikaanse makelij schokkend en schuddend boven komen.
De groene metalen deur ging kreunend open.
Het was tijd.

Ze nam een taxi naar het busstation en na vijfendertig minuten vertrok haar gehavende blauwe bus, uitlaatgassen uitbrakend, naar het knooppunt Khalde ten zuiden van de stad. In Khalde stapte ze achter in weer een taxi, deze keer naar het oosten, naar Shtoura, in de heuvels, aan de weg naar Damascus. Er was heel wat militair verkeer onderweg. Dat leverde vertraging op, al helemaal vanwege de opstoppingen bij de controleposten die talrijker dan ooit leken. De Syriërs lieten mensen uit hun auto stappen en hun bagageruimte en hun bagage openmaken voor inspectie. Mannen van dienstplichtige leeftijd werden gefouilleerd. Toen Reem tijdens een dergelijke episode aan de kant van de weg stond, zag ze dat er ook Saiqa-eenheden, leden van de Syrische Nationaal-Socialistische Partij, en gewapende PSP'ers onderweg waren.

Nu de onderhandelingen waren vastgelopen, leken de strijders in het Libanese conflict zich allemaal op te maken voor een grote strijd, vlak voordat el-Hami tot president zou worden benoemd.
Precies zoals de Ustaz had gezegd, al klopte de timing niet.
In Shtoura werd ze opgewacht. Het was koeler in het bergdorp. Mensen zaten te lunchen onder de bomen, bij het rustgevende geluid van de rivier die midden door de stad liep.
Eén man nam haar tas van haar over en gooide hem in de kofferbak van een auto met vierwielaandrijving. Een ander deed het achterportier voor haar open.
Niemand zei iets.
Het grootste deel van de weg zat ze op de achterbank te dutten. Af en toe was ze zich bewust van mannenstemmen, een vage indruk van uniformen, de contouren van een geweer, een gezicht dat naar binnen keek. Op een gegeven moment ging een van de mannen weg en bleef alleen de chauffeur over.
Het was bijna donker tegen de tijd dat ze afdaalden naar de Bekaa-vallei. De chauffeur stond erop dat Reem een deken over zich heen zou trekken terwijl hij door Baalbek reed. Het was al heet en de deken was verstikkend. Ze ving maar een glimp op van de Romeinse ruïnes in de stad, de door paarden getrokken rijtuigjes die stonden te wachten op toeristen die nooit zouden komen, de posters van Khomeini, het spandoek over de hoofdstraat dat Israël dood en verderf beloofde, de gehavende aanplakbiljetten van voor de oorlog die het zomerfestival van Baalbek aanprezen en, geparkeerd in keurige rijen op een omgeploegde akker aan de rand van de stad, Syrische pantservoertuigen en artillerie, met ingegraven kanonnen waarvan de lange lopen in camouflagekleuren als beschuldigende vingers naar de ondergaande zon wezen.
Naar het westen.
Er waren geen festivals meer.
Wat was Baalbek armoedig en vervallen geraakt.
Niemand vroeg haar iets. Niemand vroeg naar haar papieren.

Toen ze weer rechtop zat in het donker, de deken opzij gegooid, reed het voertuig over een modderig karrenspoor tussen rijen coniferen door. De vorige dag of zo had het geregend. Alles zag er rijkelijk begoten, overvloedig uit. Links van haar was een laag muurtje van gestapelde stenen. De chauffeur minderde vaart en sloeg linksaf, hobbelde over een wildrooster

door het open boerenhek in het muurtje. Ze stopten in een wei met hoog gras. De enige toeschouwers waren zwartbonte koeien die rustig lagen te herkauwen. De chauffeur stapte uit, liep terug en deed het hek dicht. Toen hij zijn portier opendeed, ademde Reem de geur van vochtig gras en verse koeienvla in, boerderijgeuren die heerlijk roken voor een afgepeigerd stadsmens. Voor hen uit, aan de overkant van de wei, kon ze een laag, wit gebouw onderscheiden, vermoedelijk de boerderij.
De chauffeur stopte voor een laag, houten voetbruggetje, maar liet de motor lopen. Hij draaide zich om in zijn stoel, glimlachte en knikte.
Geen van beiden zei een woord. Reem stapte uit, haalde haar tas uit de kofferbak, hing hem over haar schouder en liep naar het bruggetje. Ze keek niet om. Ze hoorde de auto achteruit rijden en keren.
Reem leek helemaal alleen te zijn. Haar voetstappen op het houten bruggetje klonken als geweerschoten.
Ze volgde een grindpad om de hoek van het gebouw. Wie dit huis bezat of had gehuurd, had ervoor gezorgd dat elke bezoeker die naderde, zou worden gehoord, of hij wilde of niet. Het huis zag er onbewoond uit. Het ademde een geheimzinnige, verborgen sfeer, alsof er zelden iemand was, maar ze zag dat opzij van het huis een houten trap naar een trapportaal op de eerste verdieping liep. Toen ze overwoog naar boven te gaan, ging er een deur open. Het was een dubbele deur, in twee helften. Wie het was, deed eerst alleen de bovenkant open en keek naar buiten.
'Welkom. Kom boven.'
Hij trok de grendel voor de onderhelft weg, zwaaide beide helften wijd open en stapte het trapportaal op.
Het was pikdonker.
De gedaante stak een sigaret op en gooide de lucifer weg.
Ze kende de stem.

'Whisky?'
Hij wachtte niet op antwoord, maar zette het glas voor haar neer.
'Dank je.'
'Neem zelf maar water.'
Hij dronk de zijne onverdund. Dronk snel, schonk zich nog eens in, keek hoe ze de hare zo verdunde uit de kan dat hij bijna kleurloos was, waarbij ze het glas tot de rand toe vulde en het een smaak gaf die Reem aan bittere medicijn deed denken. Toch voelde ze de warmte al snel in haar ledematen en gezicht opstijgen. Het was een troostrijk en behaaglijk gevoel. Ze dronk

voor de gezelligheid, omdat ze niet wilde benadrukken dat er enige afstand tussen haar en de Ustaz bestond, maar zo erg was het eigenlijk niet.
'Hoe voel je je?'
'Beter.'
Ze wist dat dit het begin van haar quarantaine was. Geen radio of televisie, geen kranten. Geen nieuws. In de wijde omtrek geen telefoon; geen brieven, geen bezoekers die niet waren nagetrokken, geen uitstapjes, geen ritjes naar de stad. Niet winkelen.
Ze was geïsoleerd, haar enige contact met de buitenwereld was de Ustaz.
Er waren natuurlijk volop boeken; de meeste in het Arabisch, voornamelijk poëzie, literatuur en politiek.
Reem liep langs de planken, zwierf door de kamer met haar verdunde whisky in de hand, terwijl de Ustaz achteruit zat in zijn stoel en dronk, met zijn ogen op haar rug.
Ze zei: 'Zijn deze van jou?'
'Sommige wel.'
'Ik denk dat ik wel kan raden welke.'
Geen antwoord.
'Ik denk niet dat het deze verhandeling van de militaire academie van Frunze over gecombineerde wapenoperaties, gedrukt in Moskou in 1974, of de autobiografie van Yuri Andropov is.'
Er waren verscheidene oorspronkelijke werken die ze kende: *The Arab Awakening* van George Antonius en juist de werken die haar op haar twaalfde of dertiende de weg hadden gewezen, al was het maar in haar hoofd, want haar hart was er al lang klaar voor geweest: *The Emergence of Arab Nationalisme* en *The Struggle for Arab Independence* van Zeine N. Zeine.
Er lag een stapel beduimelde *National Geographics*.
'Nou,' zei Reem, 'ik kan wel zien welke van jou zijn.'
'O ja?'
'De Egyptenaar Sayyid Qutb,' zei ze. 'Terechtgesteld in 1976 – en hier is er nog een die eruitziet of hij van jou is, geschreven door de Iraniër Jalan al-e Ahmad.'
'Qutb werd in 1966 opgehangen, niet in 1976.'
'Ik neem mijn woorden terug, professor. Maar is het niet vreemd hoe veel onze Arabische intellectuelen en schrijvers de laatste eeuw van het westen hebben geleend: van het fascisme, van het communisme, van het nationaalsocialisme?'
'Niet echt.'

'Hadden we het zelf niet beter gekund?'
Hier sprak de ijdelheid.
Ze liep terug naar de tafel en goot nog wat whisky in haar glas.
'Hoe dan?'
'Arabieren, voornamelijk christelijke Arabieren, leenden wat maar nieuw en modieus was op het gebied van ideologie en gebruikten het voor hun eigen nationale ambities – vooral in de jaren dertig en veertig. Als reactie op het joodse nationalisme. Het zionisme. Die ideologieën waren materieel, industrieel, rationeel – alles wat wij niet zijn.'
'En de moslims?'
'Het komt mij voor dat de radicale islam een voorspelbaar afweermechanisme is, een reactie op het importeren van deze seculiere "ismes" in onze cultuur. Zoals een immuunsysteem op vreemde stoffen reageert.'
Het was inmiddels zo donker in de kamer dat ze zijn gezicht niet meer kon zien.
'Zijn wij vreemde stoffen, Ustaz?'
'Wat vind jij?'
'Ik vind dat je een vraag niet zou moeten beantwoorden met een wedervraag. Dat is een goedkope truc. Maar ik zal je vertellen wat ik niet vind. Ik geloof niet in enig "isme", vreemd of anderszins.'
Er viel een lange stilte. Reem keek door de open deur naar de sterren.
'Waarom doe je dit dan, Reem?'
'Is het niet een beetje laat om aan mijn motieven te twijfelen?'
'Wat zei je ook weer over goedkope trucs en een vraag beantwoorden met een wedervraag?'

Voordat ze naar bed gingen, zaten ze buiten op de trap naar de nachtegaal te luisteren en, in de verte, naar jakhalzen die huilden in de uitlopers van het Hernongebergte.
De Ustaz rookte zijn laatste sigaret van de dag.
Ze zat vol vragen. Hoeveel mensen hadden in het kamertje geslapen dat de komende paar dagen haar thuis zou zijn? Waren de tralies voor het dakraam van de verbouwde zolder om haar binnen te houden, of anderen buiten? Hoeveel anderen hadden op de legerbrits onder dezelfde dunne deken geslapen? Hadden ze allemaal doorgezet? Hadden ze succes gehad?
Ze had de regels al overtreden. God weet wat de Ustaz zou doen als hij het wist. Twee keer. Drie keer, als ze meetelde dat ze haar wandaden niet had opgebiecht. Ze had twee boodschappen voor Nick achtergelaten, één op de

voicemail van zijn kantoor, de andere op zijn antwoordapparaat thuis.
Ze wist dat alle telefoonlijnen werden afgeluisterd, of konden worden afgeluisterd, en ze vermoedde dat bijna iedereen die meetelde in het inlichtingenwezen daar zijn portie van kreeg. De Amerikanen, de Israëliërs, de Syriërs, de Sovjets.
Waarschijnlijk de Iraniërs, de Irakezen en de Saudiërs ook.
O, ja, en de Egyptenaren.
Wie de juiste mensen kende, voldoende invloed had en in klinkende munt kon betalen.
Reem wist dat het Deuxième Bureau en de *moukhabarat* een woordherkenningsysteem gebruikten. Ze nam aan dat Nicks telefoonlijnen in de gaten werden gehouden, puur omdat hij Engels en VN-functionaris was.
Van het gebruik van een mobiele telefoon kon geen sprake zijn: alle mobiele telefoongesprekken werden opgevangen door de Amerikaanse inlichtingendienst, omdat Washington het elektronische toezicht had verscherpt sinds de eerste Amerikaanse burgers voor losgeld waren ontvoerd. Reem had dus vanuit een telefooncel in de grootste telefooncentrale van West-Beiroet gebeld. Ze had geen naam genoemd in haar boodschappen, niets wat haar als de beller kon identificeren.
Ze kon Nick niets uitleggen.
Ze kon hem ook niets vertellen.
Alleen dat ze om hem gaf. Dat ze hem miste.
Dat het haar speet.
Dat hij niet op haar moest wachten, of naar haar op zoek moest gaan.
Dat hij zo verstandig moest zijn om haar te vergeten, dat hij naar huis moest gaan om ten volle te leven en gelukkig te zijn.
Dat ze hoopte dat hij niet boos zou zijn, maar het zou begrijpen.
Uiteindelijk.

# 32

Hij hoorde de boodschap op de voicemail van zijn kantoor. Het was de eerste van drie boodschappen, maar Nick nam niet de moeite om de andere twee af te luisteren.

> 'Nick. Ben je daar? Hoop dat alles goed met je is en dat alles goed is gegaan en dat je veilig terug bent. Ik mis je. Nick, het spijt me. Het spijt me heel erg. Het gaat niet werken. Ik wilde dat ik het je onder vier ogen kon zeggen, maar je bent er niet en tegen de tijd dat je er wel bent, ben ik al weg. Ik kan niet uit Libanon weg, Nick. Jij kunt er niet blijven. Het is te gevaarlijk. Het spijt me dat het zo moet aflopen. Ik had je nog graag een keer willen zien. Je hebt me gelukkig gemaakt, echt waar, en dat zal ik nooit vergeten. Ik heb je ooit gevraagd om er altijd aan te denken dat ik van je hield, wat er ook gebeurde. Dat meende ik toen. Dat meen ik nog steeds.'

Hij vloog naar de gang, stormde de branddeuren door en de trap af, met vier treden tegelijk. Hij zei geen woord onderweg naar buiten. Elias had met een verbaasd gezicht opgekeken.

Ze hadden samen iets zullen gaan drinken.

'Nick –'

Maar hij was al weg, stortte zich de trap af, de straat op.

Hij stapte de straat op, voor een taxi, gooide een hand vol smerige bankbiljetten over de stoel en stond binnen zes minuten voor zijn flat.

Toen hij binnen was, liet hij zijn tas vallen en greep naar de telefoon. Negen minuten.

Hij drukte de knop in. Er stond maar één boodschap op zijn apparaat.

> 'Nick, ik ga een tijdje weg. Ik wilde alleen gedag zeggen. Ik heb een boodschap op de voicemail van je kantoor achtergelaten. Hoop dat je

het niet erg vindt, Nick. Ik wens je een lang en gelukkig leven. Ik wens je alles toe wat je voor jezelf wilt. Vergeef me. Ik hoop dat je het me ooit zult vergeven en dat je uiteindelijk zult begrijpen waarom ik doe wat ik doe. Nick, ik ben niet in verwachting. De uitslag was negatief. Het was een vergissing. Kom me niet achterna. Probeer me niet te vinden, ik smeek het je. Ik denk elke dag aan je, aan onze tijd samen. God zegene je.'

Hij draaide hem nog een keer af. Hij staarde naar de telefoon, maar zag hem niet. Hij moest iets doen. Hij kon het er niet zomaar bij laten, zijn hoofd schudden, net doen of er niets was gebeurd, het van zich af zetten als iets wat gebeurt en dan voorbij is. Het was niet zomaar het eind van een avontuurtje tussen eerstejaars studenten. Nick kon eenvoudig niet doen wat hij op een ander tijdstip ergens anders misschien wel had gedaan. Hij kon niet douchen en zich omkleden en uitgaan en dronken worden en troost zoeken bij een ander meisje om zijn gekwetste trots te laten genezen.
Dit ging niet over gedumpt worden. Dit ging niet over mannelijk gevoel van eigenwaarde.
Hij draaide zich om, deed de deur weer open, stapte naar buiten, klopte op zijn zakken om zeker te weten dat hij zijn portefeuille en zijn sleutels had, trok de deur dicht, sloot hem af en liet de lift komen.
Onderweg naar beneden begon Nick heel diep na te denken.
Hij was een buitenlander, een westerling, in een Arabische hoofdstad die met zichzelf in oorlog was.
Waar elke schooier een wapen had en een huurmoord minder kostte dan een lunch.
Waar moest hij beginnen?
Hij had hulp nodig, maar waar kon hij die krijgen?
Wie kon hij vertrouwen?
Niemand.
Je had majoor Dacre; in hem had hij niet veel vertrouwen. Dacre en Wilson hadden hem in West-Beiroet als aas gebruikt. Als lokvogel. Dan had je Daoud. In geen geval. Alleen als ze er allebei belang bij hadden, en daar zag het volgens Nick niet naar uit. Daoud was hem trouwens altijd een paar stappen voor. Elias? Elias was een oudere collega; wijs, ervaren, tactvol, eerlijk en hij kende de toestand ter plaatse. Dat was de positieve kant. Maar Elias moest aan zijn pensioen denken en wilde zijn status als hoogste plaatselijke personeelslid op kantoor behouden.

Aan Elias zou hij niet veel hebben.
Die was te meegaand, te conformistisch.
Bang voor zijn gezin. Wie zou dat niet zijn?
Dan had je Khaled, maar Khaled was dood.
Khaled had hem voor de gek gehouden. Niet dat Nick dat niet had verdiend. Maar Khaled had net gedaan of hij Reem niet kende en had Nick toen zo ongeveer haar adres gegeven – zodat hij haar in elk geval kon vinden. Khaled had erbij gehoord, wat dat 'er' ook was.
Hij was door bijna iedereen voor de gek gehouden.

Hij ging naar het Amerikaanse universiteitsziekenhuis.
'Ik wil dr. Nessim graag spreken.'
De mollige vrouw met verwarde haren in verpleegstersuniform achter de receptiebalie keek op. Ze leek Nicks bezwete gezicht, zijn overeind staande haar, zijn smerige kleren en, bovenal, zijn vertwijfelde gezicht in zich op te nemen.
'Dr. Nessim?'
Ze keek omlaag. Ze was niet langer geïnteresseerd, deed hem af als een gekke particuliere patiënt.
'Dr. Nessim is er niet.'
Ze keek niet naar Nick.
'Hebt u een nummer voor hem?'
'Kom morgen maar terug.'
'Dit is een noodgeval. Ik moet nu contact met hem opnemen.'
'Nee. Morgen.'
Stomme koe.
Als het ergens anders was geweest, had Nick 'krijg de klere' geroepen. Maar dit was Beiroet. Mensen die dat deden, leden enorm gezichtsverlies. Het was niet beleefd. Erger, het was zelfs schandalig. Het werkte zeer in het nadeel van de boosdoener. Mannen stierven voor heel wat minder.
Hij zag een gang waar PSYCHIATRISCHE AFDELING op stond. Hij rende erdoor. Hij bonsde op elke deur die hij voorbijkwam. De meeste waren op slot. Als er een open was, kwam hij glijdend tot stilstand, keek naar binnen, en vroeg telkens hetzelfde.
'Dr. Nessim?'
Ze schudden allemaal hun hoofd om de gekke *ajnabi*.

Een halfuur later stond Nick in het donker voor de eerstehulpafdeling en

voelde zich hopeloos en stom en dood- en doodmoe. Hij had de hele vleugel doorzocht. Hij was trappen op en af gevlogen en eindeloze gangen door gerend. Hij had op elke deur gebonsd en iedereen aangehouden die hij tegenkwam.
Voor het grootste deel hadden ze geen woord begrepen van wat hij zei.
Degenen die wel iets te zeggen hadden, begreep hij weer niet.
Niets. Zijn pogingen waren op niets uitgelopen.
Hij had de afdeling orthopedie geprobeerd.
Daar had hij niemand herkend en niemand herkende hem. Ze herinnerden zich Reem niet. Het waren er die dag tenslotte zoveel geweest. Een van de ergste in weken.
Haar oude kamer stond leeg, de bedden waren allemaal opgemaakt met schoon linnengoed en stonden klaar voor het volgende bloedbad, de volgende hompen kapot vlees op het Libanese hakblok. Hij vond nog een verfrommeld pakje sigaretten met een laatste sigaret in zijn zak. Hij stak hem met trillende vingers op.
De binnenplaats waar de zwaargewonden waren achtergelaten om te sterven, was leeg, de bloedvlekken waren weggewassen, uitgewist.
Wat nu, verdomme?
Hij reageerde instinctief toen hij een figuur in een witte jas op de parkeerplaats naar een kleine hatchback zag lopen. De figuur maakte het voertuig open om in te stappen, maar gooide eerst zijn tas op de achterbank.
Dr. Nessim? Bent u het, dr. Nessim?'
Nick dwong zijn stijve benen tot een sukkeldrafje naar de auto.

Het was Nessim niet.
Maar het was een collega van hem, een Armeense psychoanalyticus die Katurian heette, jonger dan Nessim, iets lichter gebouwd en donkerder.
Nick stelde zich voor. Hij vertelde Katurian dat een huisvriendin en voormalig patiënte van Nessim, Reem Najjar, in gevaar verkeerde. Nessim had haar leven gered. Hij was de enige die Nick kende tot wie hij zich kon wenden om te proberen haar te vinden voordat het te laat was.
'Ik breng u er wel heen, maar ik weet niet of Nessim u kan helpen.'
'Dat weet ik ook niet.'
Katurian glimlachte. 'Nou, we kunnen het proberen.'
'Hij kende haar ouders. Ik geloof dat ze zei dat hij uit hetzelfde dorp kwam.'
'Stap in. Het ligt op mijn weg.'
Een paar minuten lang zei geen van beide mannen iets.

'Wat heeft u er voor belang bij, meneer Lorimer? Puur professioneel, of...'
'Ze is – of was – mijn vriendin. Dat dacht ik althans.'
'Hoe weet u dat ze in moeilijkheden verkeert?'
'Ze heeft boodschappen voor me achtergelaten. Ik ben een paar dagen in het zuiden geweest en toen ik vandaag terugkwam, waren er twee boodschappen. Ze nam afscheid.'
'Ze verbrak de relatie?'
'Het was definitiever dan dat.'
'Ik volg u niet.'
Ze kwamen in de buurt van Verdun.
'Ziet u dat, dokter – de ruïnes?'
'U bedoelt het instituut?'
'Ja. Daar werkte ze.'
'Ik geloof niet dat ik u begrijp.'
Nick vertelde hem van Khaled. Dat ze samen gingen drinken, dat zijn collega hem voor Khaled had gewaarschuwd. Dat hij vervolgens vermoord was gevonden.
Het was zo'n opluchting om te praten, om stoom af te blazen, zelfs tegen een vreemde, iemand die hij op een parkeerterrein had aangeschoten. Misschien voelde het wel zo goed aan juist omdat dit een vreemde was. Het gaf niet dat hij niet goed wijs leek. Hij moest iemand in vertrouwen nemen.
'En het meisje?'
'Nogmaals, Reem leek een soort activiste te zijn. Toen werd haar werk aangevallen. U weet wel. Er werd gesuggereerd dat iemand die de Ustaz werd genoemd er zijn basis had en dat hij het doelwit was.'
'Wanneer was dat?'
Nick vertelde het hem.
'En nu is ze verdwenen?'
Katurian leek meelevend, maar niet op zijn gemak, er niet zeker van of Nick niet zelf de patiënt was die hulp nodig had.
Ze waren gestopt.
'Hier is het,' zei Katurian en keek uit zijn raampje omhoog naar het gebouw om te zien of er licht brandde. 'Nessim woont op de derde verdieping.'
Het was een degelijk flatgebouw uit de jaren dertig, met blauw pleisterwerk en art deco smeedijzer.
Nick had niet verteld van el-Hami's verjaardag in Kaslik, de vermiste Land-

rover, dat Reem had willen rijden, het bezoek aan Karantina, de foto's. Het was te verwarrend, te onwerkelijk. Niemand zou hem geloven.
'Vindt u het erg als ik meega?' vroeg Katurian. 'Ik weet nog steeds niet goed waar dit allemaal over gaat, maar u hebt mijn belangstelling gewekt.'

'U ziet er niet uit, meneer Nick,' zei Nessim.
'Bedankt.'
'Komen jullie maar liever binnen.'
De Nessims ontvingen hen hartelijk in hun driekamerflat vol donkerhouten meubels en Damascener inlegwerk. Mevrouw Nessim maakte veel drukte om de bezoekers en stond erop hun de resten van een heerlijk familiediner op te dienen en een pot koffie te zetten, waarna ze hen liet praten. De drie kinderen van dr. Nessim sliepen al.
Nick vertelde Nessim wat hij Katurian had verteld.
'Wat is ze, Nick? Ze is geen moslim. Ze is een van de onzen. Een christen. Wat is ze dan: SNSP, Baathist, Nasserist, PSP, PLO?'
'Dat weet ik niet. Ik heb gehoord dat zowel zij als mijn vriend Khaled OLCA waren.'
Katurian en Nessim wisselden over tafel een blik.
'Ik haat deze oorlog,' zei Nick. 'Ik snap nog steeds niet waarom mensen nog altijd vechten.'
Katurian schoof zijn koffiekopje weg. Hij vroeg: 'Heeft de OLCA ooit een zelfmoordaanslag gepleegd?'
'Niet dat ik weet,' zei Nessim. 'Maar er is altijd een eerste keer.'
'De goden zijn u gunstig gezind geweest, meneer Lorimer,' zei Katurian. 'Als u vanavond op het parkeerterrein iemand anders had aangeschoten, zouden u en uw vriend hier diep in de problemen hebben gezeten. U hebt geboft dat Nessim en ik samen zijn opgegroeid, op dezelfde school hebben gezeten en samen medicijnen hebben gestudeerd. U bent een boffer. Hoe dan ook, uw geheim is bij ons veilig.'
Nessim zei: 'Weet je hoe ze deze operaties noemen?'
'Ja,' zei Nick. 'Ze gebruiken een eufemisme voor een kamikazeactie. Volgens de kranten noemen ze het een Kwaliteitsoperatie.'
Katurian zei: 'De pers zegt dat de Ustaz ze financiert door huurmoorden te plegen.'
'Huurmoorden?'
'Hij moordt kennelijk voor geld. Hij accepteert alles wat maar enigszins met zijn ideeën overeenkomt. Hij doet het voor de Syriërs, de Sovjets, wie

dan ook. Er is heel wat concurrentie, maar ze zeggen dat hij de beste is. Neemt alle moeilijke klussen. Sommige van zijn successen krijgen wij in ons mortuarium, nietwaar, Nessim?'
'Er is nog iets,' zei Nessim.
Hij keek Nick strak aan.
'Heeft Reem je verteld dat ze zwanger was?'
Het had geen zin om te proberen de waarheid te ontkennen.
'Ja, dat heeft ze me verteld. Ik was de vader. Ik heb haar ten huwelijk gevraagd. Ik heb gezegd dat ik me in Libanon zou vestigen als ze niet met me mee naar het buitenland wilde.'
Nessim noch Katurian keek er verbaasd van op.
'En wat zei ze?'
'Ik dacht dat ze blij was. Ik dacht dat ze het ermee eens was. Maar misschien heb ik toch niet goed opgelet, want ze heeft een boodschap op mijn antwoordapparaat achtergelaten waarin ze zei dat het allemaal een vergissing was en dat de uitkomst van haar volgende onderzoeken negatief was gebleken.'
'En hoe dacht je er toen over?'
'Ik hield van haar. Ik houd nog steeds van haar.'
'En nu? Ik vind het afschuwelijk om je dit te vragen, Nicholas, maar ik vind dat ik een zekere verantwoordelijkheid heb. Ze heeft geen familie meer en ik kende haar ouders tenslotte. We komen uit hetzelfde dorp. Misschien heeft ze je dat verteld.'
'Juist omdat ze iets voor u betekent ben ik naar u op zoek gegaan. Er is niemand anders die ik in vertrouwen kan nemen.'
Nessim stond op en kwam terug met drie glazen en een fles Cypriotische cognac. Hij schonk drie flinke glazen in. Ze hieven hun glas zonder iets te zeggen en dronken.
'Dus je zou wel graag vader zijn geworden?'
'Ja, zeker.'
Dat zei hij met grotere stelligheid dan hij voelde.
Katurian bood Nick een sigaret aan. Hij nam er een en Katurian gaf hem een vuurtje.
'U zei dat ze geen familie had,' zei Nick. 'Als dat waar is, wie was dan die figuur die in het ziekenhuis bij Reem rondhing? Ik hoorde dat ze hem oom Faiz noemde.'
'Ik heb geen idee,' zei Nessim.
'Hij was ouder dan zij. Oud genoeg om haar vader te zijn. In de vijftig of

begin zestig. Heel kortgeknipt haar. Slank gebouwd. Eenvoudige kleren. Een stille man. Zat enkel bij haar bed en zei niet veel. Hij was er de meeste avonden.'

Nessim haalde zijn schouders op. 'Sorry. Ik weet het niet.'

Nick dronk zijn glas leeg.

Nessim zei: 'Het spijt me dat ik het zeggen moet, Nicholas, maar Reem heeft tegen je gelogen. Daar had ze ongetwijfeld haar redenen voor. Misschien dacht ze dat je niet naar haar op zoek zou gaan als ze tegen je loog. Misschien wilde ze je niet van streek maken. Het is begrijpelijk als je gelijk hebt over wat ze van plan is. Ze is zwanger. Er was geen ander onderzoek, niet in het ziekenhuis. Er was er maar één. Daar ben ik zeker van. Ik heb laatst haar dossier nog bekeken. Geloof me. Reem verwacht een kind.'

Nessim had een naam. Dat was alles.

Katurian belde een taxi voor hem. Nick ging terug naar zijn eigen flat, trok zijn kwalijk riekende kleren uit, nam een douche en deed een schone boxershort, spijkerbroek en overhemd aan. Hij weerstond de verleiding om op zijn bed te gaan liggen, omdat hij wist dat hij er dan niet meer af zou komen.

'Ga met Ali praten,' had Nessim gezegd. 'Hij speelt tenorsaxofoon. Als je hem ziet, weet je wel dat hij het is – hij is enorm lang en mager. Hij is sjiiet. Is het grootste deel van zijn familie kwijtgeraakt: zijn vader aan de PLO, zijn twee broers aan onze zuiderburen, een oom en zijn eigen zoon aan de falangisten. Hij komt pas laat. Niet voor elf uur. Ze pauzeren na ongeveer een uur. Dan roken en drinken ze wat. Ze pauzeren misschien vijftien minuten. Dat is het moment waarop je zou moeten proberen hem alleen te spreken te krijgen. Ik kan niets beloven. Maar hij weet waar die OLCA-mensen en anderen van hun soort zich ophouden. Hij is zelf communist. Maar zoals je wel zult merken, een man van weinig woorden.'

Het was al kwart voor elf.

Zelfs als deze Ali iets wist, was er geen garantie dat hij het Nick zou vertellen.

En zelfs als hij Nick zelf meenam als The Blues rond half drie 's morgens eindelijk dicht ging, zei Nessim, dan wist je nog niet of ze Nick zouden binnenlaten, laat staan met hem praten.

# 33

Ze mocht naar buiten als het donker was.
De rest van de tijd, overdag, als het licht was, moest ze binnen blijven. Reem mocht in geen geval worden gezien, niet door de plaatselijke bevolking. De Ustaz waarschuwde haar voor overvliegende verkenningsvliegtuigen, radiografisch bestuurde vliegtuigjes en sensoren van onzichtbare satellieten, zowel Amerikaanse als Russische.
Overdag sliep en las ze, en als het donker was maakte ze wandelingen met de Ustaz, nadat ze eten hadden gegeten dat elders was bereid en door een onbekende persoon of personen naar de boerderij was gebracht.
Ze had weinig last van haar arm. Hij werd voortdurend sterker, maar hij jeukte, vooral op het warmst van de dag als ze op de twee kamers moest blijven die ze deelden.
'Je zult een boel levens redden. Misschien wel honderden; zeker tientallen. Dat wist je toch, hè?'
'Nee.'
'Jij zult in Souk al-Gharb in je eentje doen wat zes infanteriebataljons en een Syrische pantserbrigade niet kunnen.'
Ze zei niets.
Dit was persoonlijk.
'Maar je zult natuurlijk niet alleen zijn. We zullen voortdurend bij je zijn. Achter je, naast je. Ze zullen vlak bij je zijn. Op dit moment werken de technici dag en nacht aan je uitrusting. Jij weet het niet, en zij weten het niet, maar je hebt een back-up team van wel achttien mensen die allemaal toegewijd bezig zijn om jou op het juiste moment op de juiste plaats bij je doelwit te krijgen.'
Ze waren de houten brug en het weiland overgestoken, klommen over een houten overstap en liepen heuvelop over een pad tussen twee rijen coniferen. Het was een warme avond en er zoemden zwermen steekmuggen om hen heen, op zoek naar vers bloed.

Reem had een paar rubberlaarzen geleend die haar minstens twee maten te groot waren.
De Ustaz rookte om de insecten op afstand te houden. Reem wuifde ze weg, maar ze wist dat ze zich toch aan haar blote armen, schouders en nek te goed zouden doen. Ze kon er niet veel tegen doen.
'Er zal niet worden gevochten, dankzij jou. Ze zullen zich moeten terugtrekken, hun strategie moeten herzien. Jij zult ons tijd geven, Reem, en ons nog een kans geven.'
'Ik dacht dat ze al aan het vechten waren.'
'Er vinden schermutselingen plaats, er worden aanvalletjes uitgelokt, er zijn agressieve patrouilles, er is een artillerieverbod – de druk wordt langzaam opgevoerd. De vijand is ons aan het uitproberen. Als jij slaagt, komt er geen gevecht. Dan zul je het monster hebben onthoofd. Zonder brein, zonder hoofd, kan het niet op een gecoördineerde manier functioneren.'
'Ze vinden zo weer een ander. Een nieuwe dictator...'
'Dat heeft tijd nodig.'
Mijn leven, dacht Reem, en dat van mijn ongeboren kind zal de prijs zijn.
'Ze zullen reageren,' zei Reem. 'Ze zullen wraak nemen.'
'Dat doen ze altijd.'
Hij bleef staan, stak een hand op.
De Ustaz hield zijn hoofd schuin. Hij luisterde. Reem hoorde niets, maar hij ging van de weg af, het natte, kniehoge gras onder de coniferen in en gebaarde dat ze hem moest volgen. Ze wachtten even en liepen toen weer door. Reems broek was kletsnat van de dauw.
Ergens rechts van hen blafte een hond.
Ze vroeg: 'Daar zit je niet mee, met de vergeldingsaanvallen?'
'We willen een overdreven reactie uitlokken.'

De tweede avond reed hij Reem een paar kilometer naar het zuiden, naar een ander gebouw, waar ze op een schietbaan in het souterrain oefende met een verscheidenheid aan pistolen en pistoolmitrailleurs. De muren waren versterkt met zandzakken en het plafond was geluiddicht. De Ustaz functioneerde als instructeur. Ze stond op een houten verhoging aan de ene kant, en hij stond naast haar en bediende een projector die een film projecteerde op een groot scherm aan de overkant. Het scherm was een rol papier. Hij rolde af terwijl de film liep. Als ze vuurde, stopten film en papier een ogenblik. Dan werd het scherm van achteren verlicht, zodat elk schot duidelijk te zien was.

Het werd instinctief schieten genoemd.
Beschouw het maar als een vorm van therapie, zei de Ustaz.

Ze gebruikte allebei haar handen, waarbij de linker de rechter steunde door hem vast te houden; beide armen gestrekt; voeten een eindje uit elkaar en linkervoet iets voor de rechter, knieën gebogen. Een 9-mm Beretta wordt gevolgd door een Browning Highpower, de 7.62 Makarov, een .38 Smith and Wesson.
De Ustaz vult de patroonhouders.
De doelwitten zijn onder meer voetgangers op straat en passagiers in voertuigen, waarbij de auto's stoppen en de mensen uitstappen met een geweer. Reem vuurt geregeld, raakt elk doel twee keer, schakelt de chauffeur uit door de voorruit als hij een pistool trekt terwijl hij nog achter het stuur zit. Ze richt niet, maar kijkt, met beide ogen open.
Een vrouw blijft staan op een druk trottoir, opent een handtas alsof ze op zoek is naar een portemonnee of een make-up spiegeltje. Mensen lopen tussen haar en de camera door. Maar ze haalt er een pistool uit en richt het. Zonder aarzelen vuurt Reem twee keer.
De projector stopt. Twee speldenprikjes licht vallen door twee keurige gaatjes, vlak bij elkaar, midden in het voorhoofd van de vrouw.
De film gaat door.
De Ustaz knikt goedkeurend. 'Goed.'
Reem hoort hem niet. Ze heeft het te druk met schieten, gaat er helemaal in op, zit vol adrenaline, de knallen zijn een rollende donder, zelfs met de oorbeschermers op haar hoofd. In een volgende scène zit de videocamera voor op een auto, kijkt naar voren als deze over een landweg rijdt. Een man schiet uit een opstand van hoog gras en holt voor de auto uit. Als de auto de bocht om gaat, kijkt de man om. Hij heeft een wapen. Reem schiet twee keer, beide keren raak. Maar aan de linkerkant staan verscheidene andere mannen, allemaal gewapend. Reem werkt van links naar rechts, twee kogels per doelwit.
Ze heeft er twee te pakken, nog drie te gaan als haar munitie op is.
De rest van de groep laat zijn wapens vallen en steekt de handen omhoog.
Reem ontspant zich.
Vergissing.
Een gewapende man met een blauw T-shirt en een witte baseballpet verschijnt in een deuropening rechts van haar. Hij grijnst in de camera. Hij heeft een pompgeweer. Hij brengt het wapen naar zijn schouder.

Reems wapen vuurt, maar het magazijn is leeg.
Klik.
'*Yal'an abouk...*'
De gewapende man schiet beide lopen op de camera af voordat de Ustaz de projector uit zet.
De Ustaz grinnikt. 'Altijd je schoten tellen,' zegt hij en geeft haar een tweede patroonhouder. Reem herlaadt snel, met haar ogen op het scherm. Ze wipt op haar voorvoeten. Ze geniet. Haar haren, haar kleren stinken naar cordiet.
Daarna oefent ze met zowel een AKS-geweer als een M-16, liggend, knielend, zittend en staand. Korte salvo's deze keer, drie of vier schoten per keer. Nadat Reem ongeveer tweeduizend schoten heeft gelost, wil ze wel naar bed.
Maar de Ustaz is nog niet klaar.
Ze moet de wapens uit elkaar halen en schoonmaken.
Geblinddoekt, op haar knieën, moet ze ze zo snel mogelijk weer in elkaar zetten, waarbij de Ustaz haar op de vingers kijkt met een stopwatch in de hand.
'Nog een keer,' zegt hij. 'Doe het nog een keer.'

Ernaast was een geïmproviseerd gymzaaltje met een hometrainer en een loopband. Na een uur in haar eentje bracht hij haar naar de doucheruimte en gaf haar zeep en een schone handdoek.
'Dit gaan we elke dag doen, of iets wat er erg op lijkt,' zei hij.
Om drie uur 's nachts bracht hij haar terug naar de boerderij.
'Hoe voel je je?'
'Beter.'
'Morgenavond gaan we vijf kilometer hardlopen.'
Reem viel in slaap op haar brits toen de hemel boven de heuvels in het oosten roze kleurde.
Nick leek heel erg ver weg.
In een andere wereld.
Een droom van dingen die voorbij zijn.

# 34

Het leven ging gewoon door. Er was eigenlijk geen alternatief. Het was onmogelijk om de hele tijd bang te zijn. Mensen gingen naar hun werk, werden ziek, vierden verjaardagen, gingen dansen, werden dronken, verloren geld met kaarten, lieten hun haar knippen, flirtten en roddelden in coffeeshops, en trokken op hete middagen de blinden dicht en vrijden of gingen slapen. Wie verstandig was, bleef toch op zijn minst weg van de snikhete straten van Beiroet tot de zon begon te zakken.

De werkplaats was niet moeilijk te vinden. De stoffige glazen deuren stonden wijd open. Een rode kat lag te slapen in de beschaduwde entree. In het donkere interieur zaten twee mannen backgammon te spelen, een heftig klikken van zwarte en witte fiches op het bord, afgewisseld door gegrom – van ongeduld, voldoening, woede – Nick wist het niet.

Ze sloegen geen acht op hem.

Er lag zaagsel op de grond en het rook er naar hout, verf, terpentine, gebrande koffie en Franse sigaretten.

'Meneer Sabri?'

Hij liep twee timmerlieden in hemdsmouwen voorbij, door een smalle ruimte tussen stapels van wat op het eerste gezicht houten bootjes leken. Het waren doodskisten, vijf of zes op elkaar, opgestapeld tot het plafond. Sommige waren gewone kisten, net groot genoeg voor een man. Andere waren glanzend gepolijst of gelakt, van donker en licht hout, weer andere glimmend wit geschilderd met glanzende, koperen handgrepen.

Achter in de zaak was een glazen kantoortje. Een man met kortgeknipt, grijs haar en een sikje keek hoe Nick kwam aanlopen. Hij zag Nick naar de doodskisten kijken en een vinger langs een glimmend witte deksel halen.

Hij hees zich uit zijn stoel.

'Onze enige groeiindustrie,' zei de man met het sikje. Hij ging Nick voor naar een kantoortje dat vol rommel stond; er waren borstels en emmers, aan

één muur een hele reeks beitels, een gehavende timmermansbank, flessen met een naamloze vloeistof, stapels vergeelde kranten en, aan de glazen afscheiding, een poster uit 1975 van een hoogblonde dame in een gele bikini, op hoge hakken en met een onmogelijk gekromde rug, tegen een achtergrond van blauwe hemel en groene bomen.
'Het jaar waarin het allemaal is begonnen,' zei Sabri met een blik op de kalender.
Ze gingen zitten, een stoffige Franse tafel, vol met wat facturen leken, tussen hen in. Sabri nam Nick aandachtig op.
'Ali heeft u gestuurd?'
'Ja.'
'Hebt u van zijn muziek genoten?'
'Hij is een geweldige saxofoonspeler.'
'Vroeger maakten we violen en ouden. U kent de oud? De middeleeuwse luit is op ons instrument gebaseerd. Alles van waarde in het westen is gebaseerd op de Arabische beschaving, of het nu muziek of astronomie of wiskunde is, zelfs jullie kennis van Plato en Aristoteles. Helaas is er tegenwoordig nog maar weinig vraag naar muziekinstrumenten of Plato. Aan doodskisten is meer te verdienen, dankzij clusterbommen en andere wonderen die Washington ons stuurt. U bent Engels?'
'Ja.'
'Geeft niet. Niemand is volmaakt, meneer Lorimer.'
'Ik ben blij dat te horen.'
'Vindt u het erg als ik u om een of andere vorm van identificatie vraag?'
'Helemaal niet.' Nick haalde zijn VN-kaart tevoorschijn en legde hem op tafel.
'Koffie?'
'Graag.'
'Ik ben Sabri,' zei hij en gaf Nick een klein, rond, wit kopje zonder oor. Nick moest het blijven ronddraaien om zijn vingers niet te branden. Zodra het leeg was, op de dikke smurrie op de bodem na, schonk Sabri het weer vol.
'Sigaret?'
'Neem er een van mij,' zei Nick.
'Natuurlijk.'
'Ik hoop dat u het niet erg vindt dat ik het vraag, maar wat kosten ze?'
'De doodskisten?' Sabri tuitte zijn lippen. 'We leveren voor alle smaken. U kunt die witte kopen – hij is eigenlijk op bestelling gemaakt – voor elfduizend dollar. Binnenkant van satijn en zijde, negen karaats goudbeslag. Mas-

sief mahonie. Geïmporteerd. Geschikt voor een patriarch van de maronieten – of een wapenhandelaar. Of u kunt de eenvoudige nemen die u wel bij de ingang zult hebben zien staan, voor driehonderdvijftig dollar – van spaanplaat met beukenfineer.'
'Ook niet echt goedkoop.'
'De levenden vinden de dood altijd te duur. Voor de doden doet het er niet meer toe. Dat is één ding dat er voor te zeggen is, neem ik aan.'
'Deze zijn voor christenen?'
'Ja. Het duurt een hele tijd om een piano of een viool te maken. Een doodskist gaat veel sneller. We hebben een hoge omzet en een goede cashflow. Ik mag niet klagen. Voor moslims maken we een soort frame – kijk, zoals daar in de hoek – niet veel meer dan een plank met een plaats voor het hoofd en de voeten. Het lichaam, in mousseline gewikkeld, wordt op het frame gebonden zodat men het snel en doeltreffend in het graf kan laten zakken. Snelheid is tegenwoordig alles; de vijand heeft de gewoonte om het vuur te openen op groepjes rouwenden, dus de meeste begrafenissen in het westen vinden 's avonds plaats.'
Nick moest ervan huiveren.
'Ik wilde u vragen naar een vriendin van me. Reem Najjar. Ik dacht dat u misschien –'
'Dat is niet iemand van ons. Het spijt me. Ze is geen lid van onze organisatie.'
Hij schudde zijn hoofd. Hij leek er heel zeker van. Absoluut. Nick zal wel teleurgesteld hebben gekeken, want Sabri boog zich over tafel en gaf hem een klopje op zijn arm. 'Ik heb het nagekeken nadat Ali me had gesproken. Hij zei dat u kwam. Ik heb contact opgenomen met ons centrale comité. Geloof me, meneer Lorimer, uw vriendin is geen lid. Nooit geweest ook. U hebt niet de waarheid te horen gekregen. Misschien,' hij zweeg even, met zijn ogen op Nicks bezorgde gezicht, 'was daar een reden voor. Wat de reden ook was, het moet te maken hebben met de aard van degene die het u heeft verteld.'
Majoor Dacre.
Nick voelde opeens hoe vreselijk moe hij was. Hij had een knallende koppijn. Hij kon niet naar de ingang van de winkel kijken, vanwege het helle licht. Zijn benen voelden loodzwaar aan. Hij kon zich nauwelijks bewegen. Hij had het gevoel dat hij op dood spoor zat.
'We zijn een gedisciplineerde partij, meneer Lorimer,' zei Sabri. 'We laten onze mensen geen ongeautoriseerde operaties uitvoeren of eraan deelne-

men. We zijn erg strikt. Als je in dit milieu niet gedisciplineerd bent, overleef je het niet. En we zijn klein. Gemakkelijk te verpletteren. Begrijpt u? We kunnen geen – hoe zeg je dat? – freelance activiteiten toestaan. Als uw vriendin betrokken is bij de persoon die ze de Ustaz noemen, kunt u ervan overtuigd zijn dat het niets met ons van doen heeft.'
Als ze lid was, zou Sabri dan iets anders hebben gezegd?
Waarschijnlijk niet.
'Ik ben zowel blij als verdrietig dat ik u niet heb kunnen helpen.'
'Dat begrijp ik.'
'O ja? Dat wil niet zeggen dat ik niet meevoel met de jongedame. Of met de Ustaz.'
Nick kwam moeizaam overeind. Hij voelde zich stijf, gammel. Hij wilde naar bed en slapen.
'Ik heb genoeg van uw tijd in beslag genomen, meneer Sabri.'
'Het geeft niets. Maar natuurlijk hebt u me nooit gezien. We hebben elkaar nooit gesproken. U kent mijn naam niet en u bent hier nooit geweest. En ik weet niets van u of van uw belangstelling voor deze dame. Ik ken niemand die tenorsaxofoon speelt of Ali heet.'
'Natuurlijk.'
'Wacht, meneer Lorimer. Een ogenblikje. Ik wil u iets laten zien. Misschien kunt u ons een dezer dagen een dienst bewijzen.'
Sabri ging hem voor. Er was een achterdeur, verstopt achter paklinnen. In het steegje achter het rijtje winkels – elektriciteitsbenodigdheden, een meubelmaker, een horlogemaker, een ijzerwinkel – was een schroothandel.
'Deze kant uit.'
Ze baanden zich een weg langs badkuipen, een kapotte tractor, verscheidene stukken enorme pijp. Ze klommen een breed, stenen bordes op naar wat ooit een Ottomaans paleisje was geweest. Het had geen dak meer. Het was uitgebrand. Het was een stenen geraamte met gietijzeren balkons, hoge boogramen waar geen glas meer in zat, maar Nick kon zich wel voorstellen hoe het er in zijn glorietijd moest hebben uitgezien.
Het stonk er naar katten en menselijke uitwerpselen.
Sabri deed een metalen deur van het slot. Hij moest zijn schouder er tegenaan zetten om hem open te krijgen.
Een enkel peertje verlichtte een opslagruimte.
'Onze houtopslag,' zei Sabri. Hij begon planken weg te schuiven. Nick probeerde te helpen, maar daar wilde Sabri niets van weten.
'Daar.'

Hij was buiten adem van inspanning.
Het was een geelmetalen tweehonderdlitervat dat nog verzegeld was.
'Wat ziet u?'
Er zaten een paar verschoten labels op. Nick knielde.

BAYARD IMPORT-EXPORT
PESTICIDE
*Insecten kunnen Spectracide niet ontvluchten*

Nick stond op.
Hij begreep het niet.
'Bayard is een van de bedrijven van el-Hami. Ingeschreven in Liberia. U hebt toch wel van el-Hami gehoord?'
'Ik heb hem ontmoet.'
'Soms, meneer Lorimer, verliezen we uit het oog waarom we vechten. We vergeten waar we voor vechten en waar we tegen vechten.'
Sabri trok de planken terug op hun plaats om het vat weer te verbergen. Hij trok de metalen deur dicht en sloot het hangslot af. Ze liepen samen het bordes af.
'Spectracide is volkomen legaal,' zei Sabri. 'Het is overal gewoon te koop. Het hoofdbestanddeel van Spectracide is een organofosfaat dat Diazenon heet. U weet toch wat een organofosfaat is, meneer Lorimer?'
Nick wachtte tot Sabri antwoord op zijn eigen vraag zou geven.
'Het is een molecuul van koolstof en waterstof met een fosforatoom.'
Ze stonden buiten de doodskistenwerkplaats.
'Wat zegt u dat?'
'Niets, ben ik bang.'
'Hebt u wel eens van Soman gehoord?'
Nick schudde zijn hoofd.
'Dat is in 1944 in Duitsland ontwikkeld. Misschien hebt u gehoord van VX, dat een decennium later door uw landslieden is uitgevonden, die een doeltreffender insectenverdelger zochten. Het is kleurloos, smaakloos. Het lijkt op motorolie. Diazenon en Soman zijn organofosfaten die erg op elkaar lijken, maar zoals ik al zei, Diazenon is gewoon te koop. Iedereen kan het helaas in handen krijgen.'
Sabri nam hem weer mee door de werkplaats.
De twee mannen waren opgehouden met spelen. Ze keken op toen Nick langskwam.

'U werkt voor de Verenigde Naties, meneer Lorimer. Misschien zult u zich herinneren wat ik u heb laten zien. Misschien zult u binnenkort een reden hebben om het u te herinneren. Dan kunt u misschien laten ophouden wat er gebeurt. Zes maanden geleden kwam er een chemische stof vrij in Oost-Beiroet, op een terrein in Hazmieh dat eigendom is van partners van el-Hami. Zes mensen moesten naar het ziekenhuis. Met symptomen als hoofdpijn, misselijkheid, duizeligheid en overgeven. Drie van de patiënten raakten in coma. Twee zijn er overleden. De derde leeft nog – hij ligt in coma en wordt kunstmatig in leven gehouden. In de kranten werd gespeculeerd dat er proeven werden genomen met wapens.'
'Meneer Sabri...'
'Het tegengif heet Diazepam. Ik hoop dat we het geen van beiden ooit nodig hebben.'
'Dat hoop ik ook.'
'Ik hoop dat u uw vriendin vindt, meneer Lorimer.'

# 35

*Allerliefste Nicholas,*

*Ik schrijf dit op een klein kamertje, ver weg. Eindeloos ver weg. Zo voelt het.*
*Er is geen stroom. Als licht heb ik iets wat een druklamp heet. Onderin zit paraffine en hij heeft een pit onder glas en de paraffine wordt opgepompt met een apparaatje als een hefboom tot de pit witheet gloeit. Hij geeft een fel licht. Wat bof je toch, Nick. Je zult wel nooit van een druklamp hebben gehoord, laat staan dat je er een hebt moeten gebruiken. Of dat je in de rij hebt moeten staan voor water, of voedseldistributie. Maar ik ben tevreden. Ik zit op een veilige plaats. Het is er gerieflijk. Het is er schoon. De lucht is er zuiver en het is er heel stil. Hier is geen verkeer, geen lawaai van privé-generatoren, geen geschreeuw op straat. Het enige schieten is heel ver weg. Het klinkt als onweer, en ik doe net of het dat is.*
*Ik heb genoeg te eten. Ik slaap beter dan ooit. De nachtmerries laten me met rust. Misschien blijven ze wel voorgoed weg, dat weet ik niet. Ik krijg veel beweging. Ik lees veel boeken. Ik voel me uitgerust, verzoend met de wereld, verzoend met mezelf. Voor de allereerste keer ben ik niet bang. Dat verbaast me. Ik dacht dat ik vol twijfels en angsten zou zitten, maar die zijn allemaal van me af gevallen. Ik heb ze afgelegd als oude kleren.*
*Ik dacht dat ik de stad zou missen. Ik mis hem helemaal niet.*
*Tegen de tijd dat je dit krijgt, Nick, zal ik deze plek hebben verlaten. Dan zal mijn taak erop zitten. Het duurt misschien nog twee of drie dagen voordat ik aan mijn laatste reis begin. Mijn laatste verzoek zal zijn dat je deze brief mag krijgen. Iedereen in mijn positie heeft dat recht. Sommigen vragen om nieuwe kleren, of een speciaal gerecht, een film, een boek, een van die draagbare cassettespelers. Ik wil alleen dit gesprek met je hebben. Een monoloog, maar het is het beste wat ik kan doen. Ik wil dat je het begrijpt, en als er iets te vergeven valt, dat je me vergeeft.*
*Ik hou echt van je. Ik zal altijd van je houden. Ik denk dat ik altijd al van je hield zonder het te weten. Van jou houden heeft me gelukkiger gemaakt dan ik kan zeggen. Ik heb geen woorden om uit te drukken wat ik toen voor je voelde of wat ik nog steeds voor je voel.*
*Voor ons, Nick, zal liefde nooit genoeg zijn. Niet in dit leven. Het is niet genoeg om me mee weg te*

nemen van hier, het is niet genoeg om me te laten vergeten. Er zijn bepaalde dingen, bepaalde mensen, bepaalde gebeurtenissen die ik nooit kan vergeten. Dat kan ik mezelf niet toestaan. Noem het plichtsbesef, noodlot.

Onze liefde is heel, heel bijzonder. Maar ze bestaat niet uit een huwelijk, uit ringen en beloften, uit ceremonies met een priester, uit samenleven, uit werken, uit mijn identiteit afleggen, of jij de jouwe. Ik heb geen enkel recht om te kiezen voor wat jij een normaal leven noemt.

We verdwijnen allemaal van het toneel, Nick. Meer is de dood niet. Een verdwijnen. Wat we achterlaten is de kooi, het krat, het frame — het ding dat we lichaam noemen waarin we opgesloten zitten en waar we ons druk over maken en dat we verzorgen en waar we in de spiegel naar kijken. Het is een val, een last, een gevangeniscel.

Ik kies de manier waarop ik er uitstap, dat is alles.

Ik hoor je — over de wereldzeeën, over de tijd zelf heen — vragen hoe ik zoiets vreselijks kan doen. Net als jij, heb ik als kind geleerd om mijn naaste lief te hebben. Maar ik kan geen naaste liefhebben die alles vernietigt waar ik van houd, die alles steelt wat maar enige waarde heeft, die me mijn trots en waardigheid ontneemt en nog steeds meer wil dan ik wellicht kan geven. Ik haat mijn naaste niet. Het is erger dan dat. Ik heb medelijden met hem. Ik haal naar hem uit ter wille van mezelf. Om mezelf te hervinden. Om mijn waardigheid terug te nemen. Om terug te nemen wat van mij is.

Ze zullen het een misdaad noemen. Ze zullen zeggen dat ik mezelf en het kind dat ik draag heb vermoord.

(Ik ga hiermee door om dezelfde tijd als gisteren.)

Ik heb tegen je gelogen. Ik moest wel. Ik wilde niet dat je me achterna zou komen, dat je zou proberen om me op te sporen. Dat zou voor ons allemaal gevaarlijk zijn geweest.

Wat voor toekomst heeft dit wezentje in mijn schoot in mijn land? Onder mijn volk? Wat voor leven zou hij of zij hebben? Moet ik een kind krijgen opdat onze vijanden het kunnen vernederen, het zijn rechten, zijn zelfrespect, zelfs zijn ziel kunnen ontnemen?

Moet ik alleen kinderen krijgen om ze mee weg te nemen, om ze naar jouw beeld te maken, het beeld van degenen die de Arabische natie zoveel schade hebben toegebracht, die ons hebben gebombardeerd, ons volk hebben vergast, ons hebben verdeeld, ons hebben onderworpen, ons land hebben gestolen, ons onderdrukking en slavernij hebben aangeboden als middel om te overleven, en in ruil daarvoor onze hulpbronnen en onze arbeid hebben geëxploiteerd, alleen omdat jullie aandeelhouders winst willen maken?

Nooit.

Ik heb voor ons allebei gekozen.

Bid voor mijn ziel, Nicholas.

*Misschien heb ik je gebeden nog nodig, zelfs als je niet gelooft. Er zullen er niet veel zijn die voor me bidden als ik eenmaal weg ben en de media te pakken hebben gekregen wat ze een 'verhaal' noemen. Want dat is het voor die nieuwsmensen alleen maar: een onderhoudend verhaal dat ze zullen verdraaien om het naar hun hand te zetten.*
*Als er een God is, moge hij jou ook zegenen.*
*Slaap lekker. Ik ben bij je, ook al weet je het niet.*
*Soms voel ik je hier, in deze kamer, en hoor ik je tegen me praten, en dan geef ik je antwoord. Konden we elkaar maar aanraken.*
*Tot we elkaar weer zien,*
*Reem.*

'Dit is mijn laatste verzoek.'

Reem stak hem aan het ontbijt de brief toe. De Ustaz nam hem aan, draaide hem om en las de naam die op de voorkant stond.
Ze zei: 'Ik wil dat je ervoor zorgt dat hij hem krijgt.'
'Als je dat echt wilt.'
'Dat wil ik echt. Naderhand.'
De Ustaz boog instemmend het hoofd.
Reem zei: 'Ik weet dat je hem zult lezen. Je zult hem openstomen en lezen om er zeker van te zijn dat ik niemands veiligheid in gevaar heb gebracht. Ik kan je verzekeren dat ik dat niet heb gedaan. Er staan geen namen in van mensen of dorpen. Ook geen aanwijzingen. Ik ben heel voorzichtig geweest. Als je het moet weten, het is een liefdesbrief. Vrij sentimenteel. Ik hoop alleen dat je me niet achter mijn rug zult uitlachen en me een grote dwaas zult vinden. Maar ik begrijp het wel. Ik ben niet de eerste of de laatste. Je moet jezelf en je leerlingen tegen slordigheid beschermen. Het enige wat ik vraag, is dat je hem pas leest als mijn werk gedaan is, dat je de brief weer dichtplakt, hem in een andere envelop stopt en ervoor zorgt dat hij hem krijgt. Persoonlijk.'
'Zeker.'
'Dat beloof je.'
'Je hebt mijn woord.'
'Dank je.'
'Het heeft niets te betekenen.'
'Integendeel, Ustaz. Het betekent alles voor me.'

# 36

'Jee, wat een verrassing. Nick Lorimer.'
'Geen al te onplezierige verrassing, hoop ik.'
'Kom binnen.'
Mona trok de deur verder open en ging achteruit.
Nick zei: 'Je ouders...'
'Ik ben alleen. Je bent volkomen veilig.'
'Ze droeg zijde, een eenvoudig hemdjurkje, maar het zag er heel duur uit. Het had een patroon van piepkleine gedrukte vierkantjes. Het had een diepbruine kleur. Er was iets aan de manier waarop het hing, of misschien waarop het was gesneden, die bij haar figuur en haar huid paste. Haar armen, schouders, de bovenkant van haar borstjes en de rug van haar handen leek te zijn bestoven door de zon, licht gebruind op een manier die haar deed stralen van gezondheid. Mona droeg een beetje ogenzwart waardoor haar grote, Arabische ogen iets paarsigs hadden, en haar haren waren kort geknipt in een mooi pagekopje.
'Je ziet er fantastisch uit.'
'Dank je.'
Ze was op haar hoede, maar niet koel. Verbaasd, voorzichtig – en nieuwsgierig. Ze ging hem voor naar de weelderige woonkamer in het huis van haar ouders, een strenge kamer vol verguld meubilair, banken die er ongemakkelijk uitzagen, pronkkasten van Chinees lakwerk, enorme olieverfschilderijen die oude meesters hadden kunnen zijn, maar ook kopieën.
'Ik heb je hulp nodig,' zei Nick.
'O?' Ze keek naar hem over haar schouder, maar ging pas langzamer lopen toen ze op het balkon kwamen, dat Nick bijna zo lang als een tennisbaan vond. Het liep over de volle lengte van het appartement, bijna een half blok.
Omdat hij nog geen meter achter haar liep, moest hij wel naar haar benen kijken.

Hij was haar gladde, verzorgde huid bijna vergeten, de gespierde dijen door het zwemmen en tennissen op de chique country clubs waar ze lid van was, ergens in de Metn, boven Kibfaya. Voor mensen als Mona slechtte geld alle barricaden. Er was geen oost en geen west. Alleen de armen waren maar opgesloten door de oorlog, door etniciteit en geloof. Het waren de armen die vochten en stierven. Zo ging het altijd, dacht Nick.
De rijken, vooral oud geld, hadden hun eigen regels.
'Ik wilde net een glas champagne nemen. Doe je mee? Ze zijn elkaar in onze straat weer aan het beschieten. Het is amusant om op een warme avond hier buiten te zitten en Franse champagne te drinken en ernaar te luisteren.'
Dat meende ze toch niet?
Toen ze de fles in een emmertje ijs en de hoge champagneglazen had gehaald, ging ze tegenover hem op een rieten leunstoel met dikke bloemetjeskussens zitten en begon het goudfolie van de kurk te halen. Ze zat rechtop, met haar smalle rug kaarsrecht en haar puntige knieën tegen elkaar.
'En? Wat kan ik doen, Nick?'
'Ik ben verliefd geworden.'
'Niet op mij, hoop ik.'
'Dat gevaar bestaat niet.'
'Goddank. Ik leef voortdurend in angst voor mannen die hun gevoelens niet kunnen onderdrukken. Ik ben trouwens niet bepaald de persoon bij wie je met hartszaken moet aankomen, Nick, dat weet je maar al te goed. Als je een asociale ziekte had opgelopen, had ik je de juiste weg kunnen wijzen...'
Ze trok de kurk er met een soepele beweging uit. Dat veroorzaakte een zachte plop, maar er werd geen vocht verspild. Ze was een expert.
'Ze is verdwenen. Ze is zwanger. Het is mijn kind.'
Om redenen die Nick niet kon begrijpen, vond hij het altijd gemakkelijker om vrouwen in vertrouwen te nemen. Mona was iemand die geheimen had. Hij had afgesproken haar geheim te bewaren, en wat hij nog meer van haar middagverhoudingen wist. Hij wist ook dat ze zich niet lang kon concentreren, dus had hij besloten het haar in korte zinnen te vertellen, zonder inleiding en zonder uit te weiden.
'Waarom kom je bij mij?'
'Wij hebben een geheim. Of liever, we hadden een geheim. Ik heb beloofd om wat ik van jouw leven wist onder ons te houden, en ik heb woord gehouden. Nu wil ik je mijn geheim vertellen, en ik wil dat je het aan nie-

mand onthult. Waarmee ik maar wil zeggen dat ik vind dat ik je kan vertrouwen. Jij hebt mij vertrouwd. Ik neem aan dat het ook andersom werkt.'
Ze hief haar glas.
Nick nam het zijne op.
'Op geheimen,' zei Mona. 'Zonder zou het leven zo saai zijn.'
Ze maakte een geluid van welbehagen, mmmmm, terwijl ze dronk.
Zijn antwoord ging verloren in een salvo geweervuur op de hoek van de straat, nog geen honderd meter verderop.

'Waar je moet beginnen, is bij haar thuis,' zei Mona. 'Ben je daar geweest sinds ze is vertrokken zonder je te vertellen waar ze heen is?'
'Nee.'
'Waarom niet, Nick? Het is de voor de hand liggende plaats om te beginnen met zoeken. Haar buren, de winkeliers, de kinderen die dingen bij haar afleveren...'
'Ik dacht niet dat het veel zou opleveren.'
'Woont er nu iemand anders?'
'Dat weet ik niet.'
'Heeft ze de meubels, de foto's, meegenomen? Heeft iemand anders ze meegenomen?'
'Ik heb geen idee, het spijt me.'
Hij kon zich niet voorstellen dat Reem zich druk zou maken om foto's.
'Zodra dit gekrakeel op straat ophoudt, gaan we erheen.'
Mona tuitte haar lippen. Als ze eenmaal iets had besloten, stond het vast.
'Wat, nu?'
'Waarom niet?'
'Weet je zeker dat je dit wilt doen?'
'Ik ben gefascineerd. Veel leuker dan dronken worden en hier buiten op de veranda worden opgevreten door steekmuggen. Ik begon me net te vervelen.'
'Het spijt me dat mijn gezelschap niet aan de verwachtingen voldoet.'
'Nee, gekkie – ik bedoelde voordat je kwam.'
'Ben je nog, je weet wel...'
''s Middags aan het neuken, bedoel je?'
'Zoiets, ja.'
'Vergeet het, Nick. Dat soort dingen doe ik nooit thuis. Ik neem geen mannen in mijn bed. Dat weet je best. Trouwens, wij zijn verleden tijd, jij en ik. Had ik je niet gezegd dat we elkaar zouden gaan vervelen?'

'Jawel.'
'Had ik geen gelijk?'
Nick haalde zijn schouders op, keek weg.
'Je hoeft je niet opgelaten te voelen, Nick. Het is de waarheid. We hebben lol gehad. Het is voorbij. Maar nu zijn we vrienden. Dat hoop ik althans. Hoeveel getrouwde stellen in deze stad zijn vrienden? Hoeveel van die mensen vertrouwen elkaar echt? Orale seks overleeft zelden de huwelijksreis en na die tijd gaat het alleen maar bergafwaarts. Laten we de fles leegdrinken en dan gaan we een kijkje nemen. Hoe zei je ook weer dat ze heette?'
'Reem.'
'Reem Najjar.'
'Dat klopt.'
Toen Mona opstond om haar gezicht bij te werken, zoals zij het noemde, boog ze zich snel over naar Nicks stoel en plantte een zusterlijke kus op zijn wang.
'Ik ben blij dat je vanavond bent gekomen, Nick. Het is fijn om je te zien. Echt.'

Mona's laatste aanbidder – na de VN-piloot – was de nieuwe Reuters-man, niet erg ervaren in bed, voegde ze eraan toe. Of misschien had hij geen fantasie. Het was in elk geval geen veelbelovend begin geweest, want een 155-mm houwitsergranaat, welwillend ter beschikking gesteld door de Libanese militie, was door het dak gegaan van het pand waar hij werkte, doorgedrongen tot de kantoren van Reuters, vier verdiepingen lager, en was midden in de redactiekamer ontploft. Haar man liep op dat moment net de kamer uit. De klap had hem de trap af geblazen en hij had allebei zijn enkels gebroken.
Mona zei dat een dronken Poolse correspondent op dat moment een bericht had zitten typen in het kantoor van Reuters en toen de rook was opgetrokken en het stof was neergeslagen, was hij nergens meer te bekennen geweest. Hij was domweg verdwenen. Er waren ook geen lichaamsdelen. Nog geen teennagel. Zijn verlies had de hele buitenlandse persafdeling een depressie bezorgd. Zijn familie in Warschau was ingelicht en er was een herdenkingsdienst georganiseerd door de Buitenlandse Pers Associatie in Beiroet.
Een week later was de Pool opgedoken om weer een bericht te verzenden. Hij was verbaasd over alle drukte. Eén secretaresse was flauwgevallen toen ze hem zag, omdat ze dacht dat hij een geest was. Hij was natuurlijk weer dronken. Hij was niet eens gewond geraakt, had nog geen schrammetje

opgelopen, en het vreemdste van alles was dat hij geen enkele herinnering had aan wat er was gebeurd.
'Hij had niet eens een schrammetje,' zei Mona, en parkeerde haar hatchback op een klein plekje op het trottoir voor Reems oude huis.
'En je Reuters-man?'
'Plat op zijn rug, niet in staat om een vin te verroeren en op een zaal met twaalf andere patiënten. Dat beperkt de mogelijkheden om video's te kijken nogal.'
'Dat kan ik me voorstellen.'
'Ik geloof niet dat hij een erg goede keus was. Mannen zijn zo vreemd. Vooral Engelsen. Is het waar dat jullie, Britten, de voorkeur geven aan elkaar boven jullie vrouwen? Vergeet niet, ik heb op recepties op ambassades Engelse vrouwen gezien, dus ik begrijp wel waarom zoveel van jullie homo zijn. Intussen heeft mijn piloot zich verloofd met een stewardess van Middle-East Airlines. Ik ben op de bruiloft gevraagd. Die is volgende week en ik ben een van de bruidsmeisjes.'

De buren wisten van niets. Reem was vertrokken, dat was alles. Nee, ze hadden haar met niemand gezien. Ze herinnerden zich niets bijzonders. Een aardig meisje. Zo triest, Reem had haar ouders verloren. Ze was wees. Uit het zuiden. Goede mensen, christenen. De Najjars waren alles kwijtgeraakt tijdens al-Nakba. En daarna nog een keer in 1978 toen de Israëliërs een grote inval deden. Er was een aardige man, haar oom, die haar rekeningen betaalde en zorgde dat de boel werd schoongemaakt. Geen naam, sorry. Er was een Koerdische vrouw die het huishoudelijke werk deed, maar nee, ze wisten niet hoe ze heette of waar ze woonde. Ze kwam twee of drie keer per week, en ze bracht eten mee, deed de boodschappen en de schoonmaak en het strijkwerk. Ze liep mank.
Mona klopte op de deur van de flat. Ze bonkte erop. Ze sloeg er met haar vlakke hand op, als op een trommel. Het kon haar niet schelen of ze het hele gebouw wakker maakte, zei ze tegen Nick. Dat was beter. Dan zouden mensen misschien praten, al was het maar om van hen af te komen.
Er was niemand thuis.
Dat schrok haar niet af. Ze zette haar liefste glimlach op en gebruikte haar meest overredende, honingzoete stem. Ze had ook een stapeltje dollarbiljetten in haar hand, en dat deed het hem. Een van de zonen van de Daouks gaf haar stiekem een reservesleutel voor dertig dollar. Voor maar vijf minuutjes, begrijpt u wel, m'mselle.

Was er iemand anders geweest?
Nee.
Zeker weten?
Alleen de werkster.
Mona sloop aanvankelijk als een kat door de flat, om de sfeer op te snuiven. Ze vond kleren in de ingebouwde kast in de grootste slaapkamer, allemaal pas gestoomd en in plastic zakken.
Ze bleef staan bij de lege fotolijstjes. Nam ze op, zette ze weer neer, alleen nu overeind, en ging toen in een leunstoel zitten.
'Het is erg stoffig,' zei ze. 'Er is minstens een week niemand wezen schoonmaken.' En ze haalde een vinger over een bijzettafeltje en bekeek de etiketten van een rij lege flessen.
Toen ze weer in de auto zaten, vroeg Mona of Nick een sigaret had.
'Steek hem voor me op,' zei ze.
Ze zaten samen in het donker terwijl Mona rookte en de as uit het raam tikte. Ze keek ernstig. Bedachtzaam.
'Ze heeft geld noch smaak. Ze is niet geïnteresseerd in bezit, behalve een paar dingen die van haar ouders zijn geweest. Ze heeft van de flat een soort herdenkingsmuseum gemaakt. Ze heeft wat kleren meegenomen. Niet veel. Waarschijnlijk een weekendtas. Ze heeft de familiefoto's meegenomen. Ze heeft papieren of brieven geloosd. Ze wil niet dat mensen weten waar ze is. Ze wil niet dat ze haar volgen. Ze heeft dit gepland, Nick. Het was niet iets spontaans. Ze komt niet terug.'
Hij zei niets. Hij wachtte.
Mona legde haar hand op zijn knie.
'Het spijt me, lieverd. Maar dat wist je al, hè?'

Mona zei dat hij een berichtje in de krant kon zetten.
Maar als zijn vermoedens juist waren, zou ze niet reageren. Misschien kon ze dat ook wel niet, zelfs al zou ze het willen. Ze zat waarschijnlijk ergens ondergedoken. Haar soort zou wel niet even een krant en een pakje sigaretten gaan halen, zoals normale mensen. Waar ze ook was, luieren in een café met een kop koffie en de *an-Nahar* of *L'Orient le Jour* stond niet op de lijst met uitstapjes. Ze zou wel in een of andere afschuwelijke kelder in de zuidelijke voorsteden zitten. Ergens waar mensen hun ogen afgewend en hun mond dicht hielden. Misschien een Palestijns vluchtelingenkamp waar geen agent zich waagde zonder steun van een gewapende brigade.
Mona bracht Nick naar huis. Hij kuste haar zedig op beide wangen. Hij

bedankte haar en wenste haar goedenacht. Hij stapte uit de hatchback en deed het portier dicht.
'Nick...'
Hij keek door het open raampje op haar neer.
'Neem een goede raad aan van een ouwe rot, Nick. Doe iets aan dat sociaal geweten van je. Het is niet erg charmant. Als je zo doorgaat, word je een ouwe zeur. Neem een tijdje vrij. Ga ergens anders heen. Waar dan ook. Ga weg. Zoek een meisje, het liefst een oosterse slavin. Probeer Cambodja. Zet die Reem en dit godvergeten land van je af. En hou er in godsnaam mee op jezelf zo serieus te nemen.'

# 37

Het regende die nacht. De buien lieten een pittige geur van vochtige aarde en natte planten achter.

Er was geen uitstapje geweest in het donker. De schietoefeningen waren voorbij en deze keer was er geen tochtje naar de hometrainer. Reem kreeg de raad om zo veel mogelijk rust te nemen. Ze wilde geen rust. Dat was het laatste wat ze wilde. Ze was er klaar voor, zo klaar als ze maar kon zijn, gespannen als een veer, klaar voor de sprong. Ze bracht de ochtend – haar vierde in deze schuilplaats – door met het bestuderen van haar eigen, uitvergrote foto's van het doelgebied. Aan haar muren hingen opgeblazen plattegronden. Ze maakte zich vertrouwd met de roosters van de schildwachten, de plaats waar de zandzakken aan weerskanten van de ingang naar Karantina lagen, de enkele rol prikkeldraad tussen het parkeerterrein en het hoofdkwartier waar de Protector kantoor hield.

Ze leerde de afstanden uit haar hoofd, de invalshoeken die door de Ustaz met rode viltstift waren aangegeven.

Het prikkeldraad zou haar niet ophouden.

Er was een tien centimeter dikke buis die over open terrein lag.

Ook die zou niet meer dan een hobbel zijn bij zeventig kilometer per uur, bijna honderd tegen de tijd dat ze het heilige der heiligen bereikte.

Ze deed haar ogen dicht om het in gedachten voor zich te zien en somde de bijzonderheden op voor de Ustaz.

Steeds weer opnieuw, tot ze het in haar slaap kon.

Haar persoonlijke zorgen waren weggevallen.

Zelfs haar nachtmerries hadden haar verlaten. Ze had vlinders in haar buik, maar de onpasselijkheid die ze aan het begin van de operatie had gevoeld, was niet voor zichzelf. Ze was niet bang om te sterven. Het was haar angst om te falen. Reem wist dat als puntje bij paaltje kwam, soldaten niet voor hun geloof of hun land vochten. Fanfares, medailleparades en met vlaggetjes zwaaien zijn voor de mensen thuis. De waarheid is prozaïscher; man-

nen en vrouwen vechten voor hun kameraden, hun legeronderdeel, hun peloton. Mensen blijven op hun post en doen hun best, verdragen het onverdraaglijke, omdat ze hun ploeg niet willen laten zakken. Het is een negatief soort moed. Het is trots op jezelf, een zelf dat is herschapen naar het beeld van exercitie-instructeurs over de hele wereld. Reem herkende dat in zichzelf. Zo was ze nu: deel van een team en iemand die haar aandeel erin wilde volbrengen, de laatste, jongste rekruut die niet de schakel in de keten wilde zijn die knapte.
Hoe vaak in de afgelopen eeuwen waren jonge mannen en vrouwen opgewekt aan een missie begonnen, in de wetenschap dat hun kans op overleven nihil was?
De duur van haar laatste run zou krap drie minuten zijn.
Een mensenleven, elke seconde een eeuwigheid. Een rechte lijn van duizend meter, een flauwe bocht naar rechts, de laatste dertig meter tot de ingang vaart minderen, dan het doelwit, op honderdvijftig meter rechts duidelijk zichtbaar.
Een controlepost van het leger praktisch aan het begin, en fanatiekelingen van de Libanese militie aan het hek zelf, met Israëlische kogelvrije vesten en helmen, en met 5.56 mm M-16's of Galil-geweren.
Binnen waren er nog meer.
Ze zou el-Hami's Mercedes links op het terrein geparkeerd zien staan.
Reem hielp de Ustaz om de foto's en kaarten van de muur te halen en stopte ze in een grote canvas tas. Hij zei dat hij ze zou laten versnipperen en daarna verbranden. Hij zou het zelf doen.

Hij was veel weg. Hij kwam en ging. Soms was hij twee uur weg, dan vier uur, dan dertig minuten. Er zat geen patroon in en de Ustaz gaf er geen verklaring voor.
Soms bleef hij koffie drinken of bracht hun maaltijd mee en at met haar.
De Ustaz zei weinig. Hij leek afwezig.
Dan hief hij zijn hoofd op, staarde haar even aan alsof hij haar opeens herkende. 'Alles goed, dochter?'
'Prima, oom.'
Dan knikte hij en richtte zijn aandacht weer op zijn bord, dat hij snel leegat.
'Is er iets wat je wilt hebben?'
'Nee.'
'Weet je het zeker?'

'Tuurlijk weet ik het zeker.'
Dan schoof hij zijn bord weg, nam een laatste slok wijn, pakte soms een appel en stond op. Als hij dan achter haar langs liep, bleef hij even staan, legde een hand op haar schouder en kneep er even in.
'Ik ben zo terug.' Zonder op antwoord te wachten was hij dan de deur al uit en hoorde Reem zijn voeten de trap af roffelen, over het grind knerpen en het bruggetje over stampen.
Dan daalde de stilte weer neer als een gordijn en sloot de wereld die ze had achtergelaten buiten.
Ze kwam in de verleiding om te vragen of alles goed was, of ze iets kon doen om te helpen. Maar ze kende het antwoord op beide vragen. Ze kon maar beter afwachten, geduld hebben en niets vragen.

Ze kwamen haar halen toen het licht werd.
Ze praatte net tegen hetgeen in haar groeide.
Vaak werd ze zomaar wakker en praatte dan zachtjes in het donker, op fluistertoon, met haar rechterhand op haar buik waar ze zich het piepkleine celklopje voorstelde, de kiem van een nieuw mensje in wording. Had het een ziel? Dacht het? Kon het horen? Voelen?
Dan stelde Reem zich voor wat voor kind het zou worden.
Een meisje, dat was zeker.
Een lief gezichtje, grote ogen, krullend haar in vlechtjes.
Een ondeugende glimlach.
Een duplicaat van zichzelf, herhaald, teruggekomen.
'We zullen samen vertrekken, van het toneel verdwijnen, jij en ik. Wie weet? Misschien komen we wel samen op deze wereld terug… Misschien zullen we elkaar weer kennen, als moeder en kind, in een volgend leven, misschien ook niet. Misschien zal dit ook een betere tijd en plaats zijn tegen de tijd dat we terugkomen. Wie weet?'
Andere keren zong ze zichzelf in slaap, zachtjes Fairuz neuriënd voor het ongeboren kind.
Reem dacht terug aan Sabra en Shatila, aan de moord op onschuldige mensen. Het Palestijnse babymeisje dat uit haar moeders schoot was gerukt, de moeder vermoord, haar keel doorgesneden, de pasgeboren baby, met de navelstreng nog met het lijk verbonden, stervend van honger, dorst en onderkoeling. En in Karantina, waar de moordende falangisten hun bajonetten op zwangere vrouwen hadden gebruikt, de foetussen uit zowel Koerdische als Palestijnse vrouwen hadden gerukt en hen als vee hadden behan-

deld. Erger. In een slachthuis was het nog niet zo erg.
Dat zal een kind van mij nooit overkomen.
Jij zult niet in deze nachtmerrie worden geboren zonder te weten wie je bent, vaderloos, dakloos, met je ziel op drift en zonder verleden of toekomst om deze monstruositeiten te trotseren.
Wij gaan naar een betere plaats, jij en ik.
Een heilige plaats.
'Hoor je me?'
Voelde ze het bewegen? Vast niet, het was nog veel te vroeg.
Deze keer was het een vrachtwagen die antwoord gaf, die met grommende motor langzaam tussen de coniferen door kwam.
Daarna de hogere klank van een motor.
Op haar horloge was het 4.34 uur.
'Reem.'
'Ustaz?'
Ze rook dat hij in de kamer was, die mannelijke geur van tabak, zweet en drank. Hij doemde boven haar op, een donkerder gestalte dan het donker zelf.
'Je moet opstaan, Reem. We gaan vertrekken. Zoek je spulletjes bij elkaar.'
Ze was altijd klaar. Ze hoefde niet te pakken. Haar tas stond bij de deur. Zo had hij het haar geleerd. Alleen het boek dat ze aan het lezen was, de kleren die ze snel aantrok, de kam die ze door haar haren haalde, schoenen die ze aanschoot.
Reem vond hem buiten, op het trapportaal.
'Klaar?'
'Ja.'
'Hier.'
Hij gaf haar twee appels, een stuk kaas en een plastic fles met water.
'Het zal wel even duren voordat we weer behoorlijk kunnen eten.'
Hij ging als eerste naar beneden, met Reem achter zich aan.
De vogels zongen al en in het oosten was een streep bleek licht. Een lage, vage mist hing over de velden.
Reem voelde een immense opluchting, een zware last viel van haar af.
Het was het eind van het begin.
Voor hen allebei.

# 38

Nick vloog die zondag terug naar Beiroet, twee dagen eerder dan gepland. Hij was in totaal nauwelijks drie dagen weg geweest. Fig Tree Bay was een teleurstelling geworden. Hij had elke minuut ervan verafschuwd en niet geweten wat hij met zichzelf aan moest. Het strand was er lang en breed en had fijn wit zand. Met andere woorden: perfect. Het water was schoon en helder. Het deed hem aan limonade denken. Het water liep hem letterlijk in de mond als hij ernaar keek.

Maar dat was alles.

Het was waar wat mensen zeiden: waar hij ook keek, het was kamerbreed Zweeds topless. Maar de gebruinde, blonde en goedgevormde Zweedse meiden die samen met andere Scandinavische en Duitse meisjes de oostelijke badplaatsen bezochten, spraken niet veel Engels, of misschien wilden ze er gewoon geen moeite voor doen. Ze toonden geen belangstelling voor Nick en zagen er in zijn ogen allemaal hetzelfde uit. Ze leken liever in gezelschap van jonge Cypriotische mannen te verkeren. De bars moest je mijden; die zaten vol strijdlustige Engelse militairen, stevige jongemannen met tatoeages en geschoren hoofden, die heftig op straat braakten als ze niet op een robbertje vechten of neuken uit waren. En na Libanon leek het eten onverteerbaar, te rauw of veel te gaar, of smakeloos en zonder knoflook, olijfolie of citroen – zoals de Noord-Europeanen het lekker leken te vinden. Hij bracht een rusteloze nacht door in de Holiday Inn in Nicosia. Het was zo stil in de hoofdstad van het eiland dat Nick niet kon slapen. Hij werd nerveus van het gebrek aan geweervuur en de uitgestorven straten. Nadat Nick de volgende ochtend zijn opwachting had gemaakt bij de plaatselijke VN-vertegenwoordiger, huurde hij een taxi voor de rit naar het oosten, door die ene, lange, uitgestrekte bouwput waarin de Grieks-Cyprioten hun ooit prachtige eiland hadden veranderd. Rijen goedkope betonnen vakantiewoningen in hoge blokken werden afgewisseld door winkelcentra aan zee die friet, hotdogs en hamburgers verkochten, samen met 'Engelse' pubs die

koud bier boden aan busladingen verbrande, veel te dikke en karig geklede toeristen die op een volledig verzorgde vakantie waren en met chartervluchten uit Manchester, Luton, Stansted en Gatwick waren ingevlogen.
Cyprus had zich ontwikkeld tot het voornaamste mediterrane verwerkingsbedrijf voor de toeristenindustrie. Voor Nick had het alle charme van een gemechaniseerd pluimveebedrijf. Het leek Magaluf wel – alleen kon je op Mallorca de ergste stukken nog omzeilen en ontsnappen naar delen die nog bijna niet door horden buitenlanders waren verpest.
In Fig Tree Bay probeerde Nick een eenvoudige dagindeling aan te houden, maar dat mislukte al voor het eind van de eerste dag omdat hij zich te pletter verveelde. Na een middelmatig ontbijt legde hij zijn handdoek op het strand, smeerde zich in met zonnemelk die hij als oorlogsverf op zijn gezicht aanbracht en ging liggen lezen. Hij droeg een witte strandhoed en een zonnebril. Als de zon hem te veel werd, wierp hij zich in zee.
Tegen lunchtijd verveelde hij zich.
Die avond huurde Nick een Suzuki cabriolet en reed naar het westen, waar hij vandaan was gekomen, overnachtte in Limassol en reed door naar de kiezelstranden waar Engelse toeristen het liefst kwamen, naar plaatsen als Phaphos en Pissouri, maar daar waren de toeristen ouder dan de Scandinaviërs, voornamelijk getrouwde stellen en gezinnen met kinderen.
Het leek Scunthorpe aan zee wel.
Hij belde de luchtvaartmaatschappij en boekte zijn vlucht om.
Hij wilde dolgraag terug. Hij reed naar Larnaca en ging met zijn tas aan zijn voeten onder een parasol op een bank aan de waterkant zitten wachten tot het tijd was voor de tien minuten durende rit naar het vliegveld.
Hij wist dat er eigenlijk niets mis was met elk van de plaatsen die hij had bezocht. Niet echt.
Het lag helemaal aan hem, en wel hierom: Reem was al elf dagen zoek.

Nick had absoluut geen last van het lawaai in de straten van West-Beiroet, de intense hitte, de verkeersopstoppingen, de uitlaatgassen, de controleposten, de starende blikken: een buitenlander werd altijd aangegaapt. Wat had Elias ook weer gezegd? Iets wat erop neerkwam dat in Jemen de bevolking staarde omdat ze bedwelmd was door het dagelijkse ritueel van het *qat*-kauwen. In Beiroet kwam het omdat mensen zich afvroegen waarom een buitenlander zo dom, of zo gek, was om te blijven rondhangen tot hij werd ontvoerd. Het was Elias' idee van een mop.
Toch voelde het aan als thuis.

Er had zich in zijn afwezigheid een boel werk opgehoopt.
Het zou moeten wachten. In plaats daarvan snuffelde hij de stapels papier op zijn bureau door, op zoek naar iets. De advertenties die hij in de *an-Nahar*, de *as-Safir* en *L'Orient le Jour* had gezet onder het kopje 'Vermist – Reem Najjar' hadden slechts twee reacties opgeleverd, geen van beide wat hij had gehoopt.
Er hadden zich geen vrienden of verwanten gemeld.
De eerste reactie was een hooghartig, anoniem krabbeltje in het Arabisch: 'Daoud wil je zo snel mogelijk spreken.'
De tweede was een velletje grijs postpapier met in reliëf het wapenschild en het adres van de Engelse ambassade. Ook dat was persoonlijk bezorgd. Het was een kort briefje, met boven- en onderaan het kenmerkende handschrift van Dacre: een recht en heel gelijkmatig schrift.

*Beste Nicholas,*

*We hebben je al een hele tijd niet meer gezien. Ik zag je advertentie ten aanzien van juffrouw Najjar. Je personeel zegt dat je op Cyprus zit. Neem contact op als je terug bent, dan kunnen we samen eten en bijpraten. Sir H en Andrew laten je hartelijk groeten.*

*Groet,*
*Peregrine*

Verder kwam Nick niet met zijn in-bakje. Onder zijn raam klonk opeens een salvo geweervuur waarop met heftiger geweervuur werd gereageerd.
Elias stak zijn hoofd om de deur. Hij keek bezorgd.
'Deze keer zijn het Amal en Hezbollah…'
'Dank je, Elias. Houd iedereen weg bij de ramen. Waar vechten ze om?'
Drie met een granaatwerper afgevuurde granaten ontploften vlak achter elkaar en beide mannen krompen in elkaar.
Het personeel dromde de gangen in, bij de buitenmuren vandaan.
Elias kwam Nicks kantoor in. Er was nauwelijks plaats voor hen tweeën en het bureau. Elias droeg een grijs, lichtgewicht pak met een zilverkleurige das en een bijbehorend pochet.
'Om het casino – u kent het wel, meneer Nick, de ingang zit om de hoek van het Commodore. Het zit in de kelder. Hezbollah wil het sluiten. Het is al heel lang een belangrijke bron van inkomsten voor de Amalcommandant in dit gebied.'

Amal en Hezbollah waren allebei overwegend sjiitisch; de eerste had een oprichtingshandvest dat was gebaseerd op de grondwet van de Verenigde Staten, de tweede was een omvangrijke maatschappelijke beweging die werd gesteund door Iran en Syrië, met een kleine militaire vleugel die werd getraind door de revolutionaire garde van Iran. Hezbollah was gedisciplineerd, strak geleid, gecentraliseerd en zeer gemotiveerd. Amal bestond al veel langer en had niets van het fanatisme van zijn concurrent.
Gewapende Amalstrijders vochten voor vijftig dollar per maand.
De jongens van Hezbollah vochten uit liefde en uit haat.
Liefde voor de islam, liefde voor het land.
Haat voor de buitenlandse bezetting, voor het zionisme.
Hezbollah was in heel West-Beiroet zijn greep straat voor straat aan het verstevigen en Amal werd langzaam verdrongen.
Nick liep naar het raam en keek naar buiten.
'Ze staan vlak voor de deur,' zei Elias. Hij stond zijn handen te wringen en treurig te kijken. Deze schermutseling zou bijna zeker zijn lunchafspraak verknallen.

Ze belden eerst aan.
'Laat ze binnen.'
De stafmedewerker, Bashar, aarzelde.
'Ik zei: laat ze binnen.'
Het waren vijf strijders. Allemaal van een jaar of achttien, negentien, dacht Nick, gekleed in spijkerbroek en sportschoenen en T-shirt. Twee waren gladgeschoren, drie hadden een keurig baardje. Hun haar was heel kort geknipt.
'*Salaam aleikum.*' Nick stelde zich voor als de baas, de *mudir* van de organisatie. 'Het spijt me. Jullie zijn van harte welkom, geloof me, maar we staan geen vuurwapens toe in het VN-kantoor. Dat is de regel.'
Hij zag dat ze allemaal M-16's van Amerikaanse makelij hadden.
Ze spraken hem niet tegen. Hun leider liet de geweren en extra magazijnen innemen en wegbrengen. Nick vroeg of iedereen koffie wilde en stuurde iemand naar het café aan de overkant om het te halen. Hij nodigde zijn bezoekers uit om het zich gemakkelijk te maken. Ze hadden de lichamelijke ongedwongenheid en alertheid van getrainde soldaten. Ze waren niet langer individuen, maar vormden een geheel, een eenheid, en een van de jongelui, zelf niet ouder dan twintig, was kennelijk hun commandant. Ze gehoorzaamden hem en in dat opzicht waren ze erg on-Libanees. Ze zaten rustig om zich heen te kijken, niet vriendelijk en niet vijandig. Gehoorzaam aan

bevelen. Beleefd. Ze hadden het vermogen tot wachten van beroepssoldaten. Zonder uitzondering weigerden ze Nicks aanbod van een sigaret.
Hij wist dat het niet gemakkelijk was om bij Hezbollah te komen. Het bracht een proeftijd van maanden met zich mee waarin rekruten werden gestimuleerd om zich te onthouden van sigaretten, vloeken, grof taalgebruik over vrouwen en andere slechte gewoonten.
'We dachten dat dit een mediaorganisatie was,' zei hun leider. 'Iemand stond buiten foto's te maken en we wilden een paar foto's voor onszelf.'
Nick legde uit dat het Joegoslavische agentschap, Tanjug, op de begane grond zat, dat de Engelse televisiezender Visnews op de vierde zat, en het Noord-Amerikaanse televisienetwerk CBS op de zesde. Naast hen zat AP samen met NBC. Ook Novosti uit Moskou zat in de buurt.
Ze dronken hun koffie, bedankten Nick ernstig, gaven Elias en hem een hand, en haalden toen hun wapens uit de gang waar een van hen de wacht had gehouden.
Het hele proces had iedereen meer dan een uur gekost.
Het schieten was voorbij, voor het moment althans. Amal was teruggedrongen en was een belangrijke, plaatselijke bron van inkomsten kwijt. Hezbollah was weer een paar blokken verder gekomen.
Nick vroeg zich af hoe lang het zou duren voordat ze Bliss Street overnamen en Sammy's Bar sloten.
De radio zei dat twee strijders waren gedood en zeven gewond. Twee burgers waren in het kruisvuur gesneuveld. Een van hen was doofstom.
Nick ging terug naar zijn kantoor. Hij deed de deur dicht en zijn gedachten gingen weer naar Reem uit.

'Ze heeft je gedumpt, jongen, dat is het gewoon.'
De kelner bracht een tweede fles Ksara rood, liet Dacre het etiket zien en begon hem te ontkurken toen deze goedkeurend knikte.
'Bedankt,' zei Nick. 'Dat is een geweldige hulp. Ik waardeer het zeer.'
'Sorry, maar volgens mij is het allemaal heel eenvoudig. Ze is weggegaan, heeft een ander gevonden. Is van het leven gaan genieten. Beiroet was gevaarlijk. Ze is er verdomme bijna doodgegaan. Ze moest er weg. Volgens mij moet je maar denken dat je er wijzer van bent geworden, Nick, en het achter je laten.'
'Jij hebt gemakkelijk praten. Ik heb haar ten huwelijk gevraagd.'
Dacre keek abrupt op.
'Dan ben je door het oog van de naald gekropen.'

'Er is nog iets wat je niet weet. Ze is in verwachting van mijn kind.'
Dacre haalde een hand over zijn gezicht.
'Dus je ziet, Peregrine, ik denk niet dat ze, zoals jij het stelt, zomaar is weggegaan en een ander heeft gevonden. Tenzij ze abortus heeft laten plegen of deze ander ervan overtuigd heeft dat het zijn kind is en niet het mijne. Ik heb haar ten huwelijk gevraagd. Ik wilde vader worden. Dat wil ik nog steeds. Het is namelijk ook mijn kind. Ik heb aangeboden om haar mee te nemen. Ik heb ook gezegd dat ik bereid was om te blijven als ze niet weg wilde, zelfs als dat zou inhouden dat ik mijn baan kwijtraakte.'
'Hoe nam ze dat op?'
'Ze was blij. Ze leek blij. Opgelucht. Zo kwam het mij op dat moment tenminste voor.'
'Ik moet zeggen dat ze wel opgelucht zal zijn geweest. Wat is er veranderd?'
'Daar kom ik maar niet achter.'
Dat was niet helemaal waar, maar Nick was niet van plan hem van zijn vermoedens te vertellen.
'Dat is alles?'
'Toen zei ze dat ze zich had vergist. Dat ze niet zwanger was. Maar toen ze weg was, ben ik naar het ziekenhuis gegaan, heb haar dokter te pakken gekregen. Ze loog. Ze was wel zwanger.'
'Heb je sindsdien helemaal niets meer van haar gehoord?'
'Ze heeft twee boodschappen voor me achtergelaten. Ze zei dat ze van me hield. Ze zei dat het haar speet. Ze vroeg me om vergeving. Ze hoopte dat ik het zou begrijpen. Dat is alles.'
'Wat begrijpen?'
'Dat ze is weggegaan, neem ik aan.'
Nick wist dat het niet zo simpel was.
Het was een van Dacres zeldzame bezoeken aan de westelijke sector, en hij had Nick uitgenodigd om in de Spaghetteria te gaan eten. Nick kwam er graag. Het eten was er maar zozo, maar het keek uit op de Corniche en de Middellandse Zee en het personeel gaf hem altijd een warm welkom, ook al serveerden ze doperwten uit blik. Hij was zo'n beetje een vaste klant in een stad waar het bepaald riskant was om er vaste gewoonten op na te houden. Maar het lag nu eenmaal vlak onder Nicks flatgebouw, aan een stenen trap naar zee.
'Ik had er geen idee van dat je zoveel voor haar voelde, Nick. Het spijt me.'
'Wat de OLCA betreft, dat heb ik nagegaan. Ze zeggen dat ze geen lid is, ook nooit is geweest.'

'Dat zeggen ze altijd.'
Nick haalde zijn schouders op. 'Al helpt dat niet echt.'
'Vraag je dit eens af, Nick. Ik weet dat je je rot voelt. Maar denk je echt dat Reem zich happy zou hebben gevoeld in Engeland? De meedogenloosheid van het leven in de buitenwijken, de hypotheek, het versleten tapijt, het vocht, de eindeloze energierekeningen, de misdaad op straat, de regen, het onverteerbare eten, elke dag wachten tot je thuiskomt, de volslagen eenzaamheid...'
'Om het nog maar niet over de buren te hebben, de houding jegens buitenlanders.'
'Precies.'
'Zeg eens, Perry. Wat is Diazenon?'
'Hoezo?'
'Geef alsjeblieft antwoord.'
'Het is een zenuwgas.'
'Dodelijk?'
'Hartstikke dodelijk.'
'Wist je dat het in Libanon wordt geïmporteerd via een bedrijf dat Bayard heet, een transportbedrijf dat kennelijk banden heeft met de Protector?'
'Ik heb geruchten gehoord.'
'Dat is alles?'
'Waarom?'
'Het heeft de vorm aangenomen van een insectenverdelgingsmiddel dat Spectracide heet. Ik heb laatst een geel vat met het spul gezien. De laadbrief en het etiket zaten er nog op. 'Insecten kunnen Spectracide niet ontvluchten.' Of was het 'insecten kunnen niet tegen Spectracide'? Dat weet ik niet meer. Ik heb gehoord dat er een paar weken geleden een of ander ongeluk in de oostelijke sector heeft plaatsgevonden. Er zijn verscheidene mensen ziek geworden, een paar zijn in coma geraakt en twee zijn er overleden. De zaak is in verband gebracht met de Protector. Gaat er een belletje rinkelen?'
'Hebben de communisten je dat verteld?'
'Misschien.'
'Het is een oud verhaal, Nick. Er zijn nu eenmaal veel spanningen. Aan deze kant zullen ze alles proberen om el-Hami ervan te weerhouden het Baabda-paleis te betrekken, zelfs oude verhalen, om te proberen een jonge VN-functionaris in te palmen.'
'Dat neem ik ze niet kwalijk, jij wel?'
'Misschien niet. Er komt een krachtmeting. Iedereen is de frontlinies aan

het versterken. Libanon staat voor een keus. Is het een Arabisch en overwegend islamitisch land? Of is het een door christenen geleide bondgenoot van Israël en de Verenigde Staten, een conservatief paard van Troje? Wapens en ammunitie stromen als nooit tevoren de illegale havens binnen. De Amerikanen hebben troepenschepen voor de kust liggen. De Protector neemt het over drie dagen over – vier als je vandaag, zondag, meerekent.'
'Dus...'
Dacre dronk zijn wijnglas leeg, pakte de rekening en bekeek hem met half dichtgeknepen ogen. Hij knikte naar iemand over Nicks schouder. Nick draaide zich om op zijn stoel en zag een lid van het bewakingsteam van de ambassade naar een van zijn kameraden gebaren om de kogelvrije auto van de diplomaat te laten voorrijden.
'Je had beter nog een weekje op Cyprus kunnen blijven, Nick. Dat was veiliger geweest. Ik vrees dat niemand tijd zal hebben om zich om dat vriendinnetje van je te bekommeren. Ik heb je gewaarschuwd. Er staan op het moment grotere dingen op het spel. Zullen we gaan?'

# 39

Reem vond het een mooie auto. Ze vond de grijze metallic lak en de bijbehorende stoffen bekleding in een donkerder tint grijsblauw mooi. Het was een vierdeurs luxe Honda, net zo'n auto als Nick aan de oostkant had gehuurd. Hij rook nieuw en zag er zowel vanbinnen als vanbuiten onberispelijk uit.
Ze ging achter het stuur zitten. Het voelde heel comfortabel aan. Ze merkte dat ze de zitting kon verstellen, en de stand van de rugleuning.
Hij had airconditioning.
'Is hij gestolen?'
Geen antwoord.
De radio deed het.
De Ustaz zei: 'Niet aan de richtingaanwijzer komen.'
Toen ze weer uitstapte, nodigde de Ustaz haar uit om in de kofferbak te kijken, de wielbakken te bekijken, en het apparaatje op wielen te gebruiken dat bij de grootste controleposten soms door troepen werd gebruikt om naar bommen te zoeken.
'Wat zie je?'
'Niets. Niets bijzonders.'
Hij hielp haar om het reservewiel in de kofferbak op te tillen, maar ook daar lag niets.
'Kom eens mee,' zei hij. Ze volgende hem, de smeerkuil onder de auto in. Hij keek op en richtte een zaklamp op de onderkant.
'Zie je de bedrading?'
Hij ging met het licht naar de zijkant waar de bedrading naar voren en achteren liep, samengebundeld.
Reem knikte.
'Ziet er normaal uit, vind je niet?'
'Ja.'
Ze klommen de smeerkuil uit.

Wie er nog meer waren – Reem vermoedde de monteur en mogelijk de mensen die voor de explosieven zorgden – hadden zeker te horen gekregen dat ze uit de buurt moesten blijven, door de achterdeur moesten verdwijnen. Dat ze haar moesten mijden. Dat ze moesten zorgen dat ze haar niet zagen of door haar werden gezien.
Voor het geval ze levend werd gepakt.
Ze deed een van de achterportieren open, bukte zich en trok de achterbank omhoog. Dat kostte enige moeite in de hitte, maar het lukte haar met een laatste ruk. Ook daar lag niets.
'Waar is het dan?'
'Verstopt.'
'Allemaal?'
'Ze zullen het nooit vinden. Dan zouden ze hem echt helemaal uit elkaar moeten halen.'
Reem was onder de indruk. Dat was ook de bedoeling.
'Je kunt er een proefrit mee maken. De auto is klaar, maar ik denk dat het goed zou zijn als je eraan went dat hij wat zwaarder is.'
Het was knap gedaan, zoals de Ustaz verklaarde. De brandstoftank zat vol C-4 plastic explosieven. Hij zag er normaal uit. Hij was ook normaal. Iedereen die de dop eraf draaide, zou benzine ruiken, en iedereen die erin zou poeren, zou benzine vinden. Het verschil was dat er nu een zware plastic literzak met benzine in een holte tussen de pakken C-4 zat. Als een stomazak, maar dan dikker en sterker, zei de Ustaz. Hij bevatte genoeg benzine om haar en de auto met zijn geheime vrachtje een paar keer door de stad te laten rijden.
De bedrading onder de auto – de draden van de elektrische installatie – was nieuw, maar was met zorg 'gespannen' om niet op te vallen tussen de rest.
De accu was getest en helemaal opgeladen, de bougies waren vervangen, de carburator was schoongemaakt, olie en water waren bijgevuld, de bandenspanning was gecontroleerd.
De Ustaz had overal aan gedacht, maar dit had natuurlijk ook al maanden in de planning gezeten.
Reem had nog maar één vraag.
Ze zei: 'Wanneer?'

Het was een garage, een van die naamloze bedrijven waar tientallen jaren kleverige, glibberige olievlekken in het betonnen voorterrein en de binnenvloer zijn gedrongen. Aan de voorkant was alleen een oprit te zien, een stapel versleten autobanden, een oude luchtpomp, een hogedrukslang en een

paar vooroorlogse posters van Formule-1-wagens die producten van Michelin en General Motors aanprezen.
Binnen stond het vol auto's en auto-onderdelen, voor het merendeel wrakken. Reem zag vaten, een acetyleenuitrusting, een trapleer, een rek met smerige overalls, een werkbank, een grote gereedschapskist, een hijsblok aan het plafond, rollen slang, een berg lorren en een verzameling olieblikken in verschillende soorten en maten.
Rotzooi, allemaal.
Een Pirelli-kalender met een naakte brunette hing tegen het glazen kantoortje achterin waarvan de gebarsten ruiten waren afgeplakt met pakpapier, waarschijnlijk vanwege de privacy. Niet bepaald het toonbeeld van een halte op weg naar het martelaarschap, maar dat was natuurlijk ook niet de bedoeling.
Overal lag stof dat vlagerig opwoei.
Het enige wat Reem wist, was dat ze in de buurt van de haven waren, aan de oostkant, en volgens haar berekening ongeveer een kilometer van haar eindbestemming.

'Je gaat rechtsaf,' zei de Ustaz. 'Dan kom je aan het eind van de doodlopende straat, daar ga je linksaf en dan zit je op een rechte weg van oost naar west met aan weerskanten opslagplaatsen, werkplaatsen en lichte industrie. Het havengebied ligt aan je rechterhand. Karantina ligt driekwart kilometer verderop, ook aan je rechterhand. De weg is recht. Je zult bijna meteen een controlepost van het leger voor je uit zien. Minder vaart en rij er langzaam op af. Je gaat niet rechtsaf naar de haven, ze zullen dus niet in je geïnteresseerd zijn. Ze zijn alleen geïnteresseerd in mensen die naar de haven van Beiroet gaan. Ze zullen naar je kijken omdat je er als een plaatje uitziet en in een chique auto rijdt. Speel het spelletje maar mee. Je hebt niets te verbergen. Geef ze maar een glimlach.'
Ze startte de auto, liet hem in z'n vrij opwarmen terwijl de Ustaz sprak. Hij zat vlak achter haar, op de achterbank.
'Als je eenmaal door de controlepost heen bent, kun je doorrijden tot voorbij Karantina. Je zult aan je rechterhand de twee zandzakkenemplacementen zien en de twee soldaten. Ze zullen je zien langsrijden, maar ze zullen niet proberen om je aan te houden. Als je niet te snel rijdt, kun je een blik op de ingang werpen. Daar zou je el-Hami's Mercedes moeten zien staan. Rij door. Niet te vlug. Voor je uit zul je de rode containers zien die het begin van de chicane voor de Groene Lijn markeren. De containers zijn een waarschuwing

en ze vormen enige dekking tegen scherpschutters aan de overkant, aan de westkant. De weg maakt een dip en stijgt dan weer. Minder vaart, maak onder aan de dip een soepele draai, vlak voor de containers, en kom weer terug. Zover duidelijk?'
'Ja.'
'Op de terugweg zal het leger niet in je geïnteresseerd zijn. Ze zullen misschien naar je kijken omdat ze zich vervelen, maar ze zullen niets doen. Rij door. Rij ook deze afslag voorbij. Aan het eind van de weg zul je aan je linkerhand een paar grote gombomen zien. Keer daar om. Er is een café en ruimte zat om te keren. Er is daar meer verkeer omdat het een kruispunt is en de kustweg er vlak achter ligt. Kom daarna bij ons terug. De deuren zullen open staan en wij staan je op te wachten. Nog vragen?'
'Nee.'
'Je zult de hele weg worden gevolgd en op video worden opgenomen. De volgauto en camera zijn er voor jou, niet voor ons. Je zult de video later zien om je eigen rijkunst te beoordelen en dan kunnen we bespreken hoe het ging. Goed?'
'Geen probleem.'
'Uitstekend.'
Hij legde zijn rechterhand op de deurknop.
'Nu het allerbelangrijkste, Reem – ik moet je eraan herinneren dat je niet aan de richtingaanwijzer mag komen. Want dan blaas je jezelf en verder iedereen binnen een straal van honderdvijftig meter op. Dat is je wapen, je zeer gevoelige trekker, en hij is geladen en vuurklaar.'
Toen hij uitstapte, kreeg Reem heel even de zenuwen. Hij deed het achterportier rustig dicht en liep haar voorbij naar de garagehekken die hij begon open te trekken. Ze ratelden en schudden, maar rolden gemakkelijk weg.
Ze voelde haar hart sneller gaan kloppen.
Allegro vivace.
Reem had het tegengif. Ze duwde een cassette in de speler en drukte de playknop in.
Mozarts vijfde vioolconcert.
In A-majeur.
Ze ademde langzaam in toen de eerste akkoorden door de auto klonken.
Ze zette hem voorzichtig van de handrem.
Zette hem in de eerste versnelling, drukte voorzichtig het gaspedaal in.
Ademde uit. Langzaam.
De Ustaz ging opzij en keek hoe Reem hem voorbij reed, de felle zon in.

# 40

'Nick? Nick, word in godsnaam wakker.'
'Wat?'
'Wakker worden, Nick.'
'Met wie spreek ik?'
'Met Perry.'
'Hoe laat is het?'
'Tien voor vijf.'
'Verdomme, majoor. Het is nog donker. Wat wil je van me?'
'Je kunt maar beter hier komen.'
'Waar?'
'De grensovergangen gaan over ruim een uur open. Ik heb je hier nodig.'
'Waarvoor? Wat is dit?'
'Ze blijven misschien niet erg lang open. Ze gaan ze voor de middag weer sluiten. We moeten snel zijn.'
'Wat wil je?'
'Je Landrover is gevonden op de weg naar Baabda. Hij zat kennelijk vol explosieven en diverse bommen, aangesloten op een elektrische ontsteker die onder een kabelkanaal zat.'
Stilte.
'Ben je daar nog, Nick?'
'Ja.'
'Je vriend el-Hami heeft formeel protest aangetekend bij de ambassade, en zowel ons als de Verenigde Naties beschuldigd van een samenzwering om hem morgen te vermoorden als hij het presidentschap aanvaardt. Hij beschuldigt jou persoonlijk van het actief bijstaan van de potentiële moordenaars. Hij zegt dat de ambassade je heeft gesteund. Hij heeft alle televisiemensen erbij gehaald en een team van de explosievenopruimingsdienst van de Amerikaanse marine. Ze zijn van plan je auto te vernietigen met een gecontroleerde explosie voor de camera's. Tientallen inwoners zijn uit hun

huizen geëvacueerd. Het is hier een mediacircus. Hij maakt er veel ophef van. Om twaalf uur geeft hij een persconferentie. Sir Henry is buiten zichzelf van woede.'
'Verdomme.'
'Jij en ik gaan naar el-Hami toe. Hij is tegen zeven uur op kantoor. We hebben een afspraak om half acht. We gaan proberen om hem op andere gedachten te brengen. Ik zal wel voor hem kruipen. We gaan proberen om hem zover te krijgen dat hij de televisieploegen naar huis stuurt en de persconferentie schrapt in ruil voor een belofte van alle mogelijke medewerking aan welk onderzoek ook. Jij kunt het zo goed mogelijk uitleggen van Reem.'
'Reem?'
'Reem Najjar. Zo heet ze toch? El-Hami zegt dat je haar actief hebt geholpen, haar in zijn kringen hebt geïntroduceerd, haar zonder officiële toestemming met je VN-voertuig door Oost-Beiroet hebt laten rijden, en dat jij haar het fototoestel hebt bezorgd waarmee ze haar potentiële slachtoffers heeft gefotografeerd. Is dat waar, Nick? Hij zegt dat haar vingerafdrukken in jouw auto zijn gevonden. Hij zegt dat ze een communistische terroriste is, getraind door Syrië en de man die ze de Ustaz noemen. El-Hami zegt dat zijn veiligheidsdienst het terrorisme een grote slag heeft toegebracht, maar dat ze nog steeds op zoek naar haar zijn. Hij zegt dat jij met de Syrische inlichtingendienst onder één hoedje hebt gespeeld en beweert dat hij bewijs heeft van ontmoetingen tussen jou en kolonel Daoud – zowel beeld- als geluidsmateriaal. Allemaal geweldig voor zijn politieke programma. Hij belooft Libanon orde en gezag te brengen, buitenlandse troepen het land uit te zetten – daarmee bedoelt hij de Syriërs, niet de Israëliërs – en het terrorisme uit te roeien. Nick, hoor je me?'
'Het is gelul, allemaal.'
'Jij bent overigens persona non grata verklaard. Je krijgt achtenveertig uur om het land te verlaten, anders word je uitgezet. In de westelijke sector betekent dat ongetwijfeld niet veel, maar je werkgevers zullen je waarschijnlijk toch terugroepen, al is het maar voor je eigen veiligheid.'

Er stonden drie door de Sovjets geleverde Syrische legervoertuigen voor het kleurloze gebouw waar Daoud kantoor hield: twee GAZ-69's en een UAZ-469, allebei met Syrische luchtmachtkentekens. Roze Panters – Syrische speciale strijdkrachten in roze woestijncamouflage, met helmen en gewapend met kalasjnikovs en RPG's – zaten op hun hurken op straat of lagen er te roken of te slapen, met hun rugzak als kussen.

Nick nam de trap met twee treden tegelijk. Niemand hield hem tegen. Hij vond Daoud op zijn kantoor, met zijn in pantoffels gestoken voeten op zijn bureau. Hij zat de ochtendkranten te lezen. Hij zag er doodmoe uit en was ongeschoren. Hij droeg een wollen kamerjas over een gekreukt overhemd en broek.
'Meneer Lorimer. Wat een aangename verrassing.' Daoud keek totaal niet verbaasd, maar ook niet bijzonder blij. De kolonel knikte naar de lege stoel tegenover hem en schoof Nick een pakje sigaretten toe. Hij stond op en schuifelde naar de deur, stak zijn hoofd de gang in en riep om koffie. Hij deed de deur weer dicht en plofte op zijn stoel.
Nick nam een sigaret, al had hij er eigenlijk geen zin in. 'Ik werk blijkbaar met u samen aan het beramen van de moord op el-Hami en ik ben persona non grata verklaard. Mijn VN-auto is op de weg naar Baabda gevonden, uitgerust met explosieven.'
Daoud legde de kranten opzij.
'En?'
'Mijn aanwezigheid is vereist in de oostelijke sector. Ik ga naar de Protector om te proberen het uit te leggen. Natuurlijk zal ik alles ontkennen, ook enig verband met Syrië. Het is allemaal onzin. Hij staat op het punt een verklaring uit te geven waarin hij mij, personeel van de Engelse ambassade en u beschuldigt van het organiseren en steunen van een aanslag op zijn leven – die moet samenvallen met zijn verhuizing morgen naar het presidentiële paleis voor de inhuldigingsplechtigheid.'
Daoud glimlachte. Zijn gezicht was pafferig en hij had rood omrande ogen. Hij zag eruit of hij de hele nacht op was geweest.
'Waarom komt u daarmee bij mij?'
'Ik wilde u er persoonlijk van verzekeren dat ik met dit alles niets te maken heb. En ik wilde u vragen of u me iets, wat dan ook, kunt vertellen.'
Er werd geklopt en een jonge Syriër kwam binnen met de koffie.
Daoud sprak kort met hem. Nick verstond 'Najjar' en 'documenten'.
'Ik heb om haar dossier gevraagd.'
'Wiens dossier?' Nick deed net of hij het niet had begrepen.
'Van Reem Najjar. Uw vriendin.'
'U wist ervan?'
'Ik geloof dat ik u al eens heb gezegd, meneer Lorimer, dat we een boel weten, maar dat we niet per definitie de middelen hebben om ook iets te doen met wat we weten. Het ligt in de aard van het inlichtingenwerk dat we niet altijd weten wat het is dat we weten, en onze politieke bazen geven er de voorkeur aan om nog minder te weten.'

'Maar u wist van Reem.'
Het dossier kwam en werd voor de kolonel neergelegd. Het was centimeters dik en de grijze omslag werd met elastiek bij elkaar gehouden. Daoud maakte het voorzichtig open.
Daoud blies rook naar het plafond en keek toen naar de papieren.
'Laat ik u een verhaal vertellen, meneer Lorimer. Een van mijn taken hier is verdachten te ondervragen die worden vastgehouden en hier worden gebracht voor onderzoek. Op een avond werden er wat mensen binnengebracht van het vliegveld. Ze waren met de laatste vlucht uit Larnaca gekomen. Een van hen was een jonge vrouw, Reem Najjar.'
Hij zweeg even en nam een slok koffie.
'Dat was ongeveer twee maanden geleden. Ja, ik heb de datum hier.' Hij keek omlaag. 'Zes maart. Ik had instructies – ik ben bang dat ik u niet kan vertellen van wie – om juffrouw Najjar te ondervragen en, zo nodig, lichamelijke druk uit te oefenen. Begrijpt u?'
Nick wist niet zeker of hij begreep waarom iemand dat soort opdrachten zou geven en hij probeerde zich een beeld te vormen van wat Daoud zijn gevangenen zou kunnen aandoen.
'Mij werd gevraagd mijn mensen de verdachte niet te laten tekenen, geen blijvende schade toe te brengen, maar met beleid te werk te gaan.'
Hij dronk zijn koffie op en vermeed het Nick aan te kijken.
'Ze verzette zich. Ze gaf ons niets. Ze was opstandig. Ze probeerde terug te vechten. Ik herinner me haar nog heel goed. Het was een zeer gedenkwaardige avond. Of moet ik ochtend zeggen. Ik was eerlijk gezegd onder de indruk. Ze was niet geïntimideerd. We hebben haar uiteindelijk laten gaan. Er was geen blijvende schade toegebracht. Ik kreeg een telefoontje dat ik haar moest vrijlaten, maar daar heb ik de gevangene niet van op de hoogte gesteld. Een van mijn mannen heeft haar thuisgebracht. Ik geloof dat ze in Verdun woonde. Misschien heeft ze het u verteld...'
Reem had er niets van tegen Nick gezegd.
'Wat wilt u hiermee zeggen?'
'Dat deze Reem Najjar werd gearresteerd door Syrische veiligheidsmensen toen ze het land binnenkwam, dat ze als verdachte is vastgehouden, ondervraagd en vrijgelaten toen nergens uit bleek dat ze betrokken was bij criminele of subversieve politieke activiteiten. Wat hadden we anders kunnen doen?' Daoud keek op en spreidde zijn handen. 'U kunt uw Engelse vrienden en de zogenaamde Protector van deze feiten op de hoogte brengen. Ik hoop dat het helpt.'

'Met andere woorden...'
'Met andere woorden, meneer Lorimer, Syrië wil terroristische activiteiten net zo graag de kop indrukken als de westerse machten. We hebben allemaal genoeg geleden onder staatsterrorisme door toedoen van onze zuiderburen. We zijn nooit betrokken geweest, en zijn dat nog steeds niet, bij het voorbereiden van bomaanslagen of pogingen om een toekomstig staatshoofd te vermoorden, in Libanon of welk land dan ook.'
Deze keer liep hij niet met Nick mee naar de deur.

'Klaar?'
Dacre keek op zijn horloge. Hij had bijna een uur moeten wachten.
Deze keer waren het twee Landrovers, allebei wit, allebei met een Engels vlaggetje op voor- en achterkant. Er waren vijf leden van de bewakingsdienst van de ambassade aanwezig, allemaal gewapend met een pistool en ze hadden een lichte mitrailleur bij zich.
Dacre en Nick zaten in de voorste auto met twee lijfwachten.
De majoor draaide zich om op zijn stoel en keek naar Nick, die op de achterbank zat. 'En?'
'En wat?'
'Weet je waar ze is?'
'Reem? Ik heb geen idee.'
Nick gaf geen zier om Dacre. Hij gaf geen zier om de Engelse regering. Hij gaf geen zier om zichzelf of zijn baan. Hij wilde Reem vinden. Zij was het enige belangrijke. Hij kwam in de verleiding om uit de auto te springen, als een gek de straat uit te rennen, een taxi te zoeken en terug te gaan naar de westelijke sector.
Maar dan?
Hij had bot gevangen. Hij kon haar in zijn eentje niet vinden.
De marechaussee die naast Nick zat – met een kaki vest vol zakken en ritsen als het jack van een fotograaf en met een lichte Sterlingmitrailleur in de hand – liet niet merken dat hij hoorde wat er werd gezegd. Hij leek het verkeer in de gaten te houden, en de ramen en daken die ze voorbijkwamen. Nick kon de ogen van de soldaat niet zien achter diens zonnebril.
'Je moet hem iets geven, Nicholas. Je moet wel, als je van verdenking wilt worden ontheven. Geeft niet wat. Als je weet waar ze is, geef haar dan in godsnaam op.'
Nick wist niet waar Reem was, maar zelfs als hij het wel had geweten, zei hij bij zichzelf, zou hij nooit prijsgeven waar ze was – niet aan Dacre, niet

aan Daoud, en zeker niet aan el-Hami. Zelfs niet als ze hem de duimschroeven aandraaiden.
Hij zei niets. Ze reden de heuvel af, van Hazmieh naar de haven. Alle ramen waren open. Het was al erg warm. Nick zag de kranen – roestig, ongebruikt – boven de kapotgeschoten daken van de pakhuizen aan de haven uit. Hij ving een glimp op van een vrachtschip dat op zijn kant aan de kade lag, met zijn schoorsteen en masten bijna evenwijdig aan het vettige zeewater.
Dacre draaide zich weer om.
'Wanneer wist je het?'
'Ik heb het een paar dagen geleden geraden, toen ik in het zuiden was. Alles leek op zijn plaats te vallen. Ik had er echt geen idee van.'
'Dat is niet goed genoeg.'
'Wat?'
'El-Hami wilde je oppakken als we met je kwamen aanzetten. Hij wilde je door zijn mensen laten arresteren en ondervragen, en je daarna laten berechten op beschuldiging van terrorisme. Sir Henry is tussenbeide gekomen. Hij zei dat hij het gezantschap om veiligheidsredenen zou sluiten als jou maar een haar werd gekrenkt. Hij zei dat hij ervoor zou zorgen dat je het land zou verlaten, maar dat je in geen geval gearresteerd mocht worden.'
'Ik ben sir Henry dankbaar.'
Nick wilde helemaal niet weg, niet voordat hij Reem had gevonden.
'Doe ons dus allemaal een plezier, Nick. Voor wat hoort wat. Biecht het eerlijk op. Houd niets achter. Geef ze wat je hebt, goed? El-Hami is dol op alles wat Engels is, van Labradors tot Purdeys. Vergeet dat niet. Daar kunnen we gebruik van maken, maar houd niets voor hem achter. Hij heeft een rothumeur.'
Dit hield partij kiezen dus in.

De weg langs de haven was recht. Hij liep van oost naar west. Aan weerskanten stonden pakhuizen en werkplaatsen, de meeste vervallen en armoedig, met de firmanamen nog boven de deuren. Tanourian en Zonen – Importeurs en Exporteurs. De Gebroeders Bassam – Machineonderdelen. Expeditie Ashur. Tripoli Vrachtvervoer.
Recht voor hen uit was een controlepost van het Libanese leger. De RMP-chauffeur minderde langzaam vaart. Ze hoefden niet eens te stoppen. De soldaten wuifden de Engelsen met een glimlach door. Misschien herkenden ze zowel de vlaggetjes als de jongemannen met zonnebril en automatisch geweer die teruglachten en hun duim opstaken. Het ging allemaal erg opgewekt.

Nick keek naar rechts en zag dat de Libanese soldaten een van de toegangswegen naar de haven bewaakten. Hij kon het schip zien dat hij daarnet had zien liggen, het vrachtschip. Deze keer kon hij zien dat de schoorsteen vol gaten was geschoten en dat er aan de zijkant van het vaartuig een metersbrede jaap zat.
Het zag eruit of het in brand was gevlogen toen het was geraakt.
Dacre zat voorover.
'Rustig aan. Het is de volgende rechts.'
'Ja meneer.'
Het volgende groepje waren geen soldaten. Het waren Libanese strijdkrachten. Het enige waaraan Nick kon zien dat het geen Israëliërs waren, waren de naamplaatjes. In plaats van in het Hebreeuws, waren ze zowel in Arabisch als Latijns schrift.
De Landrovers stopten. De gewapende man die het dichtst bij de chauffeur van het voorste voertuig stond, nam alle papieren in en bekeek ze.
Een ander, die binnen de met zandzakken versterkte controlepost bij de witte onderdoorgang stond, zei iets in een radiotelefoon.
Hier werd niet geglimlacht.
De twee Landrovers reden langzaam door en draaiden links een parkeerterrein op. Nick zag een grote S-klasse Mercedes staan waarvan hij aannam dat hij van el-Hami was.
'Daar,' zei Dacre.
Ze parkeerden achteruit, de twee auto's naast elkaar, met de neus naar voren.
Ze stapten allemaal uit en Dacre trok aan zijn overhemd en broek waar ze aan hem vastgeplakt zaten.
'Blijf in de buurt, mannen. Zie maar wat schaduw te vinden. Maar houd je ogen open en de voertuigen in het zicht. Wees alert. Ik vertrouw deze mensen voor geen cent.'
'Maakt u zich over ons maar geen zorgen, meneer.'
Dacre zei. 'We zijn zo gauw mogelijk terug.'

Er was een entree met vloerbedekking, een receptioniste met geblondeerd haar en zeer lange nagels, een wenteltrap naar de eerste verdieping en een kille, airconditioned wachtkamer met leren banken en leunstoelen, lage tafeltjes en tijdschriften. Een beetje als de wachtkamer van een tandarts, vond Nick. Er hingen ingelijste posters van het Ministerie van Toerisme aan de muur. Jbeil, de ceders, Baalbek. Achter een volgende glazen deur was een kantoortuin waar Nick vermoedde dat Sylvie werkte, te midden van de vele assistenten en secretaresses. Hij zag hoofden die over typemachines waren gebogen, en af en toe haastte zich een vrouwelijke gestalte langs de deur. Sylvie was nergens te bekennen. Misschien was het nog te vroeg. Aan de andere kant van de kantoortuin waren dubbele deuren in een lambrisering van opleghout.

Het kantoor van el-Hami.

Dacre liet zich op een van de banken in de wachtkamer vallen. Hij fronste en af en toe mompelde hij iets binnensmonds. Hij speelde met zijn regimentsdas.

De spanning sloeg ook op Nick over, maar hij bleef staan.

Hij keek op zijn horloge.

7.28 uur.

Hij wendde zich naar het raam, een smal kijkgat dat uitkeek op het parkeerterrein van Karantina en de onderdoorgang.

Hij zag een grijze auto rijden. Een vierdeurs luxewagen. Het was een Honda, dacht hij, met maar één inzittende.

Hij was gestopt bij de ingang, vlak voor de zandzakken.

God, wat begonnen deze mensen vroeg.

Misschien was het Sylvie.

Nick had honger en dorst. Hij wilde zijn ontbijt. Hij had een bonkende hoofdpijn boven zijn rechteroog. Hij hield zich voor dat het door de sigaretten en de koffie kwam, en het feit dat hij het grootste deel van de nacht in West-Beiroet had rondgehangen.

Ja, een maand of drie geleden zou hij zich hebben geschaamd. Hij zou hebben gedaan wat iedereen van hem vroeg. Hij zou hebben geprobeerd om het te verdringen, zich er niet mee te bemoeien, er afstand van te nemen. Van Reem, van Khaled, van alles. Hij zou vooral die zo vreselijk burgerlijke Engelse emotie van gêne hebben gevoeld – gêne dat hij voor gek was gezet, gêne dat hij erbij betrokken was geraakt, dat hij erdoor was aangestoken, dat hij geëngageerd was. Hij was dus gebruikt. Natuurlijk was hij gebruikt. Hij had zijn kantoor, zijn rol, in opspraak gebracht. Hij was slordig geweest, nalatig zelfs. Nu deed het er niet meer toe. Voor hem niet. Hij voelde zich niet schuldig. Sinds hij in Jounieh aan land was gestapt, met de hersenen van een vreemde over zijn sportschoenen, was hij veranderd. Hij wist niet precies hoe.

De vrouwelijke bestuurder had het raampje aan haar kant omlaag en praatte tegen de militiemannen, druk gebarend met één hand.

De gewapende man die het dichtst bij haar stond, knikte en glimlachte.
De schildwachten leken te weten wie ze was.
De auto begon op te trekken en maakte vaart.

# 41

07.20 uur
'Je papieren.'
Ze nam ze van de Ustaz aan.
Dit was onverwacht. Er was een Canadees paspoort met een esdoornblad op de omslag, en een internationaal rijbewijs.
'Je bent Fatima Hebden. Je bent vijfentwintig jaar. Sylvies vriendin. Jullie hebben elkaar vorig jaar ontmoet. Je bent van Libanese afkomst, getrouwd met een Canadees staatsburger die in Beiroet werkt. Je meisjesnaam is Darwish. Je komt uit Montreal.'
Reem sloeg het paspoort open. 'Fatima lijkt erg op mij.'
'Dat klopt, ja. Ze is langer, ouder en zwaarder, maar dat zie je op de foto niet.'
'En de echte Fatima Hebden?'
'Die slaapt. Of misschien zit ze te ontbijten.'
'Heeft ze gemeld dat ze haar papieren kwijt is?'
'Ze weet het niet. Over een uur of twee weet ze het waarschijnlijk wel.'
'Is Sylvie op haar werk?'
'Ze komt meestal niet voor acht uur.'
'Dus?'
'Ga je zeggen dat je wel op haar wacht. Als je dat wordt gevraagd. Al is het zeer onwaarschijnlijk dat iemand het je zal vragen.'
'Goed.'
'Nog iets?'
Reem schudde haar hoofd. Ze had niet gedacht dat ze op het laatste moment nog van identiteit zou veranderen. Ze wist dat er een reden voor moest zijn, en een goede reden, maar daar ging ze niet naar vragen. Niet nu. Ze vermoedde dat haar ware identiteit bekend was geworden. Wat kon er anders voor reden voor zijn?
'Wil je iets eten?'

'Nee, dank je. Ik ben een beetje misselijk.'
Dat kwam niet van de zenuwen. Het was haar eerste aanval van ochtendziekte. Ze had haar avondeten uitgebraakt in de wc achter in de garage, die voor haar was gereserveerd, maar niemand had het gezien of gehoord.
'Helemaal niets?'
'Ik zou graag een paar minuten eerder vertrekken, en dan rechtsaf gaan in plaats van links en in het café aan de eind van de straat misschien wat water drinken en een sandwich eten, dan omkeren en de run maken. Ik zou het liever zo doen, als je het niet erg vindt.'
Ze vond dat het geen zin had om naar de containers bij de Groene Lijn te rijden en dan daar te keren. Dat was niet logisch.
De Ustaz aarzelde en knikte toen. 'Prima.'
Het had meer om het lijf. Ze wilde de extra tijd en het cafébezoek voor het geval ze weer moest braken. Ze had haar lievelingsjurk al aan. Ze gebruikte haar sjaal als omslagdoek om haar ergste littekens te verbergen, omdat haar linkerarm het dichtst bij het zijraampje zou zijn. De wonden waren bijna helemaal verdwenen, maar haar hele arm was nog een beetje verkleurd, vanaf de elleboog tot de linkerschouder. Het littekenweefsel zat voor het grootste deel aan de binnen- en achterkant van haar bovenarm, wat hielp.
Reem deed het portier open en schoof achter het stuur. Ze nam de gestolen papieren en legde ze rechts van haar op de passagiersstoel, samen met haar tas met een paar duizend lira, net genoeg voor een ontbijtje.
Ze bekeek zichzelf in het spiegeltje achter op de zonneklep en keek op haar horloge.
De Ustaz deed de deuren open en trok ze weg.
Reem zette haar zonnebril op.
Het zou een snikhete dag worden.
Ze draaide de contactsleutel om.
Ze hadden al afgesproken om geen afscheid te nemen.

07.23 uur
Ze stopte onder de bomen, in de schaduw.
Er kwam een jongeman naar buiten die zijn handen aan zijn schort afveegde.
'*Sabah al-khair.*'
Reem antwoordde: '*Sabah al-noor.*'
Ze bestelde een cola en *manaeesh*.

Het was een kwestie van een paar minuten. Reem was niet meer misselijk. Om de een of andere reden had ze honger en dorst. Tegen de tijd dat de jongen met het eten en drinken op een blad naar buiten kwam, liep het water Reem in de mond. Ze voelde of de cola koud was en vroeg hem om het flesje open te maken.
Ze gaf de jongen het geld en een fooi.
'*Shukrun*.'
De terugweg was vrij. Er was helemaal niemand op straat.
Ze dronk wat cola en begon aan de sandwich, waarvan ze het papier voorzichtig terugvouwde, om geen olie op haar kleren te morsen.
Toen ze bij het smalle weggetje kwam waar de garage aan stond, minderde ze vaart. Ze keek niet naar links om te kijken of de Ustaz er nog was, of hij stond te kijken, maar ze stak haar linkerhand uit het raampje en zwaaide.
De soldaten keken meer uit nieuwsgierigheid dan iets anders naar haar. Weer minderde ze vaart. Toen ze langsreed, keek ze naar hen, glimlachte en nam een hap van de sandwich.
Ze hield de cola tussen haar knieën.
Ze zwaaiden haar door en wendden zich af.
Reem zette de radio aan en vond een muziekzender.

07.28 uur
'*Bonjour*.'
Ze hield de cola in haar rechterhand, het paspoort in de linker.
'*Bonjour, m' mselle*.'
De gewapende falangist kwam naar voren, nam haar paspoort aan, draaide het om, sloeg het open, bekeek het vluchtig en gaf het terug.
'*Merci*.'
Hij ging achteruit. Nu ze haar cola op had, pakte ze haar sandwich en nam een grote hap. Ze knikte en keek een beetje opgelaten.
De gewapende man lachte om haar onhandigheid.
Beiden grijnsden haar toe. Ze hadden hun helm naar achteren geduwd. De man die het dichtst bij haar stond, zweette en het zonlicht viel op het crucifix dat hij in zijn hemd droeg. Op zijn naamplaatje stond 'George Talat'.
Reem slikte en lachte terug naar George.
Ze gebruikte het papier om haar vingers af te vegen, boog zich toen voorover en pakte een tissue uit het handschoenenkastje. Ze depte er haar lippen mee, veegde haar handen eraan af en liet hem toen bij haar voeten op de vloer van de auto vallen.

Ondertussen stonden ze te wachten op wat zij ging doen, niet andersom. Ze ging heel weloverwogen te werk. Ze hield haar handen in het zicht. Ze zette de Honda in de eerste versnelling, haalde hem van de handrem en reed onder de onderdoorgang door.
El-Hami's auto stond voor haar uit geparkeerd, aan de linkerkant.
Ze zag het prikkeldraad. De buis.
Het hoofdkwartier.

# 42

De Honda meerderde vaart.
Nick zei: 'Majoor...'
De vrouw droeg een zonnebril. Ze had donker haar.
Ze ging niet parkeren. Ze stevende recht op de kantoren af.
Ze glimlachte.
Nick deed zijn mond open. Hij wilde een waarschuwing schreeuwen. Hij zag al meteen dat het te laat zou zijn. Onmiddellijk na dat besef kwam de herkenning. Het kon Reem niet zijn, maar ze was het wel. Beslist. Geen twijfel aan. Hij verbeeldde het zich niet. Zij was het. De Honda was heel dichtbij. Nick kon zijn ogen er niet van af houden. Hij zag de kleinste kleinigheid, de manier waarop het zonlicht over de gladde ronding van het dak gleed, de manier waarop het chroom het licht ving en het weerkaatste. Reem keek op – ze keek hem recht aan, zo leek het althans.
Haar lippen stonden een beetje open.
De gele jurk.
Zijn handen klauwden tegen het raam, beukten op het glas. Er was geen handvat, geen greep. Het kon niet open. Dat was ook niet de bedoeling. Het was dik veiligheidsglas. Kon hij maar uit het raam hangen, zich laten zien.
Zou ze dan nog stoppen?
Hij gooide zijn schouder ertegen, maar het week niet. Vanuit zijn ooghoek zag hij figuurtjes zich van het parkeerterrein losmaken. Ze bewogen zich naar de Honda toe. Door het veiligheidsglas heen hoorde hij schoten knallen. De Engelse lijfwachten. Eén was blijven staan, boog zich naar de auto toe. De auto leek te aarzelen. Hij trilde en schudde als een hond die uit het water komt, alleen vloog er geen water af, maar glasscherven. De man met het geweer stond nog steeds voorovergebogen, draaide mee, met zijn voorste been gekromd, zijn achterste been recht. Hij hield een kort, zwart wapen tegen zijn schouder.

Nick wilde haar waarschuwen.
Te laat. De ramen aan weerskanten van de Honda vlogen naar buiten, daarna bezweken voor- en achterruit.
Het schieten hield op, maar de auto reed gewoon door. Reem hield beide handen om het stuur. Nick kon haar vingers heel duidelijk zien.
Uit niets bleek dat ze was geraakt.
Ze moesten hun magazijn hebben verwisseld en hun wapens hebben herladen, want ze waren weer aan het schieten, meer salvo's van drie en vier schoten, laag gericht deze keer, om te proberen de banden te raken.
De motorkap van de Honda verdween uit het zicht. Gevolgd door Reem. Nicks mond stond nog steeds open, zijn tong werkte nog aan het vinden van de juiste klanken, met zijn gezicht tegen het glas gedrukt. Voor de waarschuwende schreeuw kwam een ander woord in de plaats. De auto was verdwenen. Hij was pal onder hem. Nick wist, of liever voelde, wat er ging gebeuren. Hij wist ook dat hij er niets aan kon doen. Er was een ander soort herkenning, een vluchtig besef. Zijn Landrover, die op de weg naar Baabda was achtergelaten, was een afleidingsmanoeuvre. Net als hij. Ja, net als hij. Reem had hem gebruikt.
Vanaf het begin.
Achter hem kwam Dacre half overeind.
Stemmen drongen tot Nick door, waaronder die van el-Hami.
De receptioniste zei: 'De nieuwe president kan u nu ontvangen.'
De nieuwe president.
Alles wat Nick had gezien en gedacht – de schietpartij, de optrekkende Honda, Reems gezicht, de jurk en haar handen – dat alles had net lang genoeg geduurd om Dacre half uit zijn stoel te laten komen. Hij schreeuwde iets, maar Nick hoorde niet wat het was. Het enkele woord dat zich in Nicks eigen mond had gevormd, kwam er nu uit. Het was de keelklank van zijn eigen doodsangst. Het was een kreet van ongeloof dat hij zijn eigen leven voor zijn ogen zag eindigen. Het was een kreet van afschuw dat dit niet was zoals het hoorde. Het was de naam van de vrouw van wie hij hield. Het was al die dingen.
'Reem.'
Het was het allerlaatste dat hij hoorde.

*Lees ook van Karakter Uitgevers B.V.*

JAMES SIEGEL

# Onder dwang

Een man moet alles waarin hij gelooft verraden om zijn eigen gezin te redden...

Paul en Joanna kunnen geen kinderen krijgen. Ze hebben echt alles geprobeerd en zijn de wanhoop nabij. Adoptie lijkt nu nog de enige mogelijkheid om hun huwelijk te redden...

Om hun aangenomen kind te krijgen, moeten ze zelf naar Colombia. Maar Joelle is een wolk van een baby en alles wijst erop dat een droom uitkomt. Temeer daar het kindertehuis dat de adoptie regelt ook nog eens voor een kindermeisje heeft gezorgd dat hen in de eerste geheimen van het ouderschap moet inwijden.

Maar als ze op een avond op hun hotelkamer terugkomen, ontdekken ze tot hun ontzetting dat de baby die ze daar aantreffen niet Joelle is... En nog voordat de gruwelijke waarheid tot hen doordringt, worden Paul en Joanna gevangengenomen en wordt Paul tot een gevaarlijke missie gedwongen: als het hem niet lukt om binnen 18 uur voor miljoenen aan cocaïne naar de VS te smokkelen, zullen zijn vrouw en dochter vermoord worden.

De beslissing lijkt eenvoudig – maar de consequentie daarvan is dat allerminst...

ISBN 90 6112 053 5

*Lees ook van Karakter Uitgevers B.V.*

ESTHER VERHOEF

# Onder druk

'Kan het nog spannender na *Onrust*? Ja!' – Peter Kuijt (GPD)

Net als Sil Maier heeft besloten zijn oude leven de rug toe te keren, wordt het kind van zijn vriend Sven Nielsen ontvoerd. Er zijn aanwijzingen die naar Frankrijk leiden. Samen met de nerveuze dierenarts gaat hij naar Parijs, vastbesloten de ontvoerders het mes op de keel te zetten. Maar hoe verder Maier doordringt in het criminele netwerk, hoe sterker zijn gevoel wordt dat er meer aan de hand is.

Wordt het kind inderdaad gebruikt als pressiemiddel door een internationale drugsbende, of speelt er meer? Is de dierenarts wel het slachtoffer dat hij lijkt te zijn? En wat is de connectie met de Colombiaanse ex-commando die ineens opduikt bij Susan Staal, Maiers vriendin?

Een lang geleden gepleegde misdaad, oude en nieuwe vriendschappen die op de proef worden gesteld, liefde, haat en obsessie zijn de ingrediënten van deze nieuwe adembenemende psychologische actiethriller van Esther Verhoef.

Voor haar debuutthriller *Onrust* ontving Esther Verhoef een nominatie voor de shortlist van de Gouden Strop 2004. Een greep uit de enthousiaste persreacties:

'Een met veel vaart en spanning geschreven pageturner, een aanwinst voor de Nederlandse misdaadliteratuur.' – *Vrij Nederland* (VN Topthriller****)

'Vol wendingen en in hoog tempo. Een veelbelovend debuut!'
– *NRC-Handelsblad*

ISBN 90 6112 033 0